Exotik

Lucinda Carrington

Exotik

Roman

Ins Deutsche übertragen
von Sandra Green

Titel der Originalausgabe:
»Exotik«

Umwelthinweis:
Dieses Buch wurde auf chlorfrei gebleichtem Papier gedruckt.
Die Einschrumpffolie – zum Schutz vor Verschmutzung –
ist aus umweltverträglichem und recyclingfähigem
PE-Material.

Ungekürzte Lizenzausgabe
der RM Buch und Medien Vertrieb GmbH
und der angeschlossenen Buchgemeinschaften

Published by arrangement with Virgin Publishing Ltd.
Dieses Werk wurde vermittelt durch die Literarische Agentur
Thomas Schlück GmbH, 30827 Garbsen

Einbandgestaltung: Kathrin Steigerwald, Hamburg
Einbandfoto: Getty Images/Stockdisk
Satz: QuadroPrintService, Bensberg
Druck und Bindung: GGP Media GmbH, Pößneck
Printed in Germany 2005
Buch-Nr. 019753
www.derclub.de

1. Kapitel

Jacey Muldaire sah Anton auf dem Bett liegen, ein Laken locker um die Knie geschlungen. Sein Glied war jetzt schlaff, aber immer noch von beeindruckender Größe. Sie betrachtete ihn gern, wenn er schlief, es gab ihr einen besonderen Thrill. Nach dem Liebesakt wurde er immer schläfrig.

Sie seufzte, verknotete den schwarzen Seidenkimono und stellte den Kessel auf. Anton O'Rhiann, dachte sie. Französische Mutter, irischer Vater. Eine explosive, wunderbare Mischung. Ein Körper wie ein Athlet. Augen so dunkel, dass sie Stahl zum Schmelzen bringen konnten.

Die meisten Schwestern lechzten nach ihm und beneideten jede Frau, die in seiner Nähe war, und ganz gewiss wurde sie beneidet. Dabei habe ich gar nicht versucht, ihn aufzureißen, dachte sie. Wenn er mich nicht gefragt hätte, wann wir die Runde durch die Stationen machten, wäre er mir gar nicht aufgefallen. Sie lächelte. Nun, das stimmte wohl nicht. Er wäre mir aufgefallen, aber ich hätte ihn nicht ermuntert.

Er war es, der sich in die Sache reingehängt hatte. Und ich habe ihn gewarnt. Ich bin keine für eine Dauerbeziehung. Er hat mir damals nicht geglaubt, und heute glaubt er mir auch nicht. Und sonst glaubt mir auch niemand. Sie verstehen nicht, warum ich ihn nicht mit beiden Händen festhalte, solange ich noch die Gelegenheit dazu habe.

Das Wasser kochte, und der Kessel stellte sich ab. Sie holte zwei rote Tassen aus dem Schrank und schaute wieder durch die offene Tür. Anton hatte sich bedächtig gedreht und auf die Seite gelegt, zeigte ihr jetzt seine knackigen Backen. Er ist attraktiv im Bett und außerhalb, musste sie sich eingestehen. Er beschert mir die Orgasmen, die ich brauche. Und wenn wir keinen Gesprächsstoff mehr haben, können wir uns immer noch über die Arbeit unterhalten.

Sie wusste, dass sie im Krankenhaus schon als ideales Paar galten. Die Schwestern nahmen wahrscheinlich Wetten an, wann sie ihre Verlobung bekannt gaben, und Antons Freunde überlegten sich bestimmt schon derbe Streiche für die Junggesellenabschiedsparty.

Sie begreifen es nicht, dachte Jacey. Und Anton begreift es auch nicht. Sie wusste, dass es ihn verletzte, wenn sie nichts über eine ständige Beziehung hören wollte.

»Du kannst weiter arbeiten«, hatte er ihr oft genug versichert. »Ich käme nie auf den Gedanken, dass du deine Karriere aufgeben solltest. Ich bin doch stolz auf dich, Dr. Muldaire. Schönheit und Hirn ist eine Kombination, die selten und sehr sexy ist.«

Er sagte ihr oft, wie schön sie sei. Sie schaute wieder zu ihm. Er hatte die Augen geschlossen, und sein Atem ging leicht. Er war vom Dienst zu ihr gekommen. Es schien unsinnig zu sein, ihn nur wegen einer Tasse Kaffee zu wecken. Sie stellte die Tassen auf den Tisch und ging hinüber zum hohen Spiegel. Schönheit und Hirn? Sie hatte sich nie als Schönheit angesehen. Sie mochte ihre prachtvollen dunkelroten Haare, eine Farbe, die keine Tönung der Welt hätte zaubern können. Aber trotz der leicht vorstehenden Wangenknochen, die ihr gefielen, fand sie ihr Gesicht als zu flach, zu platt. Die Lippen waren zu voll, zu auffällig.

Sie hatte die langen Beine einer Tänzerin, und sie

bewegte sich auch mit der Anmut einer Tänzerin. Ihre Brüste waren Durchschnitt, beileibe nicht groß, aber wahrnehmbar. Ihr Po hatte ihr nie gefallen, und sie fand, dass ihre Hüften zu schmal waren. In diesem Augenblick hörte sie ein anerkennendes Pfeifen. Sie drehte sich um. Anton hatte sich aufgerichtet.

»Ich dachte, du schläfst«, sagte sie.

»Alle guten Ärzte schlafen mit einem Auge offen«, sagte er grinsend. »Hör auf zu posieren. Du weißt selbst, dass du bezaubernd aussiehst.«

»Weiß ich nicht, tu ich nicht.« Sie verrenkte den Hals und schaute über die Schulter. »Mein Hintern ist zu schmal, er sieht wie ein Männerhintern aus.«

Anton lachte. »Glaube mir, niemand wird dich für einen Mann halten.«

»In der Schule habe ich den Romeo gespielt«, sagte sie. »Ich war sehr überzeugend, und ich habe gute Kritiken erhalten.«

»Wie alt warst du damals?«, gab er zurück. »Dreizehn, vierzehn? Pickelig und flachbrüstig? Nein, heute könntest du niemanden täuschen. Du bist ganz Frau.« Er klopfte aufs Bett. »Lege dich zu mir und genieße das Leben.«

Sie stieß ein übertriebenes Keuchen aus. »Schon wieder? Deine Regenerationskräfte müssen sagenhaft sein, Sir.«

»Wenn du da bist, um mich zu inspirieren, könnte ich ein Sechs-Mal-in-einer-Nacht-Mann sein.« Er schaute hinunter auf sein Glied, das dabei war, sich aufzurichten. »Siehst du? Es reicht schon, wenn ich nur daran denke. Dein hübscher Mund könnte die Inspiration noch verstärken.«

Sie schüttelte den Kopf. »Nein, ich habe uns Kaffee gemacht.«

Von der Küche aus sah sie, dass Anton sich wieder ausgestreckt und die Augen geschlossen hatte. Sie lächelte und ging ins Wohnzimmer, wo Antons Kleider verstreut herum lagen. Sie hob seine Jeans auf und stieg in sie hinein, überrascht, dass sie beinahe passten. Seine Bomberjacke aus weichem Leder war viel zu groß, sie versteckte aber ihre Brüste.

Sie strich ihre Haare so streng wie möglich zurück und band sich einen Pferdeschwanz, den sie unter dem Kragen der Jacke verbarg. Dann fand sie eine alte Baseballkappe, die ihr jemand beim Training gegeben hatte, als es zu regnen begonnen hatte. Sie setzte sie auf, ging zurück ins Schlafzimmer und stieß Anton rau an. »Wach auf, großer Junge«, knurrte sie mit tiefer Stimme. »Machste 'n Spiel mit?«

Sie sah den verdutzten Ausdruck in seinem Gesicht, als er die Augen öffnete. Er dauerte nur einen Moment, aber dafür hatte sich der Versuch schon gelohnt. »Ich habe dich getäuscht.« Sie drehte eine Pirouette. »Und ich habe nicht mal richtig Ernst gemacht. Stell dir mal vor, wie viel besser ich in einem Herrenanzug aussehe.«

Er grinste. »Ich habe Bilder von Marlene Dietrich in einem Anzug gesehen, sie sah sehr sexy aus. Aber nicht im Entferntesten wie ein Mann. Und du würdest auch nicht mal an einen Mann erinnern.«

Jacey nahm eine maskuline Pose ein, eine Hand in die Hüfte gestützt. »Wie ist es, Mann, willst du mich oder nicht?«

Er packte ihr Handgelenk und zog sie herunter aufs Bett. »Ich weiß nicht«, sagte er, »ich muss zuerst mal inspizieren, was du anzubieten hast.« Er zog den Reißverschluss ihrer Jeans auf und fuhr mit der Hand hinein. Sie trug kein Höschen. Sie war feucht und erregt. Seine Finger bewegten sich forschend. »Nun, junger Mann«, murmelte er, »da scheint aber was zu fehlen.«

»Da fehlt nichts«, neckte sie ihn. »Es ist alles da. Es ist nur eine Frage der Größe.«

Er fing ihren Kitzler ein und tupfte dagegen. »Du meinst, damit könntest du mich befriedigen?«

Sie lehnte sich auf dem Bett zurück und öffnete die Bomberjacke. Ihre Nippel waren hart und aufgerichtet, und in der kühlen Luft erigierten sie noch stärker. Sie wusste, dass er scharf wurde, wenn er sie in diesem Zustand sah. »Oh, ja, ich kann dich befriedigen«, versprach sie.

Seine Augen betrachteten sie bewundernd. »Du spielst mit falschen Karten«, sagte er. »Und wenn du ein junger Mann wärst, wäre ich auch an deinem Arsch interessiert, nicht an deiner Brust. Dreh dich um.«

Sie drehte sich langsam auf den Bauch, und sie spürte, wie er ihr die Jeans bis auf die Knie zog. »Du wärst bestimmt der maskuline Part, was?«

»Nun, wir haben gerade festgestellt, dass du nicht das hast, was man haben muss«, sagte er. Plötzlich grätschte er über sie und pinnte sie aufs Bett. »Aber ich habe es.« Sie spürte die Wärme und Härte seines Körpers und die wachsende Kraft seines Penis zwischen ihren Backen. »Ich kann dich wie einen Jungen nehmen«, flüsterte er in ihr Ohr. »Würde dir das gefallen?«

Der Vorschlag erregte sie. Sie hatte bisher noch nie Sex auf diese Art gehabt. Sie konnte fühlen, wie sein Körper vor Erwartung zu vibrieren begann, offenbar reizte ihn die Vorstellung ebenfalls.

Sie war überrascht. Sie hatten schon früher über ihre sexuellen Phantasien gesprochen und einige von ihnen auch ausgelebt – Anton sah ihr gern beim Strippen zu, und er hatte eine Schwäche für Oralsex an ungewöhnlichen Orten, einschließlich des Vorratslagers im Krankenhaus – aber dies hier hatte er noch nie erwähnt.

Er zerrte die Jeans ganz von ihrem Körper, und sie tat so, als sträubte sie sich, lachte und trat und wand sich unter ihm. Sie wusste, dass sie ihm leicht hätte entkommen können, aber sie ließ sich aufs Bett drücken.

»Benimm dich«, grollte er, »sonst versohle ich dir erst den Hintern, ehe ich dich aufspieße.«

Sein Hang zum Rollenspiel verblüffte sie, auch das hatte sie ihm nicht zugetraut, und ebenso war sie verblüfft vom Grad der Erregung, die diese neue Spielart bei ihr auslöste. Die Phantasie, ihm ausgeliefert zu sein, war höchst stimulierend. Selbst ein paar Schläge auf den Po hätten sie nicht abgeschreckt. Bisher hatte ihr noch kein Mann den Hintern versohlt.

Er presste sie flach auf den Bauch und spreizte ihre Beine weit. Sie spürte die Gliedspitze am Anus. Sie war nicht sicher, ob sie diese neue Erfahrung mochte, aber sie war so erregt, dass sie es unbedingt wissen wollte. Jetzt und hier. Sie wollte spüren, wie er sich in sie hineinzwängte. Sie wollte ihn kommen spüren, auch wenn sie selbst keinen Höhepunkt haben würde. Dafür würde er später sorgen.

Aber nun, nachdem Anton den unorthodoxen Weg begonnen hatte, zögerte er. Er hielt sie immer noch fest aufs Bett gedrückt, aber er schien unsicher zu sein, ob er sie auf diese Weise penetrieren sollte. Jacey hoffte, ihn anzustacheln, indem sie sich zu sträuben vorgab.

Zu spät bemerkte sie, dass es die falsche Taktik war. Er zog sich sofort zurück. »Keine Sorge«, murmelte er dicht an ihrem Ohr. »Ich würde nichts tun, was dich verletzt. Und nichts, was du nicht magst.«

»Sei nicht albern«, murmelte sie. »Mach's mir endlich.« Sie langte hinter sich und packte sein Glied. Sie hörte ihn aufstöhnen, als sie ihre Hand um den harten Schaft presste und daran zog. »Steck ihn rein. Jetzt.«

»Also gut.« Sie konnte die Erregung in seiner Stimme hören. »Du wolltest es so haben, also wirst du ihn kriegen.«

Sie war schon sehr nass, und der Schaft glitt in sie hinein und badete sich in ihren reichlich fließenden Sekreten. Er stieß noch einmal zu, zog sich dann zurück und setzte die Spitze an den anderen Eingang an. Er wollte gerade zustoßen, hielt aber mitten in der Bewegung inne.

»Es tut mir leid«, murmelte er. »Es wird weh tun. Ich kann nicht ...« Er rollte sich neben sie, auf die Seite, ihr den Rücken zugewandt. Sie wusste, dass er jetzt nicht weiter machen würde, und versuchte auch nicht erst, ihn zu locken. Sie wusste auch, dass er über sein eigenes Verhalten verlegen war. Sie fasste ihn an der Schulter an.

»Es ist okay«, murmelte sie.

»Ich hätte es nicht beginnen sollen.«

»Ich wollte es. Ehrlich.«

»Vielleicht ein anderes Mal«, sagte er.

Aber sie wusste, dass es nicht noch einmal dazu kommen würde. Er würde nichts Unorthodoxes mehr beginnen. Er ist einfach der liebe Kerl. Wie schade, dass ich nicht das liebe Mädchen bin.

Er legte sich auf den Rücken, und sie sah, dass er seine Erektion verloren hatte. Sie griff danach. »Wetten, dass ich dich in zwei Minuten so weit habe?«

Er lächelte unsicher. »Willst du es denn?«

»Oh, Anton«, sagte sie scharf, »hör auf, eine Märtyrerin aus mir zu machen, das steht mir nicht.«

Sie drehte sich auf dem Bett herum und fuhr mit den Lippen an seinem Körper entlang, leckte nur mit der Zungenspitze.

»Zwei Minuten, bis du kommst. Nimm die Zeit.«

»Ich kann die Uhr nicht sehen.«

»Schade«, sagte sie. »Dann musst du mir einfach glauben.«

Sie umschloss die Gliedspitze mit dem Mund und spürte, wie er zustieß. Sie ging die Bewegungen mit, umfasste den unteren Schaft mit einer Hand und nagte mit den Zähnen leicht am Bändchen unterhalb der Eichel. Sie wusste, dass er das besonders mochte. Sie brachte ihn viel schneller an den Rand des Orgasmus, als sie gedacht hatte.

Anton kam nie in ihrem Mund. Er zog sich aus ihr zurück und ergoss sich in die eigene Hand, während die Welle seinen Körper schüttelten. Jacey schaute fasziniert zu.

»Ich habe gewonnen«, sagte sie.

»Ich glaube dir. Was muss ich jetzt tun? Was war der Wetteinsatz?«

»Eine Einladung zum Essen?« schlug sie vor.

Er stützte sich auf einen Arm. »Das hätte ich sowieso getan.«

Sie schwang sich vom Bett. »Lügner. Wann?«

»Nächste Woche.«

Sie bewegte sich vom Bett weg und nahm seine Bomberjacke mit.

»Wohin gehst du?«, fragte er.

»Kaffee machen.«

»Das kann ich auch. Warum lässt du mich nie Kaffee aufschütten?«

»Weil ich deinen Kaffee schon probiert habe.«

»So schlecht ist mein Kaffee nicht.«

»Er ist schrecklich.«

Er grinste. »Meine Mutter würde dir zustimmen.«

Dann, nach einer Pause: »Ich bin sicher, du würdest gut mit ihr auskommen.«

Sie blieb stehen und drehte sich um. Sie hatte eine Vorstellung, wohin diese Unterhaltung führen sollte. »Anton, ich habe keine Zeit für Ferien in Frankreich.«

»Brauchst du auch nicht. Mutter kommt her.« Sie starrte ihn an. »Du hast es vergessen«, sagte er anklagend. »Ich habe dir schon gesagt, dass Mutter zu meinem Geburtstag kommt. Meine Schwester kommt aus Leeds. Wir wollen den Geburtstag groß feiern. Mit dir.«

Sie hatte es vergessen. Verdammt, sie hatte seinen Geburtstag vergessen. Wie konnte das geschehen? Leicht, dachte sie, ich vergesse ja auch meinen eigenen. Aber das kann ich ihm nicht sagen.

»Du wirst sehen, was ich für eine nette Familie habe«, sagte er neckend. »Und sie wird sehen, was für eine nette Freundin ich habe. Ich habe viel von dir erzählt.«

Sie fragte sich, ob ihr Gesichtsausdruck ihre Gefühle verriet. Das Letzte, was sie wollte, war eine Begegnung mit Antons Mutter. »Ich bin nicht deine Freundin«, sagte sie.

Sein Gesicht verdunkelte sich. »Was bist du dann? Seit acht Monaten sind wir zusammen. Bedeutet dir das denn nichts?«

»Es bedeutet nicht, dass ich dein Eigentum bin«, fauchte sie, einen Tick schärfer, als sie beabsichtigt hatte.

»Au, verdammt! Wer hat denn gesagt, dass ich das so sehe?« Sein ungewohnter Ausbruch verrauchte so rasch, wie er gekommen war. »Auch wenn wir heiraten, heißt das nicht, dass du mein Eigentum bist. Wir wären Partner.«

»Ich habe es dir gleich am Anfang gesagt«, murmelte sie. »Ich gehöre nicht zur heiratenden Sorte.«

Er legte sich wieder flach auf den Rücken, alle Viere von sich gestreckt, entspannt und lächelnd. »Das sagst du, ja. Aber warte, bis du meine Mutter kennen gelernt hast. Du wirst sie lieben. Und sie wird entschlossen sein, dich als Schwiegertochter zu bekommen.«

Mein Gott, das brauche ich wirklich nicht, dachte Jacey. Wie komme ich aus dieser Nummer wieder raus?

Wie aufs Stichwort klingelte das Telefon. Und als sie den Hörer am Ohr hatte, wusste sie, dass sie die Antwort vielleicht schon gefunden hatte.

Major Fairhaven sah noch genauso aus, wie Jacey ihn in Erinnerung hatte. Jedes Haar an seinem Platz, der tadellose Sitz des Anzugs, das diskrete Abzeichen im Knopfloch, das ihn als Angehöriger der Royal Marines auswies. Dabei konnte Jacey ihn sich als Seemann überhaupt nicht vorstellen. Nun ja, dachte sie, ich kann ihn mir auch nicht als jungen Mann vorstellen. Ich kann ihn mir nur in diesem langweiligen Büro vorstellen, mitten in diesen cremefarbenen Wänden mit dem schlichten Regierungsmobiliar und dem verblichen Druck der Königin an der Wand.

Der Major lächelte sie an. »Schön, dass Sie gekommen sind, Dr. Muldaire.« Er musterte sie. »Ich war mir nicht sicher, ob Sie kommen würden.«

Sie hob die Schultern. »Ich bin neugierig. Warum ich? Es ist zwei Jahre her, dass ich für Sie gearbeitet habe. Und damals habe ich Ihnen gesagt, dass ich mich auf eigene Füße stellen will. Ein ruhigeres Leben, um zurück in meinen Beruf gehen zu können.«

»Ja, das haben Sie gesagt«, bestätigte er, »und ich habe Ihre Entscheidung respektiert.« Er lehnte sich zurück, legte die Finger beider Hände an den Kuppen zusammen und sah Jacey prüfend an. »Und Sie genießen es, im Midland Hospital als unterbezahltes und überarbeitetes Faktotum zu darben?«

»Der Job gibt mir große Zufriedenheit.«

»Oh, da bin ich sicher.« Wieder eine Pause. »Dr. Anton O'Rhiann ist ein gut aussehender Bursche, habe ich mir sagen lassen. Und eine Kombination aus Irland und Frankreich sorgt bestimmt für anregende Abende.«

Sie kannte Major Fairhaven zu gut, um böse zu sein. Statt dessen lachte sie. »Ich bin nicht beeindruckt. Jede Schwesternschülerin hätte Ihnen das sagen können. Nun erzählen Sie mir schon, warum Sie mich nach all der Zeit gerufen haben.«

Er lehnte sich wieder in seinem Stuhl zurück. »Haben Sie schon mal von Techtátuan gehört?«

»Nein.«

»Damit stehen Sie nicht allein. Es liegt in Guachtal in Südamerika.« Er reichte ihr mehrere Blatt Papier. »Lesen Sie das mal.«

Sie las rasch, dann blickte sie auf. »Regenwald, ein paar Dörfer, eine Hauptstadt. Ureinwohner stammen von den Inkas ab. Herrscherklasse spanischen Ursprungs, Nachfahren der Conquistadores. Sie haben ein angesehenes Poloteam, sind Gastgeber eines jährlichen Filmfestivals und toben sich wahrscheinlich täglich auf anderen Gartenpartys aus, wo sie sich mit einheimischen Weinen betrinken.«

Sie überflog das zweite Blatt.

»Die Wirtschaft ist korrupt. Sie wurde mal in Schwung gebracht durch Nazigold, das die Bosse in diese Enklave schafften, als sie merkten, dass ihnen zu Hause die Felle davon schwammen. Heute immer noch eine beliebte Geldwäscheadresse und Hafen für Steuerflüchtlinge.« Sie schaute auf und sah den Major an. »Und natürlich keine freien Wahlen. Wer ist der Boss von Guachtal?«

Der Major schob ihr eine Fotografie über den Schreibtisch zu. Jacey sah einen fassartigen Mann, der eine mit Orden behangene Uniform trug und ein breites Lächeln. Er hielt in Siegerpose beide Arme in die Luft gereckt und wurden von bewaffneten Soldaten flankiert.

»Das ist Generalissimo Hernandez«, sagte der Major.« Er lächelte kurz. »Mit seinen Leibwächtern.«

»Er hat sich in diese Position geboxt?«

»Überraschenderweise«, fuhr Fairhaven fort, »ist Hernandez recht beliebt. Er weiß die Armee hinter sich. Einige der Orden sind echt, wenn er sie sich auch schon als junger Mann verdient hat. Ich schätze, er gehört zu der Art Soldaten, die zu dumm sind, die Gefahren zu erkennen, wenn sie einem ins Gesicht starren. Aber er hat sich damals Respekt verschafft, und viele Leute halten ihn für einen Kriegshelden.«

»Und auch für ein finanztechnisches Genie?«, fragte Jacey skeptisch.

»Nein.« Der Major erlaubte sich wieder ein kurzes Lächeln. »Dafür ist dieser Mann zuständig.« Er tippte auf die Fotografie, und Jacey bemerkte eine Gruppe von Zivilisten hinter Hernandez. »Senor Nicolás Schlemann. Ein sehr cleverer Bursche. Er lässt Hernandez in der ersten Reihe paradieren, aber er hält die Fäden in der Hand. Er hat die wahre Macht in Guachtal.«

Die Gruppe der Zivilisten war unscharf, und

auch Schlemanns Gesicht war nicht gut zu erkennen. Jacey konnte schwarze Haare und einen dunklen Anzug ausmachen, das war alles.

»Deutscher?«

»Deutscher Vater, spanische Mutter. Sein Vater traf 1945 in Guachtal ein, und bis 1960 hatte er sein illegales Vermögen, das er mitgebracht hatte, verdoppelt. Nicolás hat es wahrscheinlich inzwischen verdreifacht.«

Jacey schaute wieder auf das verschwommene Gesicht. Wie alt würde dieser Mann sein? Dreißig? Fünfunddreißig? Es ließ sich auf der Schwarz-weißfotografie schlecht schätzen. Ein krimineller Hansdampf, der einen kleinen Diktator an der Macht hielt. Sie glaubte nicht, dass sie diesen Senor Nicolás Schlemann mochte.

»Und er weiß auch, wie man das Geld unter die Leute bringt«, fügte der Major hinzu.

»Wein, Weib und Gesang?«

»Weib, Weib, Weib«, stellte der Major klar.

Also ein selbsternannter Frauenheld. Das auch noch. Nicolás Schlemann sank noch ein paar Punkte auf ihrer Beliebtheitsskala. Sie schob dem Major das Foto zurück. Allmählich dämmerte ihr, warum Fairhaven sie angerufen hatte.

Aber will ich damit etwas zu tun haben? Ja, ich will weg, aber ist das die Antwort?

»Wenn ich bisher für Sie gearbeitet habe, dann als Teil eines Teams«, sagte sie. »Dies hier wäre anders. Ich glaube nicht, dass ich die nötige Erfahrung ...«

»Warten Sie einen Augenblick«, unterbrach Major Fairhaven sie. »Dies ist ganz anders als alle bisherigen Aufgaben.« Er lächelte. »Das Hospital von Techtátuan braucht einen Arzt, bevorzugt wird jemand, der Englisch und Spanisch spricht. Es ist alles legal. Sie können sogar Ihren guten Namen einsetzen.« Sein Lächeln wurde wärmer. »Sie nennen ihr Krankenhaus La Primavera, weil es im Frühjahr errichtet wurde, und es soll Symbol sein für ihr neues Wachstum, für ihre Zuversicht, für einen neuen Anfang. Ich habe gehört, es soll ein gutes Hospital sein, und ich glaube nicht, dass Sie sich überarbeiten werden. Sie hätten genug Zeit, um die Umgebung zu genießen und sich in der Gesellschaft zu bewegen.«

»Jetzt hören Sie schon auf«, sagte sie voller Sarkasmus. »Sie hören sich wie ein Reiseleiter an. Wenn Sie nicht vorhaben, die kriminelle Bande, die Guachtal regiert, zu beseitigen, warum soll ich dann dahin?«

»Zur Zeit brauchen wir Informationen«, sagte Major Fairhaven. »Ein verlässliches Dokument über die Lage. Eine Nahaufnahme. Wir möchten, dass Sie mit den Menschen reden. Dass Sie Gerüchten nachgehen. Und dass Sie uns gelegentlich einen Wetterbericht schicken.«

Sie lächelte. »Das hört sich schon besser an. Sie erwarten Stürme in Guachtal?«

»Sagen wir, dass es uns interessiert, aus welcher Richtung der Wind bläst«, antwortete der Major. »Südamerika öffnet sich den Weltmärkten. Sie schneiden Straßen durch den Urwald. Guachtals Haupteinnahmequelle ist der Regenwald. Noch haben sie nicht viel damit angefangen, aber das könnte sich bald ändern.«

»Sie meinen, sie könnten damit beginnen, ihn zu zerstören?«, fragte Jacey.

Der Major lächelte dünn. »Sie sind doch kein Ökokrieger geworden?«

»Es ist nur eine Schande, dass wir alles zerstören, was unwiederbringbar verloren ist.«

Der Major hob die Schultern. »Wenn Ihr Land

verschuldet ist und die Menschen verhungern, stellt man sentimentale Gedanken an ein paar Bäume eher zurück. Aber das ist es, was wir herausfinden möchten. Wie sehen die Menschen in Guachtal ihre Zukunft?« Seine Finger drückten gegeneinander. Er beugte sich vor. »Genauer gesagt: Wie betrachten Hernandez und sein cleverer Freund Schlemann die Situation? Wenn wir das wissen, haben wir die Gelegenheit, unsere eigenen Pläne zu verfolgen.« Er lächelte. »Wir brauchen nur einen gelegentlichen Bericht.«

»Wenn ich ja sage«, murmelte Jacey, »was ist dann mit meinem Job im Midland Hospital? Ich meine, ich kann nicht einfach alles im Stich lassen.«

»Wenn Sie ja sagen«, sagte der Major, »dann werden wir uns um eine Nachfolge im Midland kümmern. Das soll Ihre Sorge nicht sein»

Sie starrte ihn lange an. »Ich wette, Sie haben schon jemanden an der Hand.«

Der Major lachte. »Es ist ein attraktiver Auftrag. Eher wie ein bezahlter Urlaub.«

»Bis wann brauchen Sie meine Entscheidung?«

Er zuckte die Achseln, lächelte immer noch. »Gehen Sie nach Hause und denken Sie nach. Lassen Sie mich Ihre Entscheidung bis Ende der Woche wissen.«

Nachdem Jacey gegangen war, hob Major Fairhaven den Telefonhörer auf und wählte eine interne Nummer. Er lauschte einen Augenblick, dann sagte er: »Ja, natürlich wird sie gehen.« Er lauschte wieder, ehe er antwortete: »Oh, nein, nichts, was sie in Techtátuan tun, könnte Dr. Muldaire schockieren. Sie ist eine sehr freie Person. Die perfekte Wahl für diesen Auftrag. Aber sie weiß natürlich nicht, wie perfekt sie dafür ist.«

Im Flugzeug schämte sich Jacey, dass sie so feige gewesen war. Sie hatte Anton einen Brief geschrieben und ihm gesagt, sie hasste tränenreiche Abschiede. Wenn er den Brief lese, sei sie schon auf dem Weg zu einem neuen Job in Südamerika. Sie erinnerte daran, dass sie nie an einer Heirat interessiert gewesen sei, und ihre Entscheidung, England zu verlassen, erspare ihnen die unvermeidlich schmerzliche Trennung. Sie hoffe, hatte sie geschrieben, dass er sich voller Zuneigung und nicht in Bitterkeit an sie erinnere. Einzelheiten über ihren neuen Aufenthaltsort hatte sie ihm nicht mitgeteilt.

Bei ihrer Ankunft auf dem winzigen Flughafen von Techtátuan wartete ein modernes Auto auf sie. Der Fahrer sah zu jung aus, um in England eine Fahrlizenz zu erhalten.

»Dr. Muldaire? Ich bin Paulo. Man hat mir aufgetragen, Sie zum Krankenhaus zu fahren.« Er lächelte freundlich, und sein dunkel gebräuntes Gesicht sah aus, als hätte man es aus glatt poliertem Holz geschnitzt. Ein ungewöhnliches Gesicht, dachte Jacey, und sehr schön. Sein Spanisch hatte einen bestimmten Akzent, der wahrscheinlich der Akzent dieser Region war. »Keine Sorge«, fügte er an, während er ihr half, das Gepäck zu verstauen, »ich bin ein sicherer Fahrer.«

Sie fand bald heraus, dass das zutraf, wobei es auch half, dass sonst kaum Konkurrenz auf den Straßen war. Die meisten anderen Fahrzeuge waren altersschwache, zerbeulte Lastwagen.

Jacey war überrascht von der Helligkeit und der Sauberkeit der Stadt. Fast alle Gebäude hatten einen weißen Anstrich, und aus Fenster- und Balkonkästen spross es in üppigen Farben. Paulo sagte: »Wir haben eine schöne Stadt. Sie werden glücklich bei uns sein.«

»Sind Sie hier geboren?«

»Nein, ich stamme aus dem Dorf Mata, meine Familie lebt dort seit Generationen.« Nach einem Zögern führte er hinzu: »Lange bevor die Spanier kamen.«

»Und warum sind Sie weggegangen?«, fragte Jacey, obwohl sie glaubte, die Antwort zu kennen.

»Es gibt keine Arbeit in Mata. Die Dörfer sterben.«

»Kann die Regierung nicht helfen?«

»Die Regierung hilft Indios nicht.« Jacey hörte die Verbitterung in seiner Stimme. »Ich bin nach Techtátuan gekommen, um Geld für meine Familie zu verdienen.«

»Und haben Sie Erfolg dabei?«

Er hob die Schultern. »Ich habe mich angepasst. Ich habe Lesen und Schreiben gelernt und kann Auto fahren. Es ist mir egal, dass ich Spanisch sprechen muss, und ich habe auch keine Schwierigkeiten damit, einen spanischen Namen zu benutzen.« Dann veränderte sich seine Stimme. »Aber ich habe meine Herkunft nicht vergessen. Das wird nie geschehen.«

Das Auto fuhr eine Allee entlang, und Jacey bemerkte große Plakate an einigen Baumstämmen. Das Plakat zeigte ein mit groben Strichen gezeichnetes Porträt eines Mannes mit hervorquellenden, stechenden Augen in einem hageren, bärtigen Gesicht. Auf seinen zerzausten Haaren saß eine fast militärisch aussehende Mütze.

Unter dem Porträt stand ein dick gedrucktes Wort, das Jacey nicht kannte: LOHÁQUIN.

Sie tupfte Paulo auf die Schulter. »Wer ist der Mann auf den Plakaten? Und was bedeutet Loháquin?«

Es entstand eine kurze Pause, ehe Paulo antwortete. »Wollen Sie viel Geld verdienen? Dann finden Sie diesen Mann und übergeben Sie ihn der Polizei.«

»Ist er ein Verbrecher?«

Paulo lachte trocken auf. »Viele würden ihn so bezeichnen. Loháquin lebt im Regenwald. Er beschützt ihn. Er will, dass sich Dinge in Guachtal verändern.«

»Loháquin?« wiederholte Jacey. »Das Wort kommt nicht aus dem Spanischen, nicht wahr?«

Wieder eine kurze Pause. »Es ist eine alte Sprache«, sagte Paulo dann. »Es ist meine Sprache. Loháquin bedeutet so etwas wie Geist, aber nicht der Geist eines Toten. Eher wie ein Geist, der zwischen den Welten lebt, zwischen unserer und der unsichtbaren. Es lässt sich schwer übersetzen.«

Interessant, dachte Jacey. Ein Geist als Rebell. Ein Preisgeld auf seinen Kopf. Offenbar nahm jemand diesen Geist sehr ernst. Warum hat Major Fairhaven mir nichts davon erzählt? Offenbar war die Situation nicht ganz so einfach, wie er vorgegeben hatte. Sie lehnte sich wieder ins Polster zurück. »Hat Loháquin viele Anhänger?«

Paulo hob die Schultern. »Wer weiß das schon? Wenn jemand ihn unterstützt, wird er nicht mit Fremden darüber sprechen.«

Da hast du's, Dr. Muldaire. Stelle nicht die falschen Fragen. »Aber bisher hat sich noch niemand das Kopfgeld verdienen können«, stellte sie fest. »Also muss Loháquin Freunde haben, die ihn beschützen.«

»Der Regenwald beschützt ihn«, sagte der Junge. »Ich habe noch niemanden getroffen, der von sich aus gesagt hat, dass er Loháquin gesehen hat.«

»Aber jemand hat das Bild gezeichnet.«

Paulo lachte. »Es gibt viele Leute mit Phantasie.

Ich habe gehört, dass Loháquin grüne Haut hat wie die Bäume. Und dass er sieben Fuß groß ist. Oder sehr klein. Frauen träumen von ihm und gehen in der Nacht zu ihm. Wer kennt schon die Wahrheit?«

Einer muss sie kennen, dachte Jacey und nahm sich vor, mehr über diesen geheimnisvollen Loháquin herauszufinden. Das Auto fuhr an einer hohen weißen Wand vorbei und hielt vor einem reich verschnörkelten Gittertor an. Paulo hupte. Ein Mann in Uniform öffnete das Tor und schloss es sofort wieder, als der Wagen durchgefahren war.

»Ziemlich viel Sicherheit für ein Krankenhaus«, bemerkte Jacey.

Paulo hob die Schultern. »Es sind einige sehr bedeutende Personen da, nehme ich an. Sie brauchen ihre Abgeschiedenheit. Selbst Generalissimo Hernandez lässt sich hier behandeln.«

»Und Nicolás Schlemann?«

»Kennen Sie Senor Schlemann?« Argwohn klang in Paulos Stimme durch.

»Nein«, sagte sie. »Ich habe von ihm gehört, das ist alles. Er ist so bedeutend wie Hernandez, nicht wahr?«

»Er ist sehr einflussreich«, antwortete Paulo. »Sie werden ihn bestimmt irgendwann kennen lernen.«

»Das kann ich mir nicht vorstellen«, sagte Jacey. »Warum sollte ich ihm über den Weg laufen?«

Das Auto blieb vor einem großen weißen Gebäude stehen. »Weil Senor Schlemann schöne Frauen liebt«, sagte Paulo.

»Ich bin als Ärztin hergekommen«, sagte Jacey, »und nicht als Unterhaltung für Nicolás Schlemann.«

»Senor Schlemann unterstellt, dass alle schönen Frauen zu seiner Unterhaltung da sind.« Jacey war überrascht von dem Mitgefühl, das plötzlich aus

Paulo herauszuhören war. »Sie sollten darauf achten, Dr. Muldaire, dass Sie ihn nicht beleidigen. Senor Schlemann ist es gewohnt, das zu bekommen, was er haben will.«

»Ich werde ihn nicht beleidigen, wenn er mich nicht beleidigt«, sagte Jacey knapp.

Nicolás Schlemann war jemand, den sie immer weniger mochte. Ein eingebildeter Pinsel, dachte sie, der seine Position missbraucht, um Frauen zu tyrannisieren und alle, die zu verängstigt sind, um sich zu wehren.

Paulo sah immer noch besorgt aus, deshalb lächelte sie ihn an. »Machen Sie sich keine Gedanken, Paulo.« Aus einem Impuls heraus küsste sie ihre Finger und berührte damit seine Wange. Seine Haut fühlte sich glatt und warm an. »Ich kann schon gut auf mich aufpassen.«

Später an diesem Abend lag Jacey im Bett und rekapitulierte noch einmal die Erlebnisse des Tages. Zu viel hatte sich ereignete, als dass ihr Kopf schon Ruhe gegeben hätte. Ihr Schlafzimmer war groß und ansprechend eingerichtet, und die Klimaanlage sorgte für eine angenehme Kühle.

Die Unterkünfte des Personals waren vom Krankenhaus getrennt und sahen wie ein moderner Apartmentblock aus. Zu ihrer Wohnung gehörten Wohnzimmer, Schlafzimmer, Bad und eine kleine Küche, dazu kam noch ein Balkon, auf dem die Blumen blühten. Eine lächelnde junge Krankenschwester hatte ihr am Abend die Kantine gezeigt, so luxuriös wie ein erstklassiges Restaurant. Ferner gehörten ein Fitness Center und ein Swimmingpool noch zu den Annehmlichkeiten in ihrem neuen Zuhause.

Der Leitende Arzt des Krankenhauses, Doktor Garcia Sanchez, hatte sie offiziell begrüßt. Er war ein charmanter, älterer Spanier und lobte ihre spanische Aussprache. Er sagte ihr, dass er nicht in Guachtal geboren wurde, aber schon seit fünfzig Jahren im Staat lebte. »Es ist ein hübsches Land mit netten Menschen. Sie werden gern hier arbeiten, Dr. Muldaire.«

»Ich freue mich darauf. Kann mir morgen jemand meine Aufgaben erläutern? Ich möchte gern mit der Arbeit beginnen«, sagte sie.

Dr. Sanchez lachte. »Es gibt keinen Grund zur Eile. Es gibt natürlich Notfälle, aber die meisten Patienten kommen zu Routineuntersuchungen und mit kleineren Problemen. Wir bitten Sie nur, den Piepser im Krankenhaus zu tragen und das Handy eingeschaltet zu lassen, wenn sie das Krankenhaus verlassen. Dr. Draven wird Sie in die Einzelheiten einweisen können. Sie werden ihn mögen, er ist ein Landsmann von Ihnen. Und bis dahin ruhen Sie sich aus, erholen Sie sich von der langen Anreise.«

Was ist das für ein Krankenhaus?, dachte sie verwundert, als sie im Halbdunkel ihres Schlafzimmers lag. Es war das erste Mal, dass man ihr beim Antritt einer neuen Stelle gesagt hatte, sie sollte sich ausruhen.

Sie war sicher, dass Major Fairhaven ihr über *La Primavera* nicht die Wahrheit gesagt hatte. Von dem, was sie bisher gesehen hatte, sah die Anlage eher wie ein Kurhaus aus. Und wenn der Major an ›Wetterberichten‹ interessiert war, warum hatte er dann nichts von Loháquin erwähnt?

Sie erinnerte sich an das hagere, fanatische Gesicht auf den Plakaten. Der Mann war offenbar entschlossen, das politische Klima in Guachtal zu verändern. Ich muss mehr über diesen Menschen in

Erfahrung bringen. Und Paulo kann mir dabei helfen. Ich bin sicher, er weiß mehr über Loháquin, als er zugegeben hat.

Ihr kam die Wärme von Paulos glatter Haut in den Sinn, als sie seine Wange berührt hatte. Sie sah seinen schlanken Körper, die schlaksigen Bewegungen. Locker und grazil. Wie alt mochte er wohl sein? Sechzehn? Siebzehn? Ob er noch unschuldig war? Seltsam, sie fand, dass sie an ihn als sexuell attraktiv denken konnte, ohne ihn zu begehren. Er war ein süßer Junge. Süß und unschuldig.

Sie wand sich unruhig im breiten Bett. Vergiss es, sagte sie sich. Aber in ihrem Kopf formten sich schon die ersten Bilder, sie liefen ab wie in einem Film. Und sie schaute zu, obwohl es schmerzte.

Ein Strand. Goldener Sand und Palmen, ein Bilderbuch exotischer Schönheit. Ein Mädchen mit kastanienbraunen Haaren badet in der Sonne, die Augen geschlossen. Urlaub. Ihr erster Urlaub im Ausland, ohne Eltern. Jacey erinnerte sich, dass es eine lange Zeit gebraucht hatte, ehe die Eltern zustimmten, dass sie mit einer Gruppe von Freundinnen verreisen durfte. Und natürlich hatte sie auch die Wahrheit ein wenig verbiegen müssen. Ihr Ziel war ein Feriencamp für Singles, und ihre Freundinnen waren entschlossen, die einheimischen Talente auszuprobieren. Das hatte sie ihren Eltern natürlich nicht gesagt, und für sich hatte sie dafür eine Rechtfertigung gefunden – sie würde sich nicht unmoralisch verhalten.

Sie wollte nur einen Urlaub erleben, in dem sie tun konnte, was sie wollte. Ins Bett gehen, wann es ihr passte, aufstehen, wann ihr danach zumute war. Keine Rücksicht auf irgend jemanden. Den ganzen Tag faulenzen, am Strand liegen und nicht hören müssen, dass Sonne schadet.

Unmoralisch verhalten? Jacey runzelte die Stirn. Ja, mit achtzehn hatte sie in diesen Kategorien gedacht, als sie noch Jungfrau war, als ihre Ideale noch ungerupft waren. Abgesehen von ein paar Tagträumereien über den Hochglanzfotos einiger gut aussehender Filmstars hatte ihr Interesse in Teenagertagen dem Sport gegolten. Je gefährlicher und athletischer, umso besser. Männer waren Begleiter, manchmal Konkurrenten. Sie war eine passionierte Reiterin, betrieb Kampfsportarten und Steilwandklettern. Ihr Vater hatte ihr das Schießen beigebracht. Sie fuhr Go-cart-Rennen und lernte Drachenfliegen.

Später wurde ihr bewusst, wie glücklich sie gewesen war. Als einziges Kind hatten ihre stolzen Eltern sie nach Strich und Faden verwöhnt. Das Leben war ein einziger Spaß. Ihre Eltern waren begeistert, als sie ihnen sagte, sie wollte Medizin studieren. Nach dem College sollte der Urlaub auch eine Belohnung für ihre guten schulischen Leistungen sein.

Sie hatte ihren Freundinnen klar gemacht, dass sie nicht bereit war, auf Männerfang zu gehen. Während sie also genau das taten, vertrieb sie sich die Zeit mit Schwimmen oder Lesen, sie ging einkaufen und legte sich in die Sonne. Und sie genoss jeden Tag. Sieben von zehn Tagen. Und am achten Tag änderte sich alles.

Die Erinnerung war so deutlich, als wäre alles erst gestern geschehen. Sie konnte noch die Sonne spüren, die sie wärmte, als sie in einer geschützten Bucht lag, die sie erst vor ein paar Tagen entdeckt hatte. Sie spürte, wie der Sand nachgab und ahnte, dass jemand vor ihr stand.

Wenn ich die Augen nicht geöffnet hätte, fragte sie sich jetzt, wie wäre dann mein Leben verlaufen?

Aber ich musste ja neugierig sein. Was für eine Närrin ich doch war.

Sie erinnerte sich an den ersten Anblick von Faisal. Er blickte auf sie herab. Er trug eine knallig rote Badehose aus Seide, so knapp bemessen, dass sie eher wie ein Beutel aussah, der nicht im Stande war, seine Geschlechtsteile zu verbergen. Die Beule sah noch gewaltiger aus, weil er die Hüften vorgestreckt hatte und die Beine leicht gespreizt waren. Er war schlank, und die Sonne hatte seine dunkle Haut noch dunkler gebräunt. Seine Haare waren pechschwarz, und seine Augen, die sie intensiv anstarrten, sobald sie ihre geöffnet hatte, waren von einem faszinierenden flüssigen Braun. Sie starrte ihn offenen Mundes an.

»Hallo«, sagte er höflich und fügte in perfektem Englisch hinzu: »Sie haben das schönste Haar, das ich je gesehen habe.«

Heute hätte sie auf ein solches Kompliment etwa mit »Und Sie haben einen bemerkenswert schönen Körper» geantwortet, aber mit achtzehn war ihre Schüchternheit noch zu groß. So dankte sie nur brav. Er kniete sich vor sie, lächelte sie an und zeigte dabei seinen ebenmäßigen weißen Zähne, die zu seiner dunklen Haut einen auffälligen Kontrast bildeten.

Er fragte sie nach ihrem Namen.

»Jacey?«, wiederholte er. »Das ist ein ungewöhnlicher Name.«

»Er ist eine Zusammenfassung von Jane Catherine«, erklärte sie. »Niemand nennt mich Jane.«

»Hört sich vernünftig an. Sie sehen auch nicht wie eine Jane aus.« Er setzte sich neben sie.

Seine Blicke glitten über ihren Körper, und sie fühlte sich geschmeichelt und verwirrt. Seine Nähe war ihr angenehm bewusst, trotz seiner unanständigen Beinahe-Nacktheit. Seine Haut schien völlig unbehaart zu sein, und seine Nippel hoben sich auf der glatten Haut dick hervor, eingebettet in dunklen Aureolen. Warum fühlte sie sich so nervös, wenn sie ihn anschaute? Es gab viele andere junge Männer im Club, viele trugen gewagte Badehosen, manche hatten einen muskulöseren Körper. Einige hatten sie anzusprechen versucht. Ein Mädchen allein in einem Single-Club ist das erklärte Ziel für Einheimische und männliche Touristen. Aber sie hatte sich von keinem angesprochen gefühlt, war eher leicht genervt, bis sie sich zurückgezogen und sie in Ruhe ließen.

Und warum empfand sie bei diesem dunkelhaarigen Jungen so ganz anders? Warum fühlte sie sich verlegen und gleichzeitig erregt?

Er sagte ihr, dass er Araber sei und Faisal hieß, dass er in England aufgewachsen und zur Schule gegangen war. Er kannte London sehr gut und hatte eine Wohnung dort. Er hatte Cambridge vor kurzem abgeschlossen und sollte in der Firma seines Vaters arbeiten.

Das überraschte sie. Sie sagte ihm, sie hätte ihn für achtzehn gehalten, so alt wie sie.

Er lachte. »Ich sehe jung aus, nicht wahr? Das liegt an meinem vorbildlichen Leben. Ich rauche nicht, ich trinke nicht. Überhaupt keine Laster.« Er fing ihren Blick wieder ein. »Und auch keine Freundin.«

Sie erinnerte sich, dass sie wie ein verlegenes Schulmädchen gelacht hatte. Und das war ich auch, ein albernes, unerfahrenes, unschuldiges Schulmädchen, das beim ersten Hauch von körperlicher Lust überquillt. Lust auf diesen schönen, seelenlosen Bastard, nicht wissend, dass sie Lust mit Liebe verwechselte.

»Und was ist mit dir?«, fragte er. »Kein Freund?«
»Nein.«
»Das ist unglaublich.«
»Es stimmt.«
»Kann ich dich denn heute Abend einladen? Zum Essen im Gala Hotel?«

Das Gala war das teuerste Hotel der Stadt. Sie hatte die Gäste eintreffen gesehen, die Männer im Smoking, die Frauen im langen Abendkleid. »Das geht nicht«, sagte sie rasch, »ich habe nichts anzuziehen.«

Heute wusste sie, dass sie genauso reagierte, wie er erwartet hatte. Wie hatte sie nur so dumm sein können?

»Das ist kein Problem«, sagte er. »Wir gehen einkaufen.« Er erhob sich, und wieder fiel ihr Blick auf seinen Penis und die Kontur seiner Hoden, die sich unter dem dünnen Stoff deutlich abzeichneten. »Sage mir den Namen deines Hotels, dann hole ich dich ab.«

Es war ein wunderbarer Nachmittag und ein wunderbarer Abend gewesen. Faisal war aufmerksam, lustig und großzügig. Er kaufte ihr ein elegantes weißes Seidenkleid und eine schlichte, geschmackvolle Goldkette. Das Essen war ein Gedicht, aber als es dann an der Zeit war, nach Hause zu gehen, war sie plötzlich nervös.

Jetzt erwartet er seine Bezahlung, dachte sie. Und obwohl der Gedanke sie erregte, hatte sie Angst davor, ihn zu enttäuschen. Auch wenn er keine Freundin hatte, kannte er andere Frauen, vielleicht sogar Professionelle, die ihn mit ihrem Repertoire an exotischen Tricks verwöhnt hatten. Was konnte sie ihm schon bieten? Sie hatte noch nie einen Mann auch nur sexuell berührt.

Aber es geschah nicht so. Cleverer Bastard, dachte

sie und drehte sich im Bett auf die andere Seite. Die Bilder waren immer noch klar in ihrem Kopf.

Er brachte sie nach Hause und küsste sie auf die Wange, dankte für einen wunderschönen Abend. Wartete einen Moment, küsste sie dann auf die Lippen. Er behandelte sie wie die romantische Unschuld, die sie war.

Sie erinnerte sich daran, wie sie an dem Abend in ihrem Bett gelegen und den Freundinnen zugehört hatte, die sich offen über ihre Eroberungen austauschten.

»Und dann sagte er, spreiz die Beine, ich will dich mit der Zunge verwöhnen. Und er hat's getan.«

»Wie fühlt es sich an?«

»Jedenfalls besser, als wenn sie ihr Ding reinstecken. Ich bin so schnell gekommen, ich konnte es kaum glauben. Und dann wollte er, dass ich es bei ihm mache.«

»Du meinst, du solltest ihn lutschen?«

»Ja.«

»Igitt! Das könnte ich nicht.« Dann, begieriger: »Ist es ihm gekommen?«

»Darauf kannst du dich verlassen. Ich bin gut.«

»Elende Schlampe. Du wirst noch Geld dafür verlangen.«

»Gute Idee. Werde ich vielleicht mal tun. Damit könnte ich meinen nächsten Urlaub finanzieren.«

Jacey erinnerte sich, dass sie eher Mitleid für die beiden empfand. Bei ihnen hörte sich Sex so billig und verdorben an. Sie hatte etwas Besonderes, etwas, was sie nicht verstehen würden. Ein Mann, der sie als Mensch begehrte und nicht für das, was sie ihm zu geben bereit war.

Trotzdem feuerte das kurze Wortwechsel der Freundinnen ihre eigene Phantasie an. Sie stellte sich Faisals dunklen Kopf zwischen ihren Schenkeln vor, spürte seine wackere Zunge, wie sie ihr Vergnügen verschaffte, das sie bisher nur gelegentlich mit den eigenen Fingern ausgelöst hatte.

Die Phantasie erregte sie, war ihr aber auch peinlich. Oh, wie unschuldig sie doch gewesen war!

Sie erinnerte sich an das erste Mal. Sie hatten den Tag am Strand verbracht, und sie war zurück zu ihrem Apartment gegangen, um sich fürs gemeinsame Abendessen mit ihm umzuziehen. Sie hatte ihm gesagt, dass sie am nächsten Morgen nach London zurückfliegen würde. Er hatte mit entsetztem Gesichtsausdruck darauf reagiert, hatte nach ihrer Hand gegriffen und gefragt: »Werde ich dich in England wiedersehen?«

»Wenn du willst«, sagte sie. Ihr Herz raste. »Ich möchte, dass wir Freunde bleiben.«

Seine Finger hatten ihre gedrückt. Er hatte ihren Arm an sich gezogen, dass sie sich vorbeugen musste. »Ich will mehr als das, aber wir können auch nur Freunde sein, wenn dir das lieber ist.«

Sie erinnerte sich daran, dass sie errötete. Nein, sagte sie, das sei ihr nicht lieber. Auch sie wollte mehr. Sie hatte geglaubt, dass er freudig und dankbar darauf reagierte, aber er lächelte nur und sagte: »Das habe ich mir gedacht. Ich habe ein Zimmer hier. Wir können nachher hinauf gehen, und du kannst so lange bleiben, wie du willst.«

Wenn sie jetzt daran zurückdachte, fiel ihr wieder ein, wie mechanisch er Liebe gemacht hatte. Sie ließ sich benutzen, weil sie es nicht anders wusste, weil sie auch nicht wusste, was sie erwarten sollte. Darauf hatte er wohl spekuliert. Sie verzieh ihm all die Dinge, die sie nicht mochte. Sie redete sich ein, dass er der Geliebte war, den sie haben wollte, und ignorierte die Wahrheit.

Er zog sie aus und ermunterte sie, ihn auszuziehen. Ihre Hände zitterten, als sie seine nackte Haut berührten. Sie wollte verweilen, wollte ihn langsam erforschen, ertasten, kennen lernen. Seine Ohren, Augen, Lippen küssen. Aber er schien daran nicht interessiert zu sein. Er hastete sie weiter, drückte ihre Hände zum Bund seiner Hose.

Er sprach wenig, bis sie beide nackt waren. Ihr fiel auf, dass sein Penis zwar groß, aber nicht steif war. Wegen ihrer Unerfahrenheit glaubte sie, dass er sich absichtlich zurückhielt. Als er sie auf den Rücken drückte, ließ sie es geschehen. Als er sich über sie grätschte und seinen schlaffen Penis in ihren Mund schob, sträubte sie sich kurz.

»Tu es für mich«, sagte er, legte eine Hand unter ihren Kopf und hob ihn leicht an. »Für mich.«

Sie war nicht einmal sicher, was sie tun sollte. Sein Penis füllte ihren Mund. Sie versuchte zu saugen, zu nagen und zu streicheln. Er bewegte die Hüften, und sie spürte, wie er anschwoll. Er begann zu keuchen. »Oh, ja, gut, das ist gut.«

Sie war glücklich, weil er glücklich war. Als er hart wurde, stöhnte er, zog sich aus dem Mund zurück und drückte ihre Schenkel auseinander. »Bist du bereit für mich?«

Sie spürte seine Hände auf ihrem Geschlecht, und vor Lust lief ein Schauer über sie. Er unternahm nichts, um sie weiter zu erregen, berührte sie nur leicht mit einem Finger. »Ja«, sagte er, »du bist bereit. Jetzt mache ich eine Frau aus dir.«

Er drang schnell in sie ein und stieß mit raschen Stößen zu. Sie empfand nichts als Enttäuschung. Sie wollte gestreichelt und geküsst werden. Sie wollte, dass er ihre geheimen Stellen erforschte. Sie wollte ein langsames Vorspiel, damit sie das Finale genießen konnte.

Statt dessen versprühte er sich mit einem ruckartigen Zucken und einem erleichterten Stöhnen, dann zog er sich sofort aus ihr zurück und ließ sich neben sie auf den Rücken fallen.

Sie empfand nichts. Selbst danach, erinnerte sie sich, gab sie ihm keine Schuld. Sie dachte, so müsste es sein, das erste Mal.

»War es gut?«, fragte er.

»Ja«, log sie.

Er wusste ganz genau, dass es nicht gut war, dachte sie in der Erinnerung. Und als ich dann log, wusste er, dass ich die Seine war. Er hat die Beute mit ein paar Schmeicheleien, ein paar hübschen Geschenken und ein paar Abendessen gelockt und seinen Preis bekommen – einen schwärmenden, sexuell ignoranten Teenager. Genau das, was er wollte.

Dieser Bastard.

Jacey unternahm einen energischen Schritt, den Film in ihrem Kopf abzustellen. Warum denke ich immer noch an die Vergangenheit? Sie wälzte sich ruhelos im Bett herum. Sie wusste warum. Sie gab sich selbst die Schuld für alles, was danach geschehen war, für jede schreckliche Einzelheit. Und nach zehn Jahren schmerzte es noch immer. Besonders bei solchen Gelegenheiten, nachts, in der Dunkelheit, wenn sie allein war. Sie knirschte wütend mit den Zähnen, wenn sie an Faisal dachte. Bastard. Ich wusste nicht, was Hass war, bevor du ihn mir beigebracht hast.

Und doch kann mich ein schöner junger Körper immer wieder erregen, dachte sie, auch nach allem, was Faisal mir angetan hat. Ich muss verrückt sein. Obwohl ich nicht glaube, dass ich mit Paulo etwas anfangen werde. Von nun an halte ich mich an gestandene Männer. Männer, die körperlichen Spaß haben wollen ohne emotionales Gepäck. Männer, die nicht heiraten wollen. Sie streckte sich unter der dünnen Decke. Männer wie Nicolás Schlemann.

Dieser Gedanke ließ sie zusammenzucken. Wieso, zum Teufel, denke ich an ihn? Sie erinnerte sich an Paulos Warnung, und sie hatte keinen Grund, an dem zu zweifeln, was Paulo gesagt hatte. Nicolás Schlemann war clever, gerissen und einflussreich. Er war es gewohnt, das er bekommt, was er sich in den Kopf gesetzt hatte, und in seinen Augen waren schöne Frauen zu seiner Unterhaltung da. Wahrscheinlich bildete er sich auch noch ein, dass sie sich geehrt fühlten, es ihm zu machen.

War das wirklich der Typ Mann, den sie haben wollte? Nein, entschied sie, ganz sicher nicht.

Es stellte sich heraus, dass Dr. Peter Draven eine angenehme Überraschung war. Aus irgendeinem Grund hatte sie ihn sich als mittelalten, leicht verknöcherten Mann vorgestellt, nicht als charmanten jungen Mann mit einem freundlichen Lächeln, locker in Jeans und mit offenstehendem Hemd bekleidet. Mit seinem Schwall blonder Haare und seiner gebräunten Haut sah er ein bisschen skandinavisch aus, sagte sie ihm.

Er lachte. »Meine Großmutter stammt aus Schweden. Die blonden Haare haben eine Generation ausgesetzt, aber bei mir sind sie wieder da. Meine Mutter hat mir das nie verziehen. Möchten Sie Kaffee haben, bevor ich Sie rumführe?«

Sie saßen im großzügigen, offenen Aufenthaltsraum, von dem man aus in den Garten voller blühender exotischer Sträucher sehen konnte, und erzählten sich Geschichten aus ihrer Studenten- und Assistenzzeit. Als er schließlich zur Führung aufbrach, hatte Jacey das Gefühl, eine Menge über Peter Dravens Hoffnungen und Ambitionen zu wissen. Er hatte keine feste Freundin, und sie erwartete, dass er die erste Chance am Schopf fassen würde, mit ihr ins Bett zu gehen, wenn sie ihm auch nur die geringste Andeutung ihrer Bereitschaft gab.

Nun, warum nicht?, dachte sie, als sie ihm durch den breiten, luftigen Korridor folgte. Vielleicht ist es genau das, was ich brauche. Wir haben eine Menge gemeinsam. Er hat einen Sinn für Humor und sieht nicht schlecht aus, sein Lächeln ist freundlich, und seine Augen blicken zahm. Und er hat schöne Hände.

Ja, wir könnten Spaß haben, wenn er nicht an einer exklusiven Beziehung interessiert ist. Sie ließ sich zurückfallen. Und einen knackigen Hin-tern hat er auch.

Ihre Führung durch *La Primavera* bestätigte ihren Verdacht, dass es sich nicht um ein normales Krankenhaus handelte. Es war unglaublich gut ausgerüstet, und es gab eine Vielzahl von wunderschön ausgestatteten Privatzimmern. Die meisten waren leer, und die Patienten, die sie sah, schienen eher Erholungsgäste zu sein und nicht Kranke. Sie saßen oder lagen in ihren Betten, lasen in Zeitschriften oder schliefen.

Peter Draven führte sie in einen Operationssaal, in dem es derart blinkte, dass Jacey bezweifelte, ob er je benutzt worden war.

»Diese Klinik muss ein Vermögen gekostet haben, und auch der Unterhalt muss Unsummen verschlingen. Woher kommt das Geld?«

Er hob die Schultern. »Wen interessiert das? Offenbar ist genug Geld da.«

»Es ist das Krankenhaus mit der größten Unterbeschäftigung, das ich je gesehen habe«, bemerkte sie. »Dabei ist es phantastisch ausgestattet. Was für eine Verschwendung.«

»Die Patienten, die hier sind, suchen Privatsphäre«, sagte Peter, was sie auch schon von Paulo gehört hatte. »Und dafür zahlen sie kräftig. Wir tun unsere Arbeit und stellen keine Fragen. Und glauben Sie mir, die Einrichtungen und die OPs werden benutzt.«

»Ich habe gehört, dass sich auch Hernandez hier behandeln lässt«, sagte Jacey.

»Viele Leute kommen her«, sagte er ausweichend. Er stand dicht vor ihr, und sie spürte die Ecke des Operationstisches, die gegen ihren Oberschenkel drückte. »Bedeutende Leute.« Sie berührten sich fast. »Wenn Sie Ihre Trümpfe richtig ziehen, können Sie hier eine schöne Zeit erleben.«

»Soll das heißen, wenn ich nett zu den richtigen Leuten bin?« Ihre Stimme klang kühl. »Und meinen Sie Leute wie Hernandez?«

Er lächelte trocken. »Stehen Sie auf ihn? Nun ja, er ist die Numero Uno hier, und es heißt ja, dass Macht ein potentes Aphrodisiakum sei.«

»Ich bräuchte mehr als ein potentes Aphrodisiakum, um einen Mann wie Hernandez zu mögen«, sagte sie. »Außerdem dachte ich, dass Nicolás Schlemann die wahre Macht in diesem Staat ausübt.«

»Oh, Sie mögen den großen dunklen und gut aussehenden Nicolás?« Peter nickte. »Nun, das überrascht mich nicht. Viele Frauen stehen auf ihn.«

Sie legte eine Hand auf seine Brust und stieß ihn zurück. »Nein, ich stehe nicht auf Schlemann, ob er groß und dunkel ist oder nicht.«

»Aber Nicci wird Sie mögen«, sagte Peter. Seine Blicke glitten bewundernd über ihren Körper, kehrten dann zu ihrem Gesicht zurück. »Er hat immer schon einen guten Geschmack gehabt.«

Sie war nicht immun gegen seine Komplimente und auch nicht gegen Peter Dravens Körper, dessen Wärme auf sie übersprang. Je länger sie ihn betrachtete, desto mehr freundete sie sich mit dem Gedanken an, eine unkomplizierte Affäre mit ihm zu beginnen.

»Wenn wir uns schon ein wenig länger kennen würden«, sagte sie, »würde ich das für den Beginn einer Anmache halten.«

Er trat wieder vor. »Sie hätten Recht.« Er band ihren Blick mit seinem. »Sie haben mich gleich von Anfang an haben wollen, geben Sie es zu.«

»Das ist Ihre Diagnose?«

Er legte seine Hände auf ihre Schultern, und von dort ließ er sie langsam über ihre Brüste gleiten. »Meine Meinung, die sich auf Erfahrung stützt«, sagte er. Seine Finger fingen an, ihre Bluse zu öffnen.

»Ich glaube nicht, dass dies der Ort und die Zeit für eine medizinische Untersuchung ist«, wandte sie ein, aber sie traf keine Anstalten, ihn aufzuhalten.

Er lehnte sich ganz dicht an sie. »Im Gegenteil, dies ist genau die richtige Zeit und der richtige Ort.«

Sie spürte seine Hände über ihre Haut streicheln und sah ihn mit Genugtuung lächeln, als er feststellte, dass sie keinen BH trug. »Leichter Zugang«, sagte er. »Das gefällt mir.« Seine Hände wogen ihre Brüste, die Finger spielten mit den Nippeln. Er küsste sie leicht auf den Mund, und als sie sich nicht wehrte, küsste er feuchter, intensiver.

Dann spürte sie seine Hände auf ihren Oberschenkeln. Er zog den Saum ihres Rocks mit einem kurzen Ruck hoch auf die Hüften. Er fasste sie um die Taille, hob sie in eine sitzende Position auf den OP-Tisch und stellte sich zwischen ihre Beine. »Lege dich zurück«, raunte er.

Seine Zunge koste ihr Ohr, seine Finger zupften am winzigen Höschen. Sie versuchte, ihn wegzuschieben. »Nicht hier, zum Teufel. Was ist, wenn jemand kommt?«

»Niemand wird hereinkommen«, murmelte er. Er hatte es geschafft, das Höschen nach unten zu ziehen. Die glatte Oberfläche des OP-Tischs fühlte sich kühl unter ihrem nackten Hintern an.

Sie sah die runden Scheinwerfer über sich und stellte sich vor, dass sie eingeschaltet wären, und dass Studenten im ersten Semester herumstanden und auf sie starrten, darauf wartend, sie beim Liebesakt zu beobachten. Es war eine überraschend erregende Phantasie. Ihr Körper kribbelte vor Verlangen nach Sex.

Peter lag jetzt auf ihr und kämpfte mit seinen Jeans. Seine Erektion war so groß und eifrig, dass er Mühe mit dem Reißverschluss hatte. Fiebrig half sie ihm, aber sie sah, wie er das Gesicht verzog, als die metallenen Zähne seine Haut ratschten. Er stöhnte auf und sagte halb lachend: »He, du hast es aber eilig, was?«

Wuchtig drang er in sie ein. Sie bewegte die Hüften und spannte die Muskeln an, um ihn tiefer hereinzuziehen. Er schloss sich ihrem Rhythmus an.

Die Spannung baute sich kontinuierlich auf, und dann ging ein heftiges Zucken durch seinen Körper, das er nicht mehr kontrollieren konnte.

Er gab einen explosiven Laut von sich, und im nächsten Moment spürte sie sein ganzes Gewicht. Nach einer Weile richtete er sich auf.

»Tut mir leid«, sagte er. »Wirklich leid. Aber ich konnte mich einfach nicht beherrschen.«

Sie blieb noch eine Weile auf dem Rücken liegen und fragte sich, ob er Lippen und Finger einsetzte, um ihr Befriedigung zu bringen, aber zu ihrer Enttäuschung rutschte er einfach vom Tisch und zog seine Jeans hoch.

»Das ist mir noch nie passiert.« Er grinste dümmlich. »Du solltest nicht so verdammt sexy sein.«

Soll das vielleicht ein Kompliment sein?, fragte sie sich. Oder macht er mich für seine Unzulänglichkeit verantwortlich? Frustrierte sexuelle Spannung ließ sie ein wenig zittern. Sie stand auf und richtete ihre Kleider.

Er sah ihr dabei zu. »Ich habe damit wirklich nicht gerechnet. Das nächste Mal werde ich es wiedergutmachen. Das ist ein Versprechen.«

»Was lässt dich glauben, dass es ein nächstes Mal geben wird?« Ihre Stimme klang frostig.

Er sah sie verlegen an. »Nun komm schon, ich bin auch nur menschlich.«

»Ich auch«, sagte sie. »Und ich will auch meinen Spaß haben wie jeder andere.«

»Tut mir leid«, jammerte er wieder. Sie wandte sich zur Tür und hörte ihn sagen: »Bist du denn noch nie von der Leidenschaft übermannt worden?«

Sie musste trotz allem lächeln. »Peter, du hörst dich an wie ein schlechter Film.«

»Wie soll ich es denn anders nennen?«, fragte er. »Liebe?«

Ihr Lächeln schwand. »Willst du mir jetzt auch noch sagen, dass du dich in mich verliebt hast?«

»Nein«, sagte er. Dann fügte er zögernd hinzu: »Aber man kann nie wissen, was noch geschieht.«

»Ich weiß es«, sagte sie und drehte sich zu ihm um. »Eins sollten wir sofort klären. Sex kann eine Menge Spaß bringen, aber mehr ist nicht drin. Ich habe einfach kein Interesse.«

»Spaß ohne Verpflichtung?« Er lächelte. »Ich habe nichts dagegen. Ich kann mir keinen Mann vorstellen, der da nicht begeistert wäre.« Er streckte seine Hand aus. »Abgemacht«, sagte er ernst. »Unsere Beziehung wird nur reiner Sex sein, sonst nichts. Ich werde nie wieder von Leidenschaft oder gar Liebe reden.«

Sie klopfte leicht auf die hingehaltene Hand und lachte. »Vielleicht«, sagte sie. »Können wir jetzt die Führung fortsetzen?«

»Ich glaube, ich habe dir schon alles gezeigt.«

»Ich weiß noch nicht, wo ich mich morgen zum Arbeitsantritt vorstellen muss.«

Er lachte. »Klar, das Wichtigste habe ich vergessen. Dein Büro. Komm und schaue es dir an.«

Das Büro war mit einem hellen pastellfarbenen Teppich ausgelegt, und Pastelltöne beherrschten auch die Wände. Aus dem großen Fenster schaute sie in den Garten. Peter wies auf den brandneuen Computer auf dem Schreibtisch mit der dicken Glasplatte.

»Dort findest du alle medizinischen Unterlagen und die Krankenhausbibliothek.« Er zeigte ihr das Modem. »Und wenn dir langweilig ist, kannst du im Netz surfen. Wir werden dich noch mit einer E-Mail-Adresse ausstatten.«

»Großartig«, sagte Jacey. Sie setzte sich hinter den Schreibtisch und schaltete den Computer an. »Kann ich jetzt schon eine E-Mail abschicken? Meine Freundin Chris wartet schon auf ein Lebenszeichen.«

»Chris? Könnte auch ein Freund sein.«

»Chris hat drei Kinder und einen liebevollen Mann«, log Jacey. »Ich habe ihr versprochen, von mir hören zu lassen.«

Sie meldete sich an und tippte eine Nachricht ein.

Hallo, Chris,
ich bin angekommen. Das Wetter ist nicht ganz so, wie ich es erwartet habe, aber wenigstens einer der Einheimischen ist sehr freundlich. Blaue Augen und blonde Haare. Ich muss gehen – er wartet auf mich.

Sieh zu, was du daraus machst, Major Fairhaven, dachte sie. Wenn du von dem mysteriösen Loháquin weißt, ist dir klar, was ich mit dem anderen Wetter meine. Und wenn nicht, dann wirst du so lange im Trüben fischen wie ich.

Am Ende ihres ersten Arbeitstages wusste Jacey schon eine Menge mehr über das, was im *La Primavera* ablief. Den ersten Geschmack erhielt sie schon auf der Morgenvisite. Ein netter Herr im mittleren Alter, Senor Valiente, der zur Beobachtung seiner Bronchienprobleme eingeliefert worden war, diktierte einer verblüffend attraktiven blonden Frau mehrere Briefe.

Die Blondine trug einen sehr kurzen Rock, und sie sah so aus, als gehörte sie eher als exotische Tänzerin auf eine Go-go-Bühne und nicht in ein Sekretariat. Im Krankenzimmer selbst roch es nach dem Rauch teurer Zigarren.

Senor Valiente grinste Jacey an und zeigte mehrere Goldzähne. »Ein bisschen muss ich mich auch hier um die Geschäfte kümmern, Doktor. Das hält die kleinen grauen Zellen wach.«

»Sie haben geraucht«, beschuldigte Jacey ihn.

Die Sekretärin-Darstellerin lachte, schlug die langen Beine übereinander und enthüllte dunkle Strumpfenden und Strapse. »Er ist manchmal ein unanständiger Junge«, sagte sie mit rauchiger Stimme.

Als Jacey die Tür hinter sich schloss, hörte sie die beiden lachen. Das Kichern der Frau wurde abrupt stumm. Jacey war sicher, wenn sie jetzt unter einem Vorwand zurück ins Krankenzimmer ging, würde sie ihren Patienten und seine Sekretärin bei einer anderen Beschäftigung als beim Diktieren vorfinden.

Von nun an beäugte sie den ständigen Strom von Besuchern etwas genauer. Da es nur Privatzimmer gab, konnte jeder zu jeder Zeit Besuch empfangen. Meistens handelte es sich natürlich um Familienmitglieder, oft mit entzückend gekleideten Kindern, die gehorsam im Schlepp liefen. Oder junge Geschäftsleute in maßgeschneiderten dunklen Anzügen.

Aber einige der Damen passten in keine konventionelle Kategorie. Sie waren modisch gekleidet und trafen in chauffierten Limousinen ein. Sie strahlten Sex und Selbstbewusstsein aus und schienen beim ganzen Krankenhauspersonal bekannt zu sein, von den Putzfrauen bis zur Leitung.

An diesem Abend ging Jacey zu Peter Dravens Büro. »Warum hat mir niemand gesagt, dass dieses Krankenhaus auch als Bordell fungiert?«

Peter schaute von einem Bericht auf, den er gerade schrieb. »Wer sagt das denn?«

»Ach, hör doch auf.« Sie setzte sich ihm gegenüber. »Kein Wunder, dass es hier so viele blühend aussehende, gesunde Patienten gibt. Sie melden sich zu irgendeiner überflüssigen Untersuchung an, damit sie in aller Bequemlichkeit vögeln können.«

Er grinste. »Sehr treffend. Aber ihr Geld bezahlt auch dein Gehalt.« Er unterschrieb seinen Bericht und schob ihn zur Seite. »Willst du mir jetzt sagen, dass du schockiert bist?«

»Überrascht«, stellte sie richtig. »Warum gehen die Leute nicht ins nächste Bordell?«

Peter hob die Schultern. »Weil sie Angehörige einer sehr traditionellen Gesellschaft sind. So lange sie sich in der Öffentlichkeit tadellos aufführen, schaut man über ihre heimlichen Schwächen hinweg.«

»Auch die Ehefrauen?«

Peter lehnte sich in seinem Sessel zurück und lächelte. »Was bringt dich auf die Idee, dass die Ehefrauen nicht wissen, was läuft? Sie wissen wahrscheinlich sogar, welche Frau ihren Mann gerade bedient. Die Frauen, die auf diese Weise im Krankenhaus arbeiten, gehören zu den bestbezahlten Huren in Techtátuan. Sie sind diskret und sauber. Wenn du verheiratet wärst, würdest du dir bestimmt wünschen, dein Mann bediente sich einer solchen Frau, als ins Bordell zu gehen, wo man nie weiß, was man sich einfängt und an welche man gerät.«

»Und dadurch soll es hinnehmbar sein?«, gab sie kühl zurück. »Ich betrüge dich, meine Liebe, aber keine Sorge, ich fange mir nichts ein.«

Er lachte. »Glaubst du, es ist alles nur einseitig? Ist dir schon der elegante junge Mann aufgefallen, der Senora Atriega besucht? Sie stellt ihn als ihren Neffen vor.«

Jacey nickte. »Ich habe ihn auf dem Flur getroffen.« Senoras Neffe hatte sie mit einem sinnlichen Blick bedacht, als sie vorbeigegangen war. »Ich hatte das Gefühl, er wollte mit mir flirten.«

»Dafür lege ich meine Hand ins Feuer«, sagte Peter. »Dich als Kundin zu haben, würde für ihn bedeuten, Geschäft mit Vergnügen zu verbinden.«

»Er macht es professionell?« Jacey war ehrlich verblüfft.

»Ja, natürlich. Er soll einer der Besten sein.«

Sie lachte. »Also gut, das ist vielleicht auch eine

Art von Gleichheit.« Sie warf Peter einen zwinkernden Blick zu. »Er war nett. Vielleicht werde ich ihn mal ausprobieren.«

»Du wirst ihn dir kaum erlauben können«, antwortete Peter. Er beugte sich mit verschwörerischer Miene vor. »Im Vertrauen, ich habe ihn einige Male untersucht, was die Länge angeht, gibt es kaum einen Unterschied zu mir.«

Sie grinste. »Vielleicht hat er sich besser unter Kontrolle.«

»Au. Das hatte ich wohl verdient, was?«

»Ja. Oder etwa nicht?«

»Kann schon sein. Bekomme ich eine Chance zur Wiedergutmachung?«

Sie hob die Schultern. »Nun, ich könnte vielleicht dazu überredet werden.«

»Heute Abend?«, schlug er vor. »Ich lade dich zum Essen ein. Abgemacht?«

»Abgemacht«, sagte sie. »Wann holst du mich ab?«

»Um acht.«

2. Kapitel

Jacey hatte sich bald in eine angenehme, anspruchslose Routine gefunden, und nach zwei Wochen empfand sie nichts als Langeweile. Sie arbeitete in einer Atmosphäre, die ihre Kollegen und Freunde im Midland Hospital grün vor Neid hätte werden lassen, aber sie fühlte eine wachsende Frustration.

Sie wusste, dass es viele Menschen in Techtátuan gab, denen sie mit ihrem ärztlichen Wissen hätte helfen können, Menschen, die sich *La Primavera* nicht erlauben konnten. Das waren die Menschen, zu denen sie gehen sollte. Bei denen würde sie wahrscheinlich auch eher etwas über Loháquin erfahren. Die reichen sogenannten Patienten im Krankenhaus würden ihr jedenfalls nichts erzählen.

Warum hatte Major Fairhaven sie in dieses Krankenhaus geschickt? Hier konnte sie keine ›Wetterberichte‹ von Wert erstellen.

Ihre Frustration führte dazu, dass sie sich die meiste Zeit gereizt fühlte. Sie war eine zu professionelle Ärztin, um ihren Gemütszustand auf ihre Arbeit abfärben zu lassen, aber sie fand es zunehmend schwierig, mit Leuten wie Senor Valiente und seiner fast ständig anwesenden ‚Sekretärin' oder mit Senora Atriega unbefangen zu reden.

Als sie am Morgen während der Visite auf dem Korridor von einem jungen Mann angesprochen wurde, der sie fragte, wo er die Senora finden könnte, konnte sie ihre Verärgerung kaum verheimlichen. Noch ein Neffe, dachte sie wütend.

Er sah attraktiv aus, das musste sie zugeben. Er hatte große braune Augen und dunkelbraune Haare, in denen es golden schimmerte, und dazu besaß er noch ein wunderschönes Lächeln. Fast zu vollkommen.

Sie mochte eine kleine Ungleichmäßigkeit im Gesicht eines Mannes, etwas, das zu einem individuellen Gesicht beitrug. Dieser Junge hier sah aus, als hätte er einen Schönheitschirurgen beauftragt, ihn in einen Bilderbuch-Gigolo zu verwandeln. Er war kleiner als Durchschnitt, aber die Proportionen waren perfekt, und er bewegte sich mit der Geschmeidigkeit eines Tänzers.

Ich wette, er hat jede anmutende Bewegung vor dem Spiegel studiert, dachte Jacey ungehalten. Posieren, studieren und kalkulieren, welche Wirkung es auf die Frauen hat. Nun, auf mich hat es keine Wirkung.

Sie bedachte ihn mit einem frostigen Lächeln. »Senora Atriega liegt in Zimmer vierzehn«, sagte sie. »Aber diese Information sollten Sie sich schon beim Empfang abholen.«

Er sah sie überrascht an. »Ich bin gerade erst aus London angekommen und gleich ins Krankenhaus gefahren, um die arme Julia zu sehen. Ich will sie mit einer Menge Klatsch und Tratsch auf andere Gedanken bringen. Sie hat doch keine Schmerzen?«

»Kaum«, sagte Jacey kühl. »Sie ist eher schrecklich gelangweilt.«

»Ich werde sie aufmuntern.« Sein Lächeln war entwaffnend. »Dafür sind Freunde doch da.«

Jacey ärgerte sich über sein Täuschungsmanöver. Gerade aus London eingeflogen? Erwartete er, dass sie eine solche Geschichte glaubte? »Nun, ›Freund‹ ist ein neues Wort dafür«, bemerkte sie ätzend. »Aber es ist wahrscheinlich ehrlicher, als sich als Neffe der Senora auszugeben.«

Er sah sie einen Augenblick verdutzt an, dann wurde sein Lächeln breiter. »Das sagen sie alle, was? Neffe oder Cousin. Aber ich bin nicht wie die anderen.«

»Sie sehen aber genauso aus.«

»Wirklich?« Er trat einen Schritt zurück, und seine Augen betrachteten ihren Körper. Es waren sexuelle Blicke, die sie musterten, und Jacey war froh, dass sie den glatt geschnittenen weißen Kittel trug. »Nun, Sie sehen ganz bestimmt nicht wie alle Ärztinnen aus.« Er nahm eine Pose ein, eine Hand auf der Hüfte. »Können Sie mich untersuchen? Mal gründlich durchchecken? Ich bin sicher, wir hätten beide unseren Spaß dabei.«

Wie würde es sein, mit einem Profi Liebe zu machen?, fragte sie sich. Ein Mann, der dafür bezahlt wurde, ihr Vergnügen zu bescheren. Würde sie das erregen? Oder würde sie sich billig und auch ein wenig lächerlich vorkommen?

Sie hatte gelesen, dass weibliche Prostituierte bei der Arbeit ihre Gefühle abschalten. Für sie war der Akt nur der mechanische Vorgang: Rauf, rein, raus aus der Tür. Konnten männliche Prostituierte ebenso gefühllos sein? Er musste doch Gefühle entwickeln, um überhaupt funktionstüchtig zu sein. Besonders, wenn seine Kundin nicht sonderlich attraktiv war.

»Nun, wollen Sie einen Termin buchen?«

Sie wurde mit einem Ruck aus ihren Gedanken gerissen. Er lächelte sie immer noch an.

»Ich bin sauber, sehr diskret und sehr einfallsreich«, pries er sich an.

»Und ohne Zweifel auch sehr teuer«, sagte sie und war neugierig, wie er darauf reagierte.

Er zögerte einen Moment lang. »Tausend Dollar«, sagte er. »Natürlich amerikanische Dollar.«

Sie starrte ihn an, dann lachte sie ihm ins Gesicht. »Sind Sie verrückt? Kein Mann auf dieser Welt ist tausend Dollar wert, und ganz gewiss kein Gebrauchtmann wie Sie.«

»Es ist für die ganze Nacht.« Er klang ein wenig pikiert.

»Ich würde die Summe nicht für die ganze Woche zahlen«, blaffte sie zurück.

Er hob die Schultern. »Dann werde ich jetzt gehen und nett zu Julia sein.«

Sie ist noch närrischer, als ich gedacht habe, dachte Jacey, wenn sie so viel Geld dafür bezahlt. Sie sah ihm nach, wie er den Flur entlang ging. Er hat einen hübschen Hintern, dachte sie, dann tadelte sie sich dafür, überhaupt darauf geachtet zu haben.

Aber sie empfand eine gewisse Sympathie für ihn und andere, die wie er lebten. Selbst in ihrer kurzen Zeit in Guachtal hatte sie erkennen müssen, dass die Mehrheit der Bevölkerung sehr arm war, und für die meisten gab es kein Entrinnen aus der Armut, es sei denn, man verkaufte seinen Körper. Konnte sie es einem schönen jungen Mann verübeln, aus seinem Körper Kapital zu schlagen?

Was würde ich getan haben, überlegte sie, wenn ich hier geboren wäre? Hätte ich geheiratet und Kinder bekommen, um mit dreißig schon verbraucht zu sein? Oder hätte ich mich an den höchsten Bieter verkauft? Benutzen Männer die Frauen nicht schon seit Anbeginn der Menschheit? Warum sollten wir nicht die Männer benutzen?

Dieser Gedanke rief eine Erinnerung wach, die sie nicht hatte wecken wollen. Aber sie kam immer dann, wann sie am wenigsten damit rechnete.

Ein Mann in einem maßgeschneiderten Anzug, ein Mann, der unglaublich gut und sexy aussah. Und ein großäugiges Mädchen neben ihm, in einem weißen Kleid, die kastanienbraunen Haare hochgesteckt und von einer Krone aus kleinen weißen Blumen gehalten.

Mein Hochzeitstag, dachte sie. Sollte der glücklichste Tag im Leben einer Frau sein. Was für ein sentimentaler Quatsch.

Obwohl sie nur auf dem Standesamt heirateten, hatte sie darauf bestanden, ein weißes Kleid anzuziehen. Faisal hatte eine religiöse Hochzeit versprochen, wenn sie mit ihm nach Hause fuhr. Sie stellte nicht die Frage, warum er die standesamtliche Ehe vorher in London haben wollte. Ihre Eltern waren dabei gewesen, sie sahen unglücklich aus, weil sie mit Faisal nicht einverstanden waren und weil er am Abend mit ihr nach Arabien fliegen würde.

Es ist ein Urlaub, hatte sie ihnen gesagt. Flitterwochen. Ich muss schließlich seine Familie kennen lernen. Sie wiederholte all die Lügen, die Faisal ihr aufgetischt hatte. Bald kommen wir nach London zurück. Faisal übernimmt das Büro seines Vaters in der Stadt. Ich werde mich an der Londoner Universität für mein Medizinstudium eintragen.

Faisal hatte sich um das Unbehagen der Schwiegereltern wenig gekümmert. Ist doch ganz natürlich, sie haben das Gefühl, ihre einzige Tochter zu verlieren. Wenn er zurück nach London käme, würde er sich bemühen, ihre Zuneigung und ihren Respekt zu gewinnen.

Und ich habe ihm geglaubt, erinnerte sie sich. Ich habe ihm all seine Lügen geglaubt.

Die Zeit zwischen der Hochzeit und ihrer Ankunft in Faisals Heimat war immer ein Schemen in ihrer Erinnerung geblieben, ein Durcheinander von Bruchstücken; der überfüllte Flughafen, die Langeweile des Flugs (Faisal schlief die ganze Zeit), und die glutofenheiße Luft, die sie empfing, als sie aus dem Flugzeug stiegen. Faisals Vater war in Amerika, seine Mutter, eine auffallend elegante Frau in einem weißen Designerleinenkostüm, begrüßte Faisal mit einem theatralischen Gefühlsausbruch und hatte für Jacey eine schlanke Hand und ein frostiges Lächeln übrig. Danach wurde sie von der Frau ignoriert. Die folgenden drei Tage verbrachte Jacey allein, in einer luxuriös eingerichteten Wohnung, umgeben von Dienstpersonal, aber völlig isoliert, weil sie kein Arabisch sprach. Sie konnte nicht einmal fragen, wo ihr Ehemann war.

Als Faisal schließlich auftauchte, entschuldigte er sich wenigstens. Es war, erinnerte sie sich, das letzte Mal, dass er das tat. Er sei verpflichtet gewesen, eine Reihe von Verwandten zu besuchen. Diese Dinge wurden von ihm erwartet, er hatte eine große Familie. Er setzte sich neben sie auf das Sofa. Es war das erste Mal, dass sie seit ihrer Heirat allein waren.

Wie kann ich beschreiben, was danach geschah?, dachte Jacey. In jenen Tagen konnte ich mir noch einreden, dass wir Liebe machten. Heute wusste sie, dass Faisals Aktionen mit Liebe nichts zu tun hatten. Es schmerzte, weil sie nicht bereit und nicht erregt war. Er wollte ihren Mund benutzen, aber sie wollte ihn umarmen und küssen. Sie erinnerte sich an seine Verärgerung, als er seinen Hosenstall öffnete und ihren Kopf nach unten drückte, zwischen seine Beine. »Mach ihn hart«, befahl er.

»Ich will nicht.« Sie spürte jetzt noch die Kraft seiner Hände auf ihrem Hinterkopf. »Nein, lass uns reden.«

»Reden?« Er schüttelte den Kopf. »Du bist meine Frau. Verhalte dich wie eine Ehefrau.« Er drückte den Kopf auf seinen Penis. Er war nicht mal halb steif. »Tu deine Pflicht«, knirschte er. »Bediene mich.«

Sie hatte zu weinen begonnen, und er ließ sie los, murmelte irgend etwas in seiner arabischen Sprache. Er masturbierte. Es war das erste Mal, dass sie einem Mann dabei zusah. Er erzielte rasch eine Erektion und wandte sich wieder an sie. »Öffne die Beine. Du willst mich doch, oder?«

Sie hatte ihn gewollt, erinnerte sie sich, aber mit Liebe und Zärtlichkeit, nicht mit der kruden Hast eines räudigen Hundes. Als er sich befriedigt hatte, wälzte er sich von ihr und fügte eine letzte Beleidigung hinzu. Er stand auf, zog den Reißverschluss hoch und ging.

Und ich habe ihm vergeben, rief sie sich verbittert in Erinnerung. Diese ersten Male habe ich ihm vergeben. Ich hielt mich sogar für nobel, weil ich so viel Verständnis für ihn hatte. Und ich glaubte, wenn wir uns erst einmal aneinander gewöhnt hätten, würde sich alles zum Besseren wenden.

Was für eine kleine Närrin ich doch war. Was für ein rehäugiges dummes Mädchen. Ich hatte es nicht anders verdient. Nein, dachte sie, das stimmt nicht. Niemand hat das verdient, was mir widerfahren ist.

Warum erinnere ich mich daran?, fragte sie sich. Das Geschehen lag zwölf Jahre zurück. Aus und vorbei. Aber sie wusste, dass sie es nie vergessen würde. Es hat das aus mir gemacht, was ich heute bin. Wie ich heute bin.

Ein Ex-Freund hatte sie einmal hart genannt, weil sie ihre Beziehung abgebrochen hatte, nachdem er immer wieder vom Heiraten angefangen hatte. Hart? Sie zog das Wort ›stark‹ vor. Stark genug, männlichen Schmeicheleien und Versprechen zu widerstehen. Stark genug, einen Mann in die Wüste zu schicken, wenn er mehr forderte, als sie zu geben bereit war.

Entschlossen ging sie den Flur hinunter zu Peters Büro. Sie mochte Peter Draven, und der Abend nach der Einladung zum Essen hatte tatsächlich gezeigt, dass seine Schnellfeuernummer eine Ausnahme gewesen war. Sie hatten sich inzwischen mehrere Male getroffen. Sie mochte seine Gesellschaft und das, was er im Bett mit ihr anstellte.

Peter aktualisierte seine Computerdaten, als sie sein Büro betrat. Er warf einen Blick auf ihre Krankenblätter, die sie auf dem Arm trug. »Die kannst du mir schon geben, dann tippe ich sie ein«, sagte er.

»Dann kannst du auch die letzten Blätter kopieren«, sagte sie. »Es hat sich nichts verändert.«

Er grinste. »Das ist aber doch ein gutes Zeichen. Du willst doch nicht, dass es deinen Patienten schlechter geht?«

Sie hob die Schultern und schaffte ein leises Lächeln. »Ich komme mir so unnütz vor«, sagte sie leise. »Ich gehe von einem Zimmer ins andere und verteile Vitamintabletten und wünsche Sexualprotzen wie Senor Valiente einen guten Morgen.«

Peter rückte seinen Stuhl in ihre Richtung und sah ihr in die Augen. »Vermisst du wirklich die Zeit als Assistenzarzt? Die unsäglich vielen Stunden, die nächtlichen Anrufe, die nervenden Besprechungen, bei denen die Oberärzte und Chefärzte dich wie einen Idioten behandeln, und dann die Patienten, die das Gegenteil von dem tun, was du willst – nämlich sterben? Vermisst du den Geruch von Blut und Eingeweiden, von Desinfektionsmittel und Exkrementen und ...«

»Ja«, unterbrach sie ihn. »Es hört sich dumm und kaum glaubhaft an, aber ich vermisse all das. Das Blut und die Eingeweide und die Exkremente, und das wunderbare Gefühl, wenn man einem

Patienten sagen kann, dass die Operation erfolgreich verlaufen ist, dass es ihm bald wieder besser geht und er nach Hause kommt.«

»Ja, und der kleine Johnny kann bald wieder Violine spielen.« Peter lächelte. »Ich weiß. Unser Job hält ein paar Erfolgserlebnisse für uns parat. Na, gut – willst du den Charme und die Erregung eines richtigen Arztberufs für ein paar Tage die Woche noch einmal einfangen?«

Sie blickte ihn neugierig an. »Erzähl mir mehr.«

»Ich arbeite unten in der Stadt als freiwilliger Helfer. In einem Krankenhaus, von dem du noch nichts gehört hast. *El Invierno*«, fügte er hinzu.

»Das Winter-Krankenhaus?«, übersetzte Jacey. »Seltsamer Name.«

»Aber jeder nennt es so«, antwortete Peter. »Als Gegenpol zum *Primavera* gedacht. *El Invierno* hat kein Geld und keine Leute, die Ausstattung ist uralt und primitiv, und weil sie nicht genug Betten haben, müssen Patienten oft eine Matratze mitbringen und sich auf den Boden legen. Das Geld fließt ins *Primavera*, und für das Personal und die Patienten im *Invierno* bleiben nur Brosamen übrig. Aber es wird deinen Hang nach dem lieblichen Geruch von Blut, Urin und Desinfektionsmitteln befriedigen.«

Sein Lächeln schwand. »Es ist alles, was die armen Schweine von Techtátuan haben, wenn sie krank werden. Der Leitende Arzt heißt Filipe Rodriguez. Er ist gerade mal eins sechzig groß, jähzornig und ein brillanter Arzt. Vielleicht ist er auch ein Heiliger. Die Einheimischen halten ihn jedenfalls für einen. Du wirst ihn mögen, und er dich auch.«

»Hört sich gut an«, sagte sie und meinte es so. Das war nicht nur eine Gelegenheit, ihre ärztlichen

Fähigkeiten unter Beweis zu stellen, sondern sie fand in dieser Umgebung auch vielleicht etwas mehr über Loháquin heraus. »Bekomme ich denn Erlaubnis für ein paar freie Tage die Woche?«

»Natürlich«, sagte Peter. »Überlass das mir, ich regele das für dich.« Er grinste. »Ich habe ein paar Freunde in hohen Positionen. Da wir gerade von Freunden sprechen – ich habe eine Einladung zu einer Party. Hast du schon mal von Carlos Márquez gehört?«

Der Name kam ihr bekannt vor, sie hatte ihn in Major Fairhavens Unterlagen gelesen. Die Familie Márquez war immens wohlhabend und mit Generalissimo Hernandez und Nicolás Schlemann befreundet.

»Ist Márquez nicht der Name einer Anwaltskanzlei?«, fragte sie beiläufig.

»Die größte und beste in Techtátuan«, antwortete Peter. »Was bedeutet, dass es die beste und größte im ganzen Land ist. Sie haben Geld und Einfluss. Alfonso Márquez begann mit nichts und hat es zum Millionär gebracht. Er ist vor ein paar Jahren an einem Herzinfarkt gestorben. Seine drei Söhne haben das Geschäft übernommen.«

»Sie sind alle Anwälte?«

Peter lachte. »Carlos praktiziert, Raoul ist ausgebildet, hat sich aber noch nicht entschieden, ob er Juristerei oder das Polospiel betreiben oder Schauspieler werden will. Und Leonardo liegt noch in den Windeln.« Er sah Jaceys fragendes Gesicht und lachte. »Nun ja, nicht wörtlich zu nehmen. Er ist das Baby der Familie.«

»Und wer gibt die Party?«

»Carlos natürlich. Es beginnt mit einer ganz konventionellen Party, dann werden Carlos und seine Frau und die eher der Tradition verhafteten Gäste nach Hause gehen. Das ist der Beginn der heißeren Phase.« Er sah sie forschend an. »Ziemlich heiß. Aber wir können ja gehen, bevor das geschieht.«

»Du willst mir mitteilen, dass aus der Party eine Orgie wird?«

Wieder dieser forschende Blick. »Würde dich das interessieren?«

»Nein, überhaupt nicht«, entgegnete sie scharf. »Ich möchte schon wissen, mit wem ich zusammen bin. Gruppensex ist nicht mein Ding.«

Er lächelte. »Keine Sorge, wir gehen, bevor die Hosen fallen, und wenn dich ein geiler Bock bedrängt, werde ich dich retten.« Er hob sein Klemmbrett mit den Patientenkarten auf. »Ich muss mich noch um ein paar Leute kümmern, dann können wir zusammen einen Kaffee nehmen. Wartest du hier, bis ich zurück bin?«

Sie saß in einem bequemen Drehstuhl und kreiste ein wenig. Du willst mich beschützen? Grinsend dachte sie, dass sie wohl besser dran wäre, wenn sie ihren eigenen Schutz selbst übernähme. Sie erinnerte sich an ihre Schultage und an das erste Buch, das sie über Judo gelesen hatte. Wenn einer der Jungs ihre Schultasche greifen wollte, hatte sie zu einem Hebel angesetzt, der ihn aus dem Gleichgewicht brachte, seinen Fuß gepackt und ihn ausgehebelt. Sie sah immer noch die Überraschung auf den Gesichtern der Jungs. Erst danach hatte sie Judounterricht genommen und es bis zum schwarzen Gürtel geschafft, und das in kürzester Zeit.

Sie hatte auch noch den zweiten Dan machen wollen, aber dann standen ihre Zensuren im Vordergrund, und sie hatte keine Zeit mehr.

Die Erinnerung an ihren Collegeabschluss rief auch wieder das Bild von Faisal wach. Wenn ich nicht so gut abgeschlossen hätte, wäre ich gar nicht in Urlaub gefahren. Ich hätte ihn nicht kennen gelernt. Mein Leben wäre völlig anders verlaufen.

Faisal, der ihr Leben aus der Bahn geworfen hatte, der ihren Verstand mit ein paar Lügen und einem wunderschönen Lächeln lahmgelegt hatte. Die mächtigste Waffe der Welt. Sexuelle Anziehung, die als Liebe daherkommt. Mich jedenfalls hat sie zu einem ängstlichen Opfer gemacht.

Nein, den Judosport hatte sie nicht weiter verfolgen können, aber als sie später zu Major Fairhaven stieß, wurden ihr gemeinere Kampfsportarten beigebracht, mit denen sie auf der Straße besser bestehen konnte.

Das Telefon auf Peters Schreibtisch schlug an und rief sie in die Gegenwart zurück. Sie nahm den Hörer auf und vernahm schon eine sehr autoritäre, männliche Stimme, die sie nicht erkannte. »Wir lange wollen Sie mich noch warten lassen, Draven?«

»Dr. Draven ist nicht in seinem Büro«, antwortete sie kühl. »Hier spricht Dr. Muldaire, kann ich Ihnen helfen?«

»Muldaire? Sie sind die neue Frau, nicht wahr?« Kleine Pause. »Sind Sie eine richtige Ärztin?«

Jacey verschluckte eine patzige Bemerkung. »Ja.«

»Kommen Sie auf Zimmer sechs. Jetzt.« Das letzte Wort war ein Befehl, der in einem Ton herausgestoßen war, der verletzen sollte. Bevor sie reagieren konnte, war die Leitung tot. Jacey zögerte einen Moment, dann stand sie auf. Offensichtlich handelte es sich um einen der Patienten, um die sich Peter hatte kümmern wollen. Sie war zwar versucht, sich dem Befehl zu widersetzen, aber die Stimme hatte etwas an sich gehabt, was sie neugierig auf den Mann machte. Sie wollte ihm ihre Meinung sagen.

Sie hatte ihre Verärgerung im Griff, als sie den Flur hinunter schritt, Zimmer sechs entgegen. Sie wusste, dass es sich um ein kleines Untersuchungszimmer im Unfalltrakt des Krankenhauses handelte. Aber der Mann am Telefon hatte sich nicht so angehört, als leide er unter Schmerzen – eher an einem Mangel guter Manieren.

Als sie die Tür öffnete, sah sie ihren Patienten am Fenster stehen. Er blickte hinaus. Er drehte sich um, als sie eintrat, lächelte charmant, ging ihr entgegen und streckte seine Hand aus. »Dr. Muldaire? Ich bin Nicolás Schlemann. Ich bin entzückt, Sie endlich kennen zu lernen.«

Jacey war nicht oft um Worte verlegen, aber dieser groß gewachsene Mann in seinem tadellos geschnittenen Anzug beeindruckte und verwirrte sie. Sie reichte ihm die Hand, ohne nachzudenken. Er hatte einen warmen, festen Griff. Seine dunklen Augen musterten sie. »Ich fürchte, ich war am Telefon ein bisschen abrupt.«

Seine deutsche Abstammung konnte man in seinem schmalen Gesicht sehen, das kantig geschnitten war. Seine spanische Mutter hatte ihm eine natürliche Bräune mitgegeben und das glatte schwarze Haar mit den langen Koteletten.

Sie bemerkte, dass sie noch seine Hand hielt. Verärgert über sich selbst zog sie sie zurück. »Ja«, sagte sie, »Sie waren recht unhöflich.«

»Ich bin in Eile.« Er zog sein Jackett aus. »Ich muss zu einem Treffen mit Generalissimo Hernandez.« Er knöpfte sein Hemd auf, und sie sah, dass er um die Rippen einen Verband trug. Sie bemerkte auch, dass er den Körper eines Athleten hatte und sich mit der Anmut eines Tänzers bewegte. »Der Verband irritiert mich immer mehr«, sagte er. »Kann ich ihn jetzt nicht weglassen?«

»Was ist geschehen?«

»Ich bin vom Pferd gefallen«, erklärte er. Wieder das charmante Lächeln. »Es war meine eigene Dummheit. Ich habe das Tier zu sehr getreten. Dabei habe ich mir zwei Rippen gebrochen.«

»Setzen Sie sich«, sagte sie. Sie wickelte den Verband ab und übte leichten Druck auf seine Rippen aus. »Tut das weh?«

Er verzog leicht das Gesicht. »Nein.«

»Senor Schlemann«, sagte sie, »ich glaube Ihnen nicht.«

»Es tut nicht ... sehr weh«, stellte er klar. »Und der Verband ist verdammt unbequem.«

Er spannte die Arme und Schultern, und sie sah das Spiel seiner Muskeln. Es erinnerte sie an das Muskelspiel einer zum Sprung ansetzenden Raubkatze. Er schien sich dieser Wirkung bewusst zu sein.

Welcher Wirkung?, fragte sie sich schuldbewusst. Dies ist ein Mann, den ich nicht mag. Ein Frauen verachtender Krimineller. Hat er etwas, was mir gefällt? Ja, schon, räumte sie ein, aber das ist nur was Physisches. Eine rein biologische Reaktion. Er sieht gut aus. Wie schade, dass sein Charakter nicht zu seinem Aussehen passt.

»Bitte, halten Sie still«, sagte sie und untersuchte seine Rippen. Seine Haut fühlte sich glatt und warm unter ihren Fingern an. Sie drückte ein wenig härter, als erforderlich gewesen wäre, aber dieses Mal zuckte er nicht. Sie trat zurück. »Es scheint gut verheilt zu sein. Ja, Sie können den Verband wegwerfen, sie brauchen keinen neuen mehr.«

»Ich danke Ihnen.« Er stand auf, zog sein Hemd wieder an und knöpfte es zu. Sie war sicher, dass er sich mehr Zeit dafür ließ, als nötig gewesen wäre. Er öffnete den Hosenbund, um die Hemdschöße zu verstauen, und er wartete lange genug, bis sie seinen flachen Bauch hatte bewundern können. »Sind Sie glücklich mit Ihrer Arbeit hier, Dr. Muldaire?«

»Ja«, sagte sie nur.

Er band seine Krawatte und legte sein Jackett um. Sie schaute ihm schweigend zu. »Ich kann mir denken, dass Sie bei den Patienten sehr beliebt sind.«

»Wenn jemand krank ist, dann mag man denjenigen, der einem hilft«, antwortete sie.

Er lächelte. »Und wenn diese Person so hübsch ist, hat man einen zusätzlichen Bonus.« Er streckte die Arme aus. »Bei bestimmten Bewegungen tut es noch weh«, sagte er.

Trocken gab sie zurück: »Ich bin sicher, Sie werden lernen, mit den Schmerzen zu leben.«

Er ging zur Tür, öffnete sie und drehte sich um. »Wenn sie schlimmer werden, die Schmerzen, komme ich zurück, damit Sie mich behandeln können.« Sein Lächeln war eine Einladung. »Ich bin sicher, dass Sie mir helfen werden.«

Sie trat an ihm vorbei.

»Sie sind Dr. Dravens Patient«, sagte sie. »Auch er ist ein richtiger Arzt.«

»Nun, der berüchtigte Senor Nicolás hat nicht viel Zeit vergehen lassen, ehe er dich in Augenschein genommen hat«, meinte Peter. Er lag quer über dem Bett. Die Sonne flutete durch die Jalousien und fächerte seinen nackten Körper in Licht und Schatten. »Was hältst du von ihm?«

»Er ist eingebildet«, antwortete Jacey. Sie stellte den Kessel auf und suchte in Peters Schrank nach dem Kaffeeglas. »Ein Sexist.« Sie lächelte. »Ein typischer Mann. Ein Tier.«

Peter schaute ihr behäbig zu. »Und du fühlst dich gar nicht zu ihm hingezogen?«

Sie wandte sich abrupt zu ihm um. »Was willst du damit andeuten?«

Peter setzte sich auf. »Komm schon«, sagte er, »du weißt genau, was ich meine. Nicci sieht nicht schlecht aus, wenn man schlanke Typen mit glatten schwarzen Haaren mag. Und ich habe dir gesagt, dass er sehr charmant sein kann, wenn er will. Erregt dich der Gedanke, mit ihm Sex zu haben?«

Jacey lächelte. »Was für eine komische Frage. Erregt dich der Gedanke, dass ich Sex mit ihm habe?«

Peter hob die Schultern. »Vielleicht. Das kann schon scharf sein, wenn ich zusehen könnte, wie er dich heiß macht, dir Stück für Stück die Sachen auszieht, wie er die entblößten Stellen küsst, wie er dich leckt. Ja, ich möchte gern sehen, wie du ins Keuchen gerätst und deine Kontrolle verlierst, wie du zuckst und dich windest und räkelst, bis du den Orgasmus erlebst, auf den du gewartet hast.«

»Oh, ein heimlicher Voyeur.«

Peter zuckte. »Das sind die meisten Männer.«

Sie hatte plötzlich einen Verdacht. »Schlemann hat nicht etwa mit dir über ein solches Szenario gesprochen?«

Peter lachte. »Nein. Aber ich wette, er würde mitmachen, wenn du der Star in der Vorstellung wärst.«

»Keine Chance«, sagte Jacey entschieden. »Ich bin keine Exhibitionistin, und ich habe auch nicht vor, in Senor Nicolás' Bett zu springen.«

Aber entsprach das auch der Wahrheit?, fragte sich Jacey, während sie überlegte, was sie zur Party der Márquez tragen sollte. Ungebetene Gedanken an Nicolás Schlemann lenkten sie ab. Sie war nicht eitel, aber sie war sicher, dass Peter mit seinen Vermutungen über Schlemanns Absichten richtig lag. Wenn er alle schönen Frauen als Kandidatinnen für sein Bett sah, dann plante er wahrscheinlich, sie der langen Liste seiner Eroberungen hinzuzufügen.

Wenn sie zurück an ihr Treffen dachte, musste sie sich eingestehen, dass er geschickt vorgegangen war. Eine Variante des Spiels böser Junge, guter Junge. Am Telefon der Widerling, später beim persönlichen Treffen der Charmeur. Er machte sie wütend, und dann entwaffnete er sie dadurch, dass er sich als das Gegenteil erwies von dem, was sie erwartet hatte.

Cleverer Bastard, dachte sie. Ich war entschlossen, ihn nicht zu mögen, und nun hat er mich fast gezwungen, meine Meinung zu ändern. Dabei räumte sie ein, dass er von Anfang an einige Vorteile auf seiner Seite hatte. Sie hatte immer schon eine Schwäche für groß gewachsene, schlanke, schwarzhaarige Männer gehabt. Aber dass du mir gefällst, Senor Schlemann, heißt noch lange nicht, dass ich mit dir ins Bett hüpfe.

Sie hielt ihr geliebtes kleines Schwarze gegen ihren nackten Körper und betrachtete ihr Spiegelbild. Zu kurz? Zu sexy? Zu den Alternativen gehörte ein silbergraues Kleid, am Ausschnitt mit Perlen abgesetzt und mit einem tiefen Rückenausschnitt, eher für einen Nachtklub geeignet als für eine Party, sowie ein Ballkleid, das ihre Figur provozierend umschmiegte, aber das schien ihr für die Art Party, die Peter beschrieben hatte, zu formell zu sein.

Es muss das kleine Schwarze sein, entschied sie.

Sie hatte es schon längere Zeit nicht mehr getragen. Sie schlüpfte hinein und stellte befriedigt fest, dass es noch passte. Der Saum endete kurz oberhalb der Knie. Sie drehte sich um. Der Rock bedeckte hübsch den Po und lag genau richtig an, nicht zu eng und nicht zu weit. Das Oberteil stützte und hielt ihre Brüste, sodass sie keinen BH benötigte.

Das war's, dachte sie. Sexy, aber hübsch. Sie war sicher, dass Peter mit ihrer Wahl einverstanden war. Ob Schlemann auch auf der Party sein würde? Irgendwie glaubte sie schon. Sie betrachtete sich noch einmal im Spiegel. Sie hatte nicht mehr viel Ähnlichkeit mit der Ärztin im weißen Kittel, die er kennen gelernt hatte. Sie hob die Arme und löste ihre Haare, die ihr locker auf die Schultern fielen.

Weil sie das Kleid noch nicht geschlossen hatte, hob die Bewegung ihre Brüste hoch, und für einen Moment waren ihre Nippel sichtbar. Sie lächelte, richtete den Ausschnitt und dachte: Senor Schlemann, wenn du auf der Party bist, kriegst du nicht mehr zu sehen.

Einen Tag vor der Party ging Jacey das erste Mal zum *El Invierno*. Einige Kollegen im *Primavera* waren überrascht gewesen, dass sie das Krankenhaus überhaupt besuchen wollte, als sie dann hörten, dass sie dort auch freiwillig arbeiten würde, schluckten sie schwer.

Paulo holte sie ab, und er war begeistert. »Wohin wir jetzt gehen, Dr. Muldaire, werden Sie gebraucht. Nicht so wie bei den Patienten hier.«

»Einige der Patienten hier sind auch krank, Paulo«, sagte sie.

»Im *El Invierno* sind alle ernsthaft krank«, hielt er dagegen.

Sie fand bald heraus, dass er Recht hatte. Sie war auf überfüllte Räume und antiquiertes Gerät vorbereitet gewesen, aber die Wirklichkeit im *El Invierno* entsetzte sie. Peter hatte nicht übertrieben, als er gesagt hatte, die Patienten müssten ihre eigenen Matratzen mitbringen und auf dem Boden schlafen. Sie musste sich ihren Weg über herumliegende Kranke und Familien bahnen, die neben ihren Angehörigen ein Lager aufgeschlagen hatten.

Dr. Rodriguez säuberte gerade die Armwunde eines Jungen. Der Arzt sah heiß und verschwitzt und müde aus.

»Dr. Muldaire?« Seine Blicke maßen sie ohne Willkommen und ohne Begeisterung. »Sind Sie bereit, sich die Hände schmutzig zu machen?«

»Ich bin Ärztin«, sagte sie steif. Und fügte mit einem Lächeln hinzu: »Mediziner wie Sie.«

Sie erhielt kein Lächeln zurück. »Nicht wie ich. Sie erhalten ein lächerlich hohes Gehalt im Primavera, und ich schätze, dafür brauchen Sie wenig zu tun.« Er warf ihr einen Tupfer zu. »Hier, machen Sie weiter. Beeilen Sie sich. Draußen stehen sie Schlange, und alle brauchen Hilfe.« Er warf einen Blick auf ihre weiße Bluse und den hellen Leinenrock. »Ich hoffe, Sie haben einen Overall in Ihrer exklusiven Tasche dabei. Ihre Designerklamotten werden mit Blut nicht mehr so gut aussehen.«

Sie weigerte sich, ihm etwas übel zu nehmen. »Ich habe einen Overall«, sagte sie. »Und ich habe auch Antibiotika mitgebracht.« Sie sah keine Veränderung seines Gesichtsausdrucks und fügte hastig hinzu: »Ich habe sie nicht gestohlen. Sie sind ein Geschenk von Dr. Draven und dem Personal im *Primavera*.«

»Mir wäre es völlig gleichgültig, wenn Sie die

Medikamente gestohlen hätten«, sagte er. Einen Augenblick lang glaubte sie, er hätte ein Lächeln zu Stande gebracht. Dann wandte er sich ab. »Sagen Sie Peter und den anderen Dank.«

Sie kümmerte sich um ihren ersten Patienten. Zwei traurige braune Augen schauten sie an. Sie nahm einen neuen Tupfer und verarztete die Wunde. Die Mutter des Jungen schaute mit versteinertem Gesicht zu.

»Fertig«, sagte Jacey, als sie die Wunde gesäubert und mit einer Salbe bestrichen hatte. »Sie ist tief, deshalb wird sie noch eine Weile schmerzen.« Sie wandte sich an die Mutter. »Wie ist es passiert?«

»Sie geben keine Antwort.«

Jacey wandte sich um und sah eine füllige junge Frau in einem weißen Overall hinter sich. »Ich bin Paloma«, sagte die Frau. »Ihre Helferin.«

»Sind Sie Krankenschwester?«

Paloma lächelte. »Nein, ich bin überhaupt nicht qualifiziert, aber seit ich hier arbeite, habe ich viel gelernt.« Sie wandte sich an den Jungen und die Mutter und unterhielt sich mit ihnen in einer gutturalen Sprache, die Jacey nicht kannte. Die Mutter lächelte, wandte sich ab und ging.

»Was war das für eine Sprache?«, fragte Jacey.

»Chachté«, antwortete Paloma. »Eine der alten Sprachen, wissen Sie, die unsere Leute gesprochen haben, ehe die Spanier kamen.«

»Und Sie sprechen sie auch?«

Paloma hob die Schultern. »Ich habe einiges gelernt. Viele Indios wollen nicht spanisch reden. Sie glauben, es bringt ihnen Unglück. Und wenn man hört, wie die frühen Eindringlinge sie behandelt haben, kann man es ihnen nicht verübeln. Ich meine, ich bin spanischer Abstammung, aber viele Dinge, die meine Vorfahren hier angerichtet haben, treiben mir heute noch die Schamesröte ins Gesicht.«

Jacey wusste bald, dass Paloma endlos redete. Während sie die nächsten Patienten behandelte, erfuhr sie eine Menge über die Situation in Techtátuan, viel mehr, als sie in Major Fairhavens Unterlagen hatte lesen können.

»Das war's«, sagte Paloma schließlich. Sie schaute auf die Uhr. »Zeit für einen schnellen Kaffee.«

Sie führte Jacey in den kleinen Aufenthaltsraum des Personals. Ein schiefer Deckenventilator verrührte heiße Luft. An den Wänden hingen Reiseplakate, um das triste Dekor aufzufrischen.

Paloma schloss einen Schrank auf. »Man darf keine Wertsachen herumliegen lassen«, warnte sie Jacey. »Dazu gehören auch Kaffee und Tassen. Die Leute sind arm, sie stehlen alles.« Wieder fügte sie hinzu: »Ich kann es ihnen nicht verübeln. Sie würden das auch tun, wenn Sie arm wären.«

»Ja.«

An der Innenseite von Palomas Schranktür hing ein kleines Bild. Es war das Bleistiftporträt eines jungen Mannes mit einem gestutzten Vollbart und einer Militärmütze. Seine großen Augen strahlten seelenvolle Inbrunst aus. Ein dünner Kreis hinter seinem Kopf deutete wohl einen Heiligenschein an.

»Wer ist das?«, fragte Jacey. Aber sie kannte die Antwort schon.

Paloma zögerte einen Augenblick lang. »Ach, eigentlich niemand«, sagte sie verlegen. »Jemand hat mir das Bild gegeben.« Sie lächelte. »Er sieht gut aus, nicht wahr? Deshalb habe ich ihn an die Tür geklebt.«

Jacey versuchte einen Schuss ins Blaue. »Auf den Steckbriefplakaten draußen sieht er nicht so gut aus.«

»Ach?« Paloma sah sie nachdenklich an. »Sie haben schon von Loháquin gehört?«

»Nein, eigentlich nicht. Nur Gerüchte. Ich möchte gern die Wahrheit hören.«

»Nun, von einem einfachen Mädchen wie Paloma werden Sie die Wahrheit nicht hören.« Bei Dr. Rodriguez' Stimme zuckte Jacey zusammen. Er starrte Paloma an. »Ich habe dich gewarnt, das Bild aufzubewahren. Du machst aus einem Terroristen einen Heiligen.«

»Sie halten Loháquin für einen Terroristen?«, fragte Jacey.

Rodriguez wandte sich ihr zu. »Wie würden Sie einen Mann nennen, von dem es heißt, dass er eine Armee im Regenwald versteckt hält und die Macht im Land übernehmen will?«

»Ich würde ihn einen Optimisten nennen«, sagte Jacey. Sie zögerte. »Oder einen Helden.«

Rodriguez stieß ein Schnaufen aus. »Dann sind Sie so töricht wie Paloma. Ich hoffe, Sie bringen diese Ansicht nicht unter die Leute, sonst bekommen Sie Schwierigkeiten.« Er sah sie aus zusammengekniffenen Augen an. »Und wenn Sie glauben, dass Ihr kostbarer britischer Pass Sie rettet, dann verstehen Sie nichts von Männern wie Nicolás Schlemann.«

»Ich dachte, er wäre eher ein Finanzier«, sagte Jacey. »Und kein Polizist.«

»Er ist alles«, sagte Rodriguez. »Er hat zu viel Macht, und er ist gefährlich. Vergessen Sie das nicht, wenn Sie mit ihm zu tun haben.«

»Alles, was ich mit ihm zu tun haben werde, läuft streng professionell ab.«

»Dann halten Sie sich daran, wenn Sie ihn morgen auf der Party treffen«, sagte Rodriguez trocken.

Woher wusste er etwas von ihren gesellschaftlichen Plänen? Sie überspielte ihre Überraschung. »Ich wusste gar nicht, dass er da sein wird.«

»Nicolás würde nie im Leben eine der berühmten Extravaganzen der Márquez verpassen.« Die Stimme des Arztes klang verbittert. »Wissen Sie, dass man für das Geld, das eine solche Party verschlingt, diesen Krankenhaus einen Monat lang betreiben könnte?«

Sie wollte etwas sagen, aber er fuhr rasch fort: »Lassen Sie sich von mir keine Schuldgefühle einreden. Gehen Sie hin und amüsieren Sie sich. Es macht keinen Unterschied, zu Hause zu sitzen und die Martyrerin zu spielen. Aber denken Sie daran – nur, weil Leute Sie anlächeln, sind sie noch keine Freunde. Ganz besonders Leute wie Nicolás Schlemann.«

»Sehr interessant«, sagte Peter. »Aber unanständig.«

Jacey drehte sich zu ihm um und lächelte. Sie trug nur ihre Strümpfe, winzige Strapse und ein zungenbreites Nichts als Slip. »Beklagst du dich, oder soll das ein Kompliment sein?«

»Ein bisschen von beidem«, sagte er. »Ich beklage mich, weil ich nicht die Zeit habe, davon Gebrauch zu machen.«

»Meinst du, du würdest ins Gefängnis geworfen, wenn du dich zur berühmten Márquez-Party verspätest?«

»Damit könnte ich leben«, sagte er und ging auf sie zu. »Aber wenn ich jetzt was mit dir anfange, habe ich keine Lust mehr, überhaupt noch hinzugehen.«

Sie hob die Schultern und drehte sich zu ihm, bedeckte in gespielter Scheu ihre Brüste. »Wir können hier bleiben, mir ist es egal.«

Sie sah ihm an, dass er überlegte. Um ihn noch stärker zu reizen, drehte sie sich wieder um, streckte die Arme über den Kopf, spannte die Pobacken an und wusste, dass das Bändchen jetzt in der Kerbe verschwand. Sie fuhr mit den Handflächen über ihren Hintern.

»Ich kann mich ausziehen«, sagte sie. »Es dauert nur ein paar Sekunden. Und ich habe noch eine Flasche Wein im Kühlschrank.«

Er rieb sich den Schritt und brachte seine Erektion in eine passendere Lage. »Nein«, sagte er mit belegter Stimme. »Paulo wird in fünf Minuten hier sein.«

Sie ging auf ihn zu und sah, wie sein gieriger Blick von den Brüsten zu dem winzigen V zwischen den Schenkeln glitt. Den dichten Busch rötlicher Haare konnte das bisschen Stoff nicht bändigen. »Na und? Können wir Paulo nicht sagen, dass er wieder gehen soll?«

»Nein. Zieh dich an. Wir gehen zur Party.«

Sie zuckte leicht über seine bestimmende Art, und irgendwo in ihrem Hinterkopf klang eine Alarmsirene.

Peter hatte sich bisher noch nie gesträubt, und sie wusste auch jetzt, dass es ihm schwer fiel, standhaft zu bleiben, aber er war nervös.

Die Situation erinnerte sie ein wenig an die erste Begegnung, als sie sich im OP geliebt hatten. Sie hatte das Gefühl, dass er nicht ganz ehrlich zu ihr war, und das ärgerte sie. Was war denn schon so besonders an der Party?

Sie ging auf ihren Schrank zu, in dem das kleine Schwarze hing, warf es sich über den Kopf und sah die Erleichterung in seinem Blick. »Ist das besser?«, fragte sie, als sie sich im Kleid präsentierte. »Bist du jetzt glücklich?«

»Ich fühle mich ganz und gar nicht glücklich, und das weißt du«, knurrte er.

»Nun, du hattest deine Chance, etwas dagegen zu tun«, sagte sie mitleidlos.

Sie wollte ihn fragen, was mit ihm los war. Statt dessen überprüfte sie ihr Aussehen im Spiegel. Ihre geöffneten Haare fielen wie ein glatter roter Vorhang auf ihre Schultern. Sie schaute auf die harten Spitzen ihrer Nippel, die sich gegen den seidigen Kleiderstoff drängten. Der versuchte Verführungsakt hatte sie nicht weniger erregt als Peter.

Vielleicht sollte ich doch einen BH tragen, dachte sie. Dann hörte sie die Hupe; jetzt war es zu spät. Sie erwischte Peters starren, intensiven Blick, als sie sich abrupt zu ihm umwandte. Sie drehte eine Pirouette vor ihm. »Bin ich für deine Party angemessen gekleidet?«

»Du sieht gut aus«, sagte er. »Sehr sexy.«

»Aber nicht sexy genug, um dich zu Hause zu halten«, erwiderte sie schmollend.

Er wirkte plötzlich schuldbewusst. »Das Krankenhaus bekommt viel Geld von Carlos Márquez«, erklärte er. »Deshalb müssen wir uns dort zeigen.«

Die Alarmsignale flammten wieder auf. Sie sagte nichts, aber sie glaubte ihm nicht.

Wollte er ihr wirklich erzählen, dass die Márquez-Familie ihre Unterstützung für *La Primavera* reduzieren könnte, wenn zwei der Ärzte nicht an der Party teilnähmen?

Nein, da war etwas anderes im Spiel. Peter verbarg etwas vor ihr, und je länger sie darüber nachdachte, desto wütender wurde sie auf ihn. Sie nahm sich vor, die Wahrheit herauszufinden, noch ehe der Abend vorbei war.

3. Kapitel

Die Márquez-Villa lag am Stadtrand von Techtátuan. Nach einer Fahrt von zwanzig Minuten hielt Paulo vor einem massiven Doppeltor an. Er drückte auf die Hupe, das Tor schwang auf und ließ zwei bullige Typen durch. Sie trugen Anzüge, die ihnen zu klein schienen, und flankierten das Auto.

Paulo drehte die Scheibe hinunter. Der Mann bückte sich und schob seinen Kopf durchs Fenster. Kalte Schlangenaugen blickten Jacey an. Sie schüttelte sich. Sie kannte diesen Typ, Major Fairhaven hatte dafür gesorgt, dass sie solche Typen kennen gelernt hatte. Bereit zum Killen, wenn der Auftraggeber mit den Fingern schnipste.

»Sie haben eine Einladung, Sir?« Die Frage, an Peter gerichtet, klang nur mühsam höflich.

Jacey ärgerte sich, dass sie ignoriert wurde. »Wir haben beide Einladungen«, sagte sie steif.

Die kalten Killeraugen blickten sie wieder an. Der Mann sagte nichts, sondern streckte nur die Hand aus und nahm die Karte, die Peter ihm hinhielt. Ein kurzer Blick, dann gab er die Karte zurück. »Ist das Ihre Begleiterin, Sir?«

»Ja«, sagte Peter.

Der Mann nickte, zog den Kopf aus dem Wageninneren und trat zurück. Ein anderes Gesicht trat an Paulos offenes Fenster. »Häng nicht herum, Indio. Du lädst deine Fahrgäste ab und kommst sofort wieder heraus. Wir warten auf dich.«

»Natürlich, Senor«, sagte Paulo unterwürfig. Er fuhr an und murmelte etwas in einer Sprache, die Jacey als Chachté erkannte. Darin konnte er sich abreagieren.

Sie wandte sich wütend an Peter. »Das ist also alles, was ich bin, was? Deine Begleitung?«

Peter hob die Schultern. »Was hätte ich denn sonst sagen sollen?«

»Du hättest ihnen sagen sollen, sie sollen ihre Manieren suchen gehen, diese fetten sexistischen Schweine.«

»Solche Dinge sagt man nicht zu Schlemanns Bullen.«

Sie starrte ihn an. »Ich dachte, dieses Haus gehört Carlos Márquez?«

Peter zuckte nur. »Tut es auch. Aber die Sicherheitsleute werden von Schlemann gestellt. Er gibt die Befehle, und sie gehorchen. Warum glaubst, dass alle so große Angst vor ihm haben?«

»Hat Hernandez nichts dagegen?«

»Natürlich nicht.« Peter lächelte humorlos. »Der Generalissimo braucht Schlemann. Woher sonst sollte er das Geld erhalten, um diese schmucken Uniformen zu kaufen?«

Der Wagen fuhr um einen Hain hoher Bäume. Jacey hatte sich die Villa als ein beeindruckendes Anwesen vorgestellt, aber trotzdem wurde die Ärztin von den Ausmaßen überwältigt. Der Eingang bestand aus einem langen Säulengang, die zu einem riesigen Portal führte. Das ganze Anwesen wurde von Lichtern angestrahlt, die die weißen Mauern in blaue, grüne und pinkfarbene Schattierungen badeten.

»Ich kann es nicht glauben!«, rief Jacey aus. »Disneyland trifft Grand Hotel!»

»Ich glaube, Senora Márquez hatte ihre Hand bei der Planung im Spiel«, sagte Peter beim Aussteigen. »Sie hatte ziemlich verwegene Ideen.«

»Hatte?«, fragte Jacey neugierig. »Ist sie tot?«

Peter zögerte. »Man hält sie für tot. Sie ist sechs

Monate nach dem Tod ihres Mannes verschwunden. Sie hat keinen Brief hinterlassen und hat auch nichts mitgenommen. Sie war immer mit ihrem exklusiven Schmuck behangen, aber sie hat weder Geld noch Kleider mitgenommen. Sie ist zu einem Spaziergang aufgebrochen und nicht mehr zurückgekehrt.«

»Entführt?«

»Niemand hat je eine Lösegeldforderung gestellt.«

»Selbstmord?«

»Wegen der Trauer um ihren Mann, meinst du?« Peter lächelte kurz. »Sehr zweifelhaft.«

Jacey stieg aus dem Auto und hauchte Paulo ein »Danke» zu. Paulo grinste, setzte den Wagen zurück und fuhr davon. »Ermordet?«

»Man hat keine Leiche gefunden«, teilte Peter mit. »Niemand ist verhaftet worden, obwohl die Familie alles getan hat, um Informationen zu erlangen. Sie haben hohe Belohnungen geboten, aber niemand hat sie in Anspruch genommen.«

»Sehr geheimnisvoll«, murmelte Jacey, dann meinte sie halb im Scherz: »Vielleicht haben die Jungs sie kaltgemacht, um an das Familienvermögen heranzukommen.«

»Unnötig«, sagte Peter. »Juanita Márquez hat ihre Söhne verehrt und sie entsetzlich verwöhnt, und ihnen gehörten schon riesige Beteiligungen am Vermögen.«

Sie erreichten den Säulengang und schritten auf dicken roten Teppichen. Durch die offenen Türen hörte Jacey fröhliches Lachen und südamerikanische Musik. »Glaubst du, dass Nicolás Schlemann was damit zu tun haben könnte?«

Peter hob die Schultern. »Ich glaube nicht. Schlemann und die Márquez waren immer dicke

Freunde. Carlos und Nicolás treffen sich regelmäßig zum Essen, und auch ihre Väter haben sich ausgezeichnet verstanden.«

»Das kann ich mir denken«, murmelte Jacey. »Der aufstrebende junge Anwalt und der Ex-Nazi mit einem Haufen illegaler Gelder. Sie waren füreinander bestimmt.«

Sie gingen hinein, und einen Moment lang war Jacey wie geblendet von dem zentralen Kandelaber, auf dem Hunderte flackernde Kerzen brannten.

»Wunderschön, nicht wahr?«

Jacey wandte sich um und sah eine stattliche ältere Dame, die sie freundlich anlächelte.

»Eine der kleinen Extravaganzen der lieben Juanita. Sie hat den Kandelaber selbst entworfen und in Europa herstellen lassen. Sehr teuer.«

»Senora Collados.« Peter nahm die ausgestreckte Hand und beugte sich zum Kuss darüber, womit er Jacey überraschte. »Wie zauberhaft, Sie wiederzusehen. Erlauben Sie mir, Ihnen meine neue Kollegin im *La Primavera* vorzustellen – Dr. Jacey Muldaire.«

»Ich weiß doch, wer sie ist, dummer Junge«, sagte die alte Dame. »Jeder spricht von der schönen neuen Ärztin mit den außergewöhnlichen Haaren.« Sie lächelte Jacey an. »Bitte, Sie müssen mich Ana nennen.« Sie drückte Jaceys Hand. »Sie kennen hier natürlich niemanden, deshalb werde ich Sie den bestaussehenden Männern vorstellen.«

»Oh, Sie wollen mir meine Partnerin stehlen, Senora Collados?«, fragte Peter.

Die Frage sollte lustig klingen, aber Jacey entdeckte einen Anflug von Verärgerung dahinter. Ana Collados lächelte ihn an. Jacey sah, dass sie in ihrer Jugend eine sehr attraktive Frau gewesen sein musste. Ihre dunklen Augen funkelten immer noch, und ihr Mund war breit und sinnlich. »Sie müssen

Sie mir eine Zeitlang überlassen, damit wir quasseln können, Peter. Ich werde sie Ihnen rechtzeitig wiederbringen.«

Sie schob sie von Peter weg. »Er ist ein lieber Junge«, sagte Ana zu Jacey, »aber englische Männer können so kühl sein, nicht wahr?« Sie schaute zu ihr auf. »Schlafen Sie mit ihm?«

Jacey zuckte und sagte kühl: »Ich glaube, das ist doch meine Angelegenheit.«

Ana nickte. »Also ja. Nun, wenn Sie meinen. Aber vielleicht finden Sie ja heute Abend einen Mann, dessen Temperament Ihrem feurigen Haar entspricht, eh? Doch nun kommen Sie, lernen Sie zunächst meine Neffen kennen. Carlos ist verheiratet und sehr langweilig, aber er ist unser Gastgeber, deshalb sollten wir zuerst mit ihm sprechen.«

»Mir war nicht bewusst, dass Sie zur Márquez-Familie gehören«, sagte Jacey.

»Ich bin Juanitas Tante.«

Einen Augenblick lang fühlte sich Jacey unbehaglich. »Oh. Peter hat mir von ihr erzählt und gesagt ...«

» ...dass sie tot sei?« Ana lachte. »Nun ja, ich kann mir denken, dass er die Geschichte glaubt. Viele Leute sagen das. Aber das ist natürlich Unsinn.«

»Sie glauben, dass sie lebt?« Jacey war überrascht.

»Natürlich lebt sie.« Anas Augen strahlten und blickten verschwörerisch. Eine hagere Hand tätschelte Jaceys Arm. »Sie müssen wissen, dass die liebe Juanita eine sehr leidenschaftliche Frau war. Ob es darum ging, dieses Haus zu einem spektakulären Ereignis werden zu lassen, ob es um eine Liebesaffäre ging oder jede Sache, die ihr wichtig war, immer gab sie sich ganz hin. Und natürlich waren ihr Konventionen egal. Sie hielt es für richtig, hier wegzugehen, also ist sie gegangen. Sie verfolgt einen ihrer Träume. Glauben Sie mir, ich weiß es.«

Jacey sah die alte Dame an und lächelte. »Ich hoffe, Sie haben Recht.«

»Sie halten mich für eine alte Närrin, was?«, fragte Ana geradeheraus. »Aber Juanita ist wirklich nicht tot. Ich würde es wissen, wenn es so wäre.«

Jacey bemerkte, dass sie durch eine dichte Menge geführt wurde, die sich vor ihr teilte. Plötzlich stand sie einem untersetzten Mann mit dichten schwarzen Haaren gegenüber. Er trug einen tadellos sitzenden Smoking. Neben dem Mann stand eine schlanke Frau, an der zu viele Juwelen glitzerten.

»Carlos«, sagte Ana, »das ist Dr. Muldaire.«

Carlos lächelte und streckte seine Hand aus. Jacey fiel die goldene Rolex auf. »Entzückt, Sie endlich kennen zu lernen, Dr. Muldaire. Ich freue mich, dass Sie kommen konnten.«

Sie tauschten Artigkeiten. Carlos Márquez gab den professionellen Charme von sich, von dem Jacey wusste, dass er nach Bedarf ein- und ausgeschaltet werden konnte, und seine juwelenbehangene Gattin gab ihr ein frigides Lächeln und einen schlaffen Händedruck.

»Carlos kommt ganz auf den Vater«, sagte Ana, als sie Jacey weiter führte. »Alfonso Márquez war ein sehr langweiliger Mann. Reich natürlich, deshalb hat Juanita ihn geheiratet, aber sonst ... Raoul und Leonardo sind Gott sei Dank ganz anders.«

»Kommen sie denn auf die Mutter?«

»Oh, nein. Auch sie kommen auf ihre Väter.« Ana lächelte Jacey an. »Raouls Vater war ein Franzose. Ein Charmeur, ein schöner Mann. Leonardos Vater war Italiener, groß und hager und scheu. Über ein Jahr lang war Juanita wie verrückt nach ihm.«

»Sie hat die Namen ihrer Kinder nach der Nationalität ihrer Geliebten ausgewählt?« Jacey war verblüfft. »Was hat ihr Ehemann denn dazu gesagt? Ich dachte immer, spanische Männer seien besonders eifersüchtig.«

Ana hob die Schultern. »Alfonso war zu sehr damit beschäftigt, Geld zu machen und krumme Dinge mit diesem entsetzlichen Nazi zu drehen, Heinrich Schlemann. Und Juanita hatte ihm gegenüber ihre Pflicht getan, oder nicht? Sie hatte ihm Carlos gegeben. Das war es, was er wollte – einen Sohn. Über Carlos' Vaterschaft besteht kein Zweifel. Er sieht genau wie Alfonso aus.« Plötzlich streckte sie eine Hand aus. »Da ist der liebe Raoul. Kommen Sie. Sie werden ihn mögen. Alle Frauen mögen ihn.«

Jacey sah einen jungen Mann in einem Kreis lachender Gäste, und als Ana sie vorwärts drängte, wurde der Ärztin plötzlich bewusst, dass der Mann ihr irgendwie bekannt vorkam. Sie hatte diese großen braunen Augen schon mal gesehen, das vollkommene ovale Gesicht, die dichten braunen Haare, in denen es golden glitzerte. Sie spürte, wie ihre Wangen vor Verlegenheit zu glühen begannen.

»Raoul, mein Lieber.« Ana schob Jacey vor. »Ich möchte dir unsere neue Ärztin vorstellen. Dies ist Doktor Jacey Muldaire.«

Der junge Mann drehte sich halb herum, wieder mit dieser Anmut eines Tänzers, die Jacey schon an ihm bewundert hatte, und lächelte. Und an dieses Lächeln erinnerte sich Jacey auch.

»Wir kennen uns schon«, sagte er.

»Oh?« Ana schien enttäuscht und wandte sich fast vorwurfsvoll an Jacey. »Davon haben Sie mir ja gar nichts gesagt.«

»Tante Ana«, sagte Raoul, »ich bin sicher, dass du

der armen Lady kaum eine Gelegenheit gegeben hast, ein Wort einzuwerfen.« Er streckte seine Hand aus. »Ich bin froh, dass Sie kommen konnten, Dr. Muldaire.« Er hielt ihre Hand und zog Jacey näher an sich heran. »Bitte, Sie müssen mit mir kommen, damit wir reden können. Ich möchte mein Englisch verbessern.«

Der Kreis um sie herum öffnete sich, und Raoul führte Jacey auf eine Terrassentür zu. Auf einem breiten, langen Balkon hielten sich schon einige andere Paare auf, aber sie verschwanden sofort im Haus, als Raoul sich blicken ließ.

In der Zwischenzeit hatte sich Jaceys Verlegenheit in Wut gewandelt. »Im Krankenhaus haben Sie mich zum Narren gehalten«, warf sie ihm vor. »Warum haben Sie mir nicht gesagt, wer Sie sind?«

Er legte beide Hände auf ihre Schultern und blieb dicht vor ihr stehen. Wieder fiel ihr auf, wie vollkommen er aussah, aber dieses makellose Gesicht ließ ihn eher androgyn erscheinen. Ihn anzusehen gab ihr die Art Vergnügen, die sie auch empfand, wenn sie ein schönes Bild betrachtete. Aber er erregte sie nicht.

»Bitte«, sagte er in Englisch, »Sie müssen mir verzeihen.«

Auch sie verfiel in ihre Muttersprache. »Sie müssen mir erklären, warum Sie mich belogen haben.«

Er lachte. »Weil es so lustig war, für einen Gigolo gehalten zu werden. Und dann noch für einen von Julias Gigolos. Julia fand es zum Schreien komisch. Aber sie findet auch, dass eine Liebesnacht tausend Dollar wert ist. Ich war untröstlich, dass Sie mein Angebot nicht wahrgenommen haben.«

»Es ist ein lächerlicher Preis«, sagte sie. »Und wieso haben Sie mit Senora Atriega darüber gesprochen? Was wird sie jetzt von mir denken?«

Er hob die Schultern. »Nichts Schlechtes. Wie könnte sie auch? Sie hat mir oft genug gesagt, ich sei so begehrenswert, dass ich mit meinem Aussehen ein Vermögen machen könnte.« Er zog ein trauriges Gesicht. »Und dann kommen Sie und wollen mich nicht kaufen. Ich bin immer noch ganz verzweifelt.«

»Nein, das sind Sie nicht. Ich bin sicher, dieses Haus ist voller junger Frauen, die nur zu glücklich wären, mit Ihnen eine Liebesnacht zu verbringen.«

»Da haben Sie Recht«, sagte er mit entwaffnender Ehrlichkeit. »Aber die anderen will ich nicht. Ich will Sie.« Er berührte ihre Hüften. »Unsere Körper würden sich wie Musik miteinander verbinden«, sagte er mit Seele im Blick.

Es hörte sich so verquast an, dass sie beinahe gelacht hätte. Sie musste ihn abweisen. »Ich lebe bereits in einer Beziehung«, sagte sie.

»Mit Peter Draven? Ich kann Ihnen viel mehr geben als er.« Seine braunen Augen erforschten ihr Gesicht so intensiv, dass sie meinte, ihre Haut würde gestreichelt. »Viel, viel mehr«, murmelte er. »Was wissen Engländer schon von der Liebe? Sie sind immer in Eile.« Sein Blick wanderte zu ihrem Ausschnitt und blieb an den Nippeln haften, die sich gegen die Seide drängten. Er schürzte die Lippen leicht und lächelte.

»Ich würde Sie mit meinem Mund erregen«, raunte er. »Mit Lippen und Zunge. Ich würde Sie küssen, bis sie keinen Atem mehr haben, und dann würde ich über Ihren ganzen Körper wandern, ganz, ganz langsam. Stellen Sie sich vor, wie meine Zungenspitze Sie erforscht. Jeden Teil von Ihnen.« Er schmiegte sich näher, und sie spürte die Wärme seines Atems auf ihrer Wange. »Denken Sie darüber nach. Stellen Sie sich meine Lippen auf Ihrer Haut vor. Ich quäle Sie mit Lust.«

Es hörte sich wie eine Verführungsszene aus einem schlechten Film an, dachte sie, lächerlich theatralisch. Und doch war es auch seltsam stimulierend. Sie liebte die Erregung, die ein Mund bei ihr auslösen konnte, aber nur wenige Partner hatten ihr diese Freuden beschert und sie eher frustriert und enttäuscht zurückgelassen. Sie hatte das Gefühl, Raoul könnte einer der wenigen Männer sein, die sich die Mühe machten, so lange zu forschen, bis sie wussten, was die Partnerin haben wollte, was ihr gut tat.

»Am liebsten würde ich bei Ihrem wunderschönen Hals beginnen, nachdem ich Sie atemlos geküsst habe«, fuhr er mit seiner leisen, hypnotischen Stimme fort. »Würde Ihnen das gefallen? Und dann Ihre Schultern. Und die Kehle. Und hinunter zu Ihren Brüsten. Ich glaube, Sie würden Ihr Kleid für mich rutschen lassen, Sie würden es ausziehen und mich ermuntern, weiter zu machen.«

Sein Mund war nur noch ein Hauch von ihrem entfernt. Obwohl seine Worte sie erregten, wurde ihr schlagartig bewusst, dass sie vor ihrem geistigen Auge einen anderen Mann sah. Größer, härter, männlicher. Das Gegenteil von diesem schönen Raoul. Der Mann, den sie sah, war eher von der Gestalt des Nicolás Schlemann. Je stärker sie versuchte, das Bild zu verdrängen, desto mehr brannte es sich ihr ein.

Sie erinnerte sich an seine dunklen, nichts verratenden Augen, an den festen Griff seiner Hand, an den asymmetrischen Schnitt seiner dunklen Haare, an das gefährlich blickende Gesicht. Sie erinnerte sich an das Spiel seiner Muskeln unter der gebräunten Haut, als er das Hemd ausgezogen hatte.

Ja, räumte sie ein, Nicolás Schlemann ist körperlich attraktiv, und er war ausgesucht höflich zu mir. Wie ein Kater, der mit der Maus spielt? Das Bild drängte sich ganz plötzlich auf. Wie würde er im Bett sein? Er würde sich bestimmt die ganze Zeit unter Kontrolle haben. Er würde sagen, was sie zu tun hatte, was er von ihr erwartete.

Faisal. Die brutale Benutzung ihres Körpers und ihrer Gefühle. Sie hörte seine Stimme, die nach all den Jahren noch so deutlich klang: Bediene mich!

Aber das war etwas anderes, dachte sie. Er handelte nicht aus Liebe, nicht einmal aus sexuellem Verlangen. Er benutzte sie für seine erbärmlichen Ziele. Der Bastard, der die Frauen in Wirklichkeit hasste.

Sie erinnerte sich an das erste Mal, dass sie Faisal mit einem seiner Freunde gesehen hatte. Sie hielten sich an der Hand und küssten sich. Faisal hatte den Kopf gewandt und mit bekommen, wie sie ihn angestarrt hatte, den Mund vor Entsetzen weit aufgerissen. Er hatte langsam und absichtlich in den Schritt seines Freundes gegriffen und die Erektion gestreichelt, dann hatte er den Reißverschluss der Jeans geöffnet und sie bis auf die Knie gezogen.

Der Freund hatte keine Unterwäsche an. Sein Penis federte heraus, Faisal kniete sich hin, packte die Backen des jungen Mannes und knetete sie, während sein Mund gierig leckte.

Jacey erinnerte sich an den lauten Orgasmus des Jungen, wie sein Körper von wilden Zuckungen geschüttelt wurde und wie Faisal sich wieder ihr zugewandt und triumphierend gegrinst hatte.

Erst jetzt hatte sie begriffen, warum er sie in diese Ehe gelockt hatte. Seine Familie hatte von ihm erwartet, dass er sich an Konventionen hielt. Sie musste der Familie wie ein Geschenk des Himmels vorgekommen sein, zu jung, zu unerfahren und zu unschuldig, um die Wahrheit zu ahnen. Eine Ausländerin, die quasi eine Gefangene in seinem Land war, isoliert ohne Kenntnis der Sprache und der Gesetze.

Sie hatte tagelang geweint und geschluchzt. Sie war entschlossen, irgendwie ihre Eltern von diesem Verrat zu informieren. Aber wie würde sie je wieder nach Hause kommen? Langsam war ihr gedämmert, dass der wahre Schrecken erst noch beginnen würde.

Sie verscheuchte ihre Erinnerungen. Es war ihr klar, dass Nicolás Schlemann ein Frauenheld war, aber wenn sie eine Affäre mit ihm begann, würde sie die Kontrolle haben. Sie konnte jederzeit ihrer Wege gehen.

Du machst dir was vor, warnte eine innere Stimme. Gerade du solltest wissen, dass Äußerlichkeiten täuschen können. Und außerdem war Nicolás Schlemann wahrscheinlich ein selbstsüchtiger, hastiger Liebhaber.

Raoul legte seine Hände um ihre Hüften und rieb sie auf und ab. »Ich glaube, jetzt würden Sie am liebsten meine Zunge auf Ihren Nippeln spüren«, flüsterte er. »Sie stehen schon, ich kann es sehen. Sie warten darauf, dass ich sie noch mehr errege und reize.«

Sie überlegte nach einer höflichen Art, ihn zurückzuweisen, denn sie wollte seine Gefühle nicht verletzen.

Seine Stimme wurde dringlicher, lauter. »Kommen Sie mit mir nach oben. Da gibt es einen wunderschönen Raum, in dem wir allein sind.«

Sie drückte ihre Hände gegen seine Brust und schob ihn leicht zurück. »Sie sind sehr lieb, Raoul, aber ich ... ich bin zu alt für Sie.«

Er lachte. »Das sind Sie nicht. Ich bin einundzwanzig und Sie ... vielleicht sechs Jahre älter?« Sie berichtigte ihn nicht. »Das ist doch kein Unterschied. Mir wäre es auch egal, wenn Sie vierzig wären. Ich habe schon mit vielen älteren Frauen Liebe gemacht, ich bete ältere Frauen an. Sie sind kundig und auf Abenteuer aus. Nein, ich verehre alle Frauen.« Er schmiegte sich wieder an sie. »Ich bete Sie an.«

Sie wich wieder zurück. »Ich bin mit Peter hier«, sagte sie.

Er fing ihre Hand ein und küsste sie. Sein Mund fühlte sich warm an auf ihrer Haut. »Ich sehe keinen Ring an Ihrem Finger.«

»Wir sind trotzdem zusammen.«

Raoul sah sie mit seinen schmelzenden braunen Augen an. Seine Stimme senkte sich zu einem verführerischen Flüstern. »Peter wird nichts dagegen haben. Er hat Sie doch hergebracht, oder?«

Sie versteifte sich. »Was soll das denn heißen?«, fragte sie eine Spur schärfer, als sie beabsichtigt hatte.

»Wir sind sehr aufgeschlossen bei uns.« Seine Lippen strichen über ihr Ohr. »Verstehen Sie, was ich meine? Und Peter weiß das.« Seine Hände umfassten ihre Taille. »Ich will Sie, Jacey. Ich wollte Sie schon, als ich Sie auf dem Flur im Krankenhaus »Nichts«, gab sie zurück. »Das war ja die Beleidigung. Er hat mich ignoriert. Er hat Peter gefragt, ob ich seine Begleitung sei.«

»Oh«, sagte Nicolás grinsend. »Politisch unkorrekt, nicht wahr?«

»Verstärken Sie die Beleidigung noch, indem Sie

mich auslachen«, fauchte sie. »Wenn Sie Ihre Lieblingsterrier schon auf die Öffentlichkeit loslassen, bringen Sie ihnen wenigstens Manieren bei.«

»Marco ist nützlich«, sagte Nicolás, »aber vielleicht noch nicht geschliffen.« Er richtete sich auf und streckte sich, und sie wurde wieder an seine geschmeidige Lauerhaltung erinnert. »Ich kann verstehen, dass Sie nicht Peter Dravens Besitz sein wollen.« Ein Schritt, und er stand wieder dicht vor ihr. »Aber was ist mit mir? Würden Sie Einwände haben, mir zu gehören?«

»Das Wort ›gehören‹ gefällt mir nicht«, sagte sie. »Ich bin eine unabhängige Frau, und ich glaube an Gleichheit.«

»Bei der Arbeit vielleicht«, sagte er. »Damit habe ich keine Probleme. Aber an eine solche Beziehung habe ich nicht gedacht.«

Sie wusste, dass sie besser einen Rückzieher machen sollte, aber sie wollte auch eine Hand ausstrecken und ihn berühren. Mit einem Finger über sein Gesicht streicheln, das kantige Kinn abtasten. Sie fragte sich, wie sein Mund schmeckte, wie er sich auf ihrem anfühlte. Oder wie er reagierte, wenn sie seinen Körper erregte.

»Ich weiß nicht genau, wovon Sie sprechen«, log sie.

»Doch, das wissen Sie«, sagte er. »Ich rede von Sex. Und Sie denken auch daran.«

Sie spürte, wie sie errötete. War sie so einfach zu durchschauen?

»Sagen Sie mir nicht, dass ich Sie in Verlegenheit gebracht habe, Dr. Muldaire.« Er grinste schief. »Eine unabhängige Frau wie Sie? Sie wussten, dass wir zusammen kommen würden, nicht wahr? Schon das erste Mal, als wir uns im Krankenhaus begegnet sind.«

Nein, dachte sie, das habe ich nicht gewusst. Als ich dich das erste Mal gesehen habe, hast du mich an Faisal erinnert. Und ich habe diesen plötzlichen gefährlichen, unzweifelhaft physischen Thrill gespürt.

»Gehen Sie immer davon aus, dass jede Frau, die Sie treffen, bei Ihnen schwach wird, Senor Schlemann?«

»Diejenigen, von denen ich es wirklich wünsche, tun es meistens«, sagte er. Er legte seine Hände leicht auf ihre Schultern und begann ihre Haut sanft zu massieren. »Und von Ihnen wünsche ich es auch, Dr. Muldaire.«

»Nehmen Sie mich nicht für selbstverständlich«, warnte sie.

Sie spürte, wie sich seine Griffe verstärkten. »Aber Sie mögen es, dominiert zu werden, nicht wahr?« Seine Finger gruben sich in ihre Haut. »Sie mögen starke Männer, und Macht törnt Sie an. Sobald sich die Schlafzimmertür schließt, sind Sie glücklich damit, keine Befehle mehr erteilen zu müssen, sondern sind bereit, sie entgegenzunehmen. Herr und Diener, Meister und Sklave?«

Sie schwankte leicht unter seinen massierenden Bewegungen auf den Schultern.

»Der Gedanke erregt Sie, nicht wahr?« Seine Stimme wurde leise und verführerisch. »Zum Glück ist das genau das Spiel, das ich liebe. Wir werden ein ideales Paar. Es wird mir riesiges Vergnügen bringen, genau herauszufinden, bis wohin Sie gehen wollen. Wie weit ich Sie bringen kann. Und was genau Sie tun werden, um mir Lust zu verschaffen.«

»Sie können nichts unterstellen«, sagte sie verunsichert, »denn Sie wissen nichts von mir.«

»Ich weiß genug«, sagte er. »Sie wollen mich

ebenso, wie ich Sie will. Mehr noch, ich kann es beweisen.« Er ließ die Hände sinken und trat zurück, sah sie mit diesem schiefen, selbstsicheren Lächeln an. »Gehen Sie weg, Dr. Muldaire. Gehen Sie, und ich verspreche Ihnen, ich werde Sie nie wieder belästigen.« Kurze Pause, dann: »Selbst wenn Sie Ihre Meinung ändern sollten und mich anflehen würden. Also, gehen Sie.«

Sie hätte ihn beim Wort nehmen sollen. Du bist nur eine Trophäe für diesen Mann, sagte sie sich. Ein weiterer Sieg, eine neue Kerbe auf seinem Stab. Er weiß, dass du dich von ihm angezogen fühlst, und das gibt ihm Macht über dich. Er wird diese Macht ruchlos einsetzen, um das zu erhalten, was er will.

Genau wie Faisal, dachte sie plötzlich.

Aber dies hier ist anders. Meine Augen sind jetzt weit geöffnet. Es geht nicht um eine Romanze, bei ihm nicht, und bei mir erst recht nicht. Es ist fast wie eine geschäftliche Übereinkunft. Nicolás Schlemann will, was ich will: Eine zu nichts verpflichtende Affäre. Wie eine Kurtisane mit ihrem Freier. Der Gedanke begann sie zu erregen. Zusätzlich auch noch die Möglichkeit, das herauszufinden, welche Spiele er bevorzugte.

»Ich flehe nicht«, sagte sie.

Er hob eine Augenbraue. »Das ist eine überhastete Behauptung, Dr. Muldaire.« Sein Lächeln sah gefährlich aus, es war das Lächeln eines Beutejägers, der seiner Beute sicher war. »Ich werde das überprüfen müssen.«

Er streckte seine Hand aus. »Kommen Sie mit.«

Er hakte ihren Arm unter, und gemeinsam schritten sie durch die Terrassentür ins Innere, an den plaudernden Gästen vorbei. Sie bemerkte, wie gewandt die Leute auswichen, um ihnen aus dem

Weg zu gehen. Als wenn er der König wäre, dachte sie. Wenn er stehen blieb, um mit jemandem ein Wort zu wechseln, begegnete man ihm mit ausgesuchter, aufgesetzter Höflichkeit. Das Lächeln sah gezwungen aus, und Jacey hatte den Eindruck, dass jeder erleichtert war, wenn Nicolás Schlemann weiter gegangen war.

Aber er schien entschlossen, das Verweilen auszudehnen. Er legte besitzergreifend einen Arm um ihre Schultern, während er redete, und obwohl er sie nur ein oder zwei Mal in die Unterhaltung einbezog, wurden auch ihr Lächeln und Höflichkeit zuteil. Aber die Menschen schauten eher argwöhnisch, meinte Jacey. Sie wussten wohl, dass Nicolás' strahlende Freundlichkeit ebenso heuchlerisch war wie die eigene.

Als sie endlich an der Tür standen, murmelte sie voller Ironie: »Sie scheinen eine Menge Freunde zu haben.«

»Nicht wahr?«, murmelte er, ebenso ironisch. »Gibt es jemanden, den Sie kennen lernen möchten?«

»Den berühmten Generalissimo Hernandez?«, fragte sie.

Er sah sie verdutzt an. »Was bringt Sie auf die Idee, er könnte hier sein?«

Sie hob die Schultern. »Peter hat mir erzählt, dass es zum Schluss auf diesen Partys hoch her geht. Und selbst Diktatoren wollen sich doch mal entspannen, oder?«

Nicolás lachte. »Hernandez würde es nicht gern hören, dass Sie ihn einen Diktator nennen. Und er nimmt an solchen Partys nicht teil. Seine Frau würde das nicht zulassen.«

Dieses Mal stimmte sie in sein Lachen ein. »Sie machen Witze.«

»Nein«, sagte Nicolás. »Pilar Hernandez ist eine

großartige Frau. Der Generalissimo verehrt sie und respektiert ihre Meinungen.«

»Die Macht hinter dem Thron?«

»Nicht so oft, wie sie glaubt«, antwortete Nicolás. »Aber im Falle dieser Partybesuche schließe ich mich ihrer Meinung an. Sie würden dem öffentlichen Bild des Generalissimo schaden.«

Jacey fragte verwundert: »Warum sollte er sich um das Bild scheren, das er in der Öffentlichkeit abgibt? Er hat doch die Macht hinter sich.«

»Mir ist es lieber, wenn er diese Macht nicht einsetzen muss«, sagte Nicolás. »Waffen sind teuer, und die Liebe des Volkes ist billig.«

»Aber die Leute mögen ihn doch nicht, oder?« Sie war fest entschlossen, Nicolás aus der Reserve zu locken.

Sie verließen jetzt den überfüllten Raum, und Nicolás führte Jacey auf eine weit geschwungene Treppe zu.

»Was bringt Sie zu dieser Ansicht?«

»Ist es nicht so, dass viele Leute eine andere Führung im Land wollen?«

Er blieb abrupt stehen und starrte sie an, drückte sie gegen das Treppengeländer. »Wirklich?« Seine Stimme klang kalt. »Wer hat Ihnen das gesagt?«

»Niemand«, antwortete sie. »Aber ich bin sicher, dass Loháquin meine Einschätzung bestätigen würde, wenn ich ihn fragen könnte.«

Sie sah den Zorn in seinen Augen, dann entspannte er sich und lachte, aber in seinem dunklen Blick gab es keinen Humor. »Er ist nichts als ein Clown«, zischte er. »Wer hat mit Ihnen über ihn gesprochen?«

»Niemand, an den ich mich erinnern könnte.« Sie war fasziniert von seinen raschen Stimmungswechseln. »Ich habe die Plakate mit seinem

Steckbrief gesehen.« Listig fügte sie hinzu: »Es gibt Gerüchte, dass Sie eine hohe Belohnung für seine Festnahme ausgesetzt haben. Er muss sehr gefährlich sein, wenn Sie so großen Wert darauf legen, ihn zu verhaften.«

»Er ist nicht gefährlich«, blaffte er. »Er ist ein nörgelnder Unruhestifter, der ein paar Indios aufstachelt, indem er ihnen sagt, sie könnten das Land besser regieren als wir. Er haust im Regenwald und erzählt den Leuten, dass er irgendein geheimnisvoller Retter sei. Ein paar Indiojungen kann er mit diesem Gefasel über einen Wechsel in Guachtal für sich einnehmen, aber das war's dann auch schon.«

»Es gibt also keine Belohnung für Hinweise, die zu seiner Verhaftung führen?«

Nicolás hob die Schultern. »Wir würden unsere Anerkennung zeigen, falls jemand uns hilft, ihn zu fassen, nehme ich an.« Er lächelte dünn. »Warum? Wollen Sie Ihr Gehalt aufbessern, indem Sie uns helfen, Loháquin festzunehmen?«

»Ich wüsste nicht, wo ich mit der Suche beginnen sollte«, sagte sie voller Unschuld.

»Belassen Sie es dabei«, riet er.

Seine Stimme klang locker, aber sie war sicher, dass er die Drohung ernst meinte, und was er dann noch sagte, unterstrich ihre Vermutung. »Mischen Sie sich nicht in unsere Politik, Dr. Muldaire. Bleiben Sie bei den Dingen, von denen Sie was verstehen.« Er lächelte, um der Warnung die Härte zu nehmen.

Auch seine Stimme veränderte sich wieder. »Sie verstehen was davon, dass Menschen sich gut fühlen«, schmeichelte er. »Dass Männer sich gut fühlen. Sie werden bald dafür sorgen, dass ich mich gut fühle, nicht wahr, Doktor? In diesen Sachen sind Sie doch Expertin, glaube ich.«

»Sie reden von mir wie von einer Hure«, sagte sie missbilligend.

»Alle Frauen sind im Grunde ihres Herzens Huren«, sagte er. Seine Hände schlüpften unter ihre Arme, und seine Daumen berührten die Unterseiten ihrer Brüste, glitten höher und rieben über ihre Nippel. Sie trug keinen BH, und wegen der Sanftheit war die Berührung intensiv erregend. Ihre Nippel zogen sich zusammen und reckten sich.

»Keine Unterwäsche?« Er grinste. »Wie entzückend.« Er rieb wieder mit beiden Daumen über die Nippel, dann fing er die Brüste ein und drückte sie hoch, bis sie über den Ausschnitt lugten. Er bückte sich und küsste die Kerbe zwischen den Hügeln mit unerwarteter Zärtlichkeit. Seine Zunge hinterließ ein feuchtes Muster auf ihrer nackten Haut.

Seine Arme glitten hinter sie und hinunter zu ihrem Po. Plötzlich, als sie spürte, wie seine Finger an ihrem Kleid zurrten, war ihr bewusst, wo sie waren. »Himmel, doch nicht hier.« Sie versuchte, sich von ihm loszureißen. »Nein, nicht hier.«

»Sie sind doch nicht verlegen, Dr. Muldaire?«, fragte er lachend. »Ich versichere Ihnen, was wir hier tun, ist völlig harmlos gegen das, was hier schon sehr bald geschehen wird.«

»So lange ich nicht daran teilnehmen muss, ist es mir egal«, sagte sie.

»Sie sind in Sicherheit«, sagte er. »Niemand würde es wagen, meinen Besitz anzurühren.«

Sie begriff, warum er sie so ausgiebig durch die Menge der Gäste geführt hatte; er hatte allen zu verstehen gegeben, dass sie ihm gehörte. Sie wusste nicht, ob sie wütend oder amüsiert sein sollte.

»Sie werden es Peter sagen müssen, dass ich Ihr Besitz bin«, sagte sie, um ihn zu testen.

Er warf ihr einen merkwürdigen Blick zu. »Das können Sie ihm selbst sagen, wenn Sie ihn das nächste Mal sehen.« Er trat zurück und wandte sich abrupt ab. »Warten Sie hier auf mich«, sagte er dann. »Ich muss etwas in die Wege leiten.«

Bevor sie etwas sagen konnte, war er schon weg. Sie stand am Fuß der Treppe. Gäste schritten gruppenweise vorbei und nickten und lächelten.

Plötzlich stand Ana Collados neben ihr. »Sie sollten es nicht tun. Es ist wirklich töricht.«

Jacey lächelte höflich. »Sie meinen, es sei töricht, mit Nicolás Schlemann befreundet zu sein?«

Ana nickte. »Ich gehe davon aus, dass Sie ihn attraktiv finden, die meisten Frauen tun es. Aber die Indios haben ihn dem *lohá* geopfert. Er wird ihn zerstören. Und Sie auch, wenn Sie bei ihm sind.«

»Zerstören?«, wiederholte Jacey. »Aber wie?«

»Der *lohá* wird zuschlagen, wann er es am wenigsten erwartet«, sagte Ana. »Er ist sehr mächtig. Mächtig und grausam. Er wird Sie nicht verschonen, weil Sie unschuldig sind.« Sie musterte Jacey, offenbar besorgt. »Ich möchte Sie gern jemandem vorstellen, der nicht so gefährlich ist.«

Jacey lächelte höflich. »Keine Sorge«, sagte sie. »Ich kann auf mich selbst aufpassen.«

»Sie verstehen nicht«, sagte Ana. »Es gibt keinen Schutz gegen den *lohá*.«

»Was genau ist der *lohá*?«, fragte Jacey. »Hat er etwas mit Loháquin zu tun?«

Ana nickte. »Er ist Teil Loháquins. Der *lohá* lebt im Raum zwischen den Welten, so sagen es jedenfalls die Indios.« Sie blickte über Jaceys Schulter, und plötzlich änderte sich ihr Gesichtsausdruck. Sie lächelte strahlend und tätschelte Jaceys Hand. »Denken Sie dran, was ich Ihnen gesagt habe«, mahnte sie und schritt rasch davon.

Jacey drehte sich um und sah Nicolás kommen. »Was hat die alte Närrin diesmal gewollt?«

»Sie hat mir von *lohá* erzählt«, antwortete Jacey. »Wer auch immer das ist.«

»Es ist ein idiotischer Aberglaube der Eingeborenen«, sagte er. »Irgend so ein Geist.«

»Nun, offenbar wartet er auf Sie«, sagte Jacey grinsend.

Nicolás lächelte irritiert. »Ana und Juanita gaben ein gutes Paar ab. Sie waren beide fasziniert von dem ganzen Quatsch der Indios.«

»Der *lohá* ist offenbar darauf aus, Sie zu zerstören«, sagte Jacey. »Er ist grausam und mächtig. Sie sollten besorgt sein.«

»Es braucht schon etwas mehr als ein paar Eingeborene, die im Busch tanzen und Beschwörungen murmeln, um mich zu zerstören«, erwiderte Nicolás. Er griff ihre Hand und zog sie die Treppe hoch. »Kommen Sie mit. Ich habe etwas für Sie arrangiert. Ich glaube, es wird Ihnen gefallen.«

Er lief mit ihr die breite Treppe hoch und einen Flur entlang. Als er ihr eine Tür aufhielt, erwartete sie, in ein Schlafzimmer zu treten oder in sonst irgendein Zimmer, das zum amourösen Verhalten einlud, aber es handelte sich um ein ganz normales Arbeitszimmer.

Ein großer Schreibtisch stand am Fenster, ein gepolsterter Drehsessel dahinter. An den Wänden standen Regale und Glasvitrinen mit Büchern, dazwischen hingen Fotos von Polospielern. Nicolás trat hinter den Schreibtisch, setzte sich und nahm den Telefonhörer ab. »Komm jetzt rein«, befahl er.

Fast sofort öffnete sich die Tür, und Marco trat ein. Seine kalten Schlangenaugen blickten kurz zu Jacey, aber offenbar erkannte er sie nicht. Dann wandte er Nicolás seine Aufmerksamkeit zu.

»Marco«, sagte Nicolás. »Du hast meine Freundin Dr. Muldaire beleidigt.«

Marcos Blick wechselte wieder zu Jacey, ehe er Nicolás anschaute und sagte: »Das war mir nicht bewusst, Sir.«

Nicolás lächelte. »Willst du mich einen Lügner nennen, Marco?«

»Nein, Sir«, antwortete Marco hastig. »Ganz gewiss nicht, Sir.«

»Gut.« Nicolás stieß den Sessel nach hinten, damit er die Beine ausstrecken und auf die Schreibtischplatte legen konnte. »Entschuldige dich bei Dr. Muldaire, Marco.«

Marco schaute zu Jacey, die Augen dunkel und eisig. »Es tut mir leid, wenn ich Sie beleidigt habe, Dr. Muldaire«, sagte er dumpf.

»Das ist nicht gut genug.« Nicolás' Stimme klang wie ein Peitschenhieb. »Ich will, dass Dr. Muldaire absolut sicher ist, wie sehr du dein ungehobeltes Verhalten bedauerst.« Seine Füße schwangen auf den Boden, den Oberkörper beugte er weit vor. »Knie dich auf den Boden, Marco, und bitte Dr. Muldaire um Verzeihung.«

Jacey wollte protestieren, dass diese Form der Entschuldigung nun wirklich übertrieben war, aber Marco gehorchte sofort. Er kniete sich, und als er aufblickte, schaute sie wieder in seine eiskalten Augen.

»Es tut mir sehr leid, dass ich Sie beleidigt habe, Dr. Muldaire«, sagte er, seine Stimme so dumpf wie sein Ausdruck. »Ich entschuldige mich.«

»Ich entschuldige mich in aller Demut«, gab Nicolás vor.

»Ich entschuldige mich in aller Demut«, wiederholte Marco.

»Jetzt küsst du ihre Füße«, wies Nicolás ihn an.

»Nein, nicht«, rief Jacey.

Marco zögerte.

»Mach schon!«, rief Nicolás.

Marco bückte sich noch tiefer, und Jacey spürte die kurze Berührung seines Mundes auf ihren Schuhen.

»Steh auf«, sagte Nicolás, dann lächelte er. »In Zukunft wirst du höflich sein zu Dr. Muldaire, nicht wahr, Marco?« Dann fügte er noch hinzu: »So lange sie eine Freundin von mir ist, wirst du ausgesucht höflich zu ihr sein.«

»Ja, Sir«, sagte Marco.

Als sich die Tür hinter ihm schloss, sagte Jacey: »Sie sind wirklich ein Bastard, nicht wahr?«

Nicolás hatte es sich wieder im Schreibtischsessel gemütlich gemacht. »Ist das der ganze Dank, den ich von Ihnen erhalte? Das Schauspiel hat Ihnen doch gefallen.«

»Nein.« Aber sie wusste, dass das eine Lüge war. Es hatte ihr keine Befriedigung gebracht, Marco erniedrigt zu sehen, aber sie bezog schon eine gewisse Genugtuung daraus, dass er sich unfreiwillig für sein Verhalten hatte entschuldigen müssen. »Und ich habe jetzt einen Feind mehr.«

Nicolás stand auf und stellte sich vor den Schreibtisch. Er streckte die Arme aus und legte seine Hände um ihren Hals. Sie spürte, wie seine Finger zudrückten, dann fuhr eine Hand zu ihrem Hinterkopf, die andere streichelte über ihr Kinn. Er verstärkte den Druck seiner Hände und zwang ihren Kopf nach hinten.

»So lange Sie meine Frau sind, haben Sie nichts zu befürchten«, sagte er.

Er zog sie an sich heran. Sie wollte von ihm geküsst werden, und gleichzeitig wollte sie sich ihm widersetzen, wollte, dass er sie zwang. Kaum merklich zog sie sich von ihm zurück, und sofort spürte sie, wie sein Griff härter wurde. Wie aus Eisen. Warum fand sie diese Situation so erregend?

Seine Lippen berührten ihre. Fest geschlossen lagen sie leicht auf ihrem Mund. Sie fühlte die Wärme seiner Haut und die harte Kraft seines Körpers, der sich leicht gegen ihren rieb. Dann, langsam, begann seine Zunge, ihre Lippen zu öffnen.

Dann schlug das Telefon an. Nicolás zog sich abrupt von ihr zurück und sagte etwas Heftiges in deutscher Sprache. Das Gespräch war kurz. »Ja, ihr habt das richtig gemacht, ich bin in zehn Minuten da.«

Er wandte sich wieder an Jacey und lächelte. »Die Polizei hat gerade zwei junge Leute geschnappt, und sie halten es für gescheit, wenn ich sie vernehme. Tut mir leid, aber ich muss gehen.«

»Ein Verhör?«, fragte sie.

»Ein paar Fragen, wie bei einem Interview«, sagte er. »Wir sind zivilisiert. Ich hoffe, Sie glauben nicht, dass wir unsere Befragungen mit Totschlägern durchführen.«

Sie hätte gern gewusst, wie viel Verführungsgabe sie aufbringen müsste, um ihn zum Bleiben zu veranlassen. »Hat das keine Zeit?«, murmelte sie mit lockendem Augenaufschlag. »Ich meine, ein paar Jungs können doch nicht so wichtig sein.«

»Das kommt darauf an, für wen sie arbeiten«, sagte er. »Es sind Indios. Wenn sie für sich selbst stehlen, ist es nicht so tragisch, aber wenn sie für Loháquin stehlen, sind sie dumm.«

Sie schmiegte sich enger an. »Und dazu müssen Sie jetzt wirklich gehen?«

Er legte die Hände um ihre Taille und hielt sie fest umschlungen. »Festgenommene sagen schneller die Wahrheit, wenn sie verwirrt und verängstigt sind. Gibt es im Englischen nicht das Sprichwort, dass man ein Eisen schmieden muss, so lange es heiß ist?«

Sie stand nahe genug, um seine Erektion zu fühlen, die gegen ihren Bauch drückte. Sie glitt mit einer Hand zwischen ihre Körper und fing den zuckenden Schaft mit zärtlich tastenden Fingern ein. »Wie schade, dass das nur für Festgenommene gilt«, murmelte sie.

»Es gilt nicht nur für sie.«

Er hob sie plötzlich an und setzte sie auf den Schreibtisch. Er trat rasch zwischen ihre gespreizten Beine, bevor Jacey sie schließen konnte.

Sie rutschte hin und her und gab vor, sich zu sträuben, aber dabei rutschte ihr Rock nur noch höher, die Schenkel hoch. Er schob ihn bis zur Hüfte und entblößte den Hauch von Seidenslip und den winzigen Gürtel.

Er drückte ihren Oberkörper hinunter und betrachtete sie lange. »Sehr schön«, murmelte er. »Sehr sexy.« Seine Finger glitten über das gespannte glänzende Dreieck, das kaum ihre Schamhaare bedeckte. »So etwas müssen Sie noch einmal für mich anziehen. Ich liebe es, Frauenkörper in Seide, Spitze oder Juwelen zu sehen.«

Sie spürte, wie seine Fingernägel über den dünnen Stoff kratzten. Ihre Klitoris war schon geschwollen, und die leichten Berührungen erregten sie noch mehr.

»Aber für meine unmittelbaren Bedürfnisse sind Sie zu sehr bekleidet.«

Er langte in seine Tasche, und Jacey sah etwas Kleines, Blinkendes in seiner Hand. Im nächsten Augenblick erkannte sie eine dünne Klinge. Mit einem kurzen Schnitt hatte er das Bändchen durchtrennt, das ihren Slip hielt. Er zog den Stofffetzen weg und warf ihn auf den Boden. »So gefällt es mir besser.«

Er ließ die Klinge wieder im Griff verschwinden, zog Jacey an den Hüften heran und spreizte ihre Schenkel noch weiter. Bevor sie wusste, was geschah, hatte er sich entblößt und drang mit einem fast brutalen Stoß in sie ein.

Alles, was an diesem Abend geschehen war, hatte sie auf die eine oder andere Weise erregt, einbezogen Nicolás Schlemanns unkonventionelle Verführungstechnik. Und jetzt, als sie ihn tief in sich spürte, war sie unfähig, ihre Lust zurückzuhalten.

Seine Hände glitten unter ihren Po und hoben sie leicht an, zogen sie näher heran. Nach der ersten Hast schien er jetzt darauf aus zu sein, den Akt in die Länge zu ziehen, obwohl Jacey entdeckte, dass sie seine rohe Dominanz erregend und erotisch fand. Um ihn zu provozieren, gab sie vor, sich zu sträuben. Er fing ihre Handgelenke ein und zwang die Arme über ihren Kopf.

»Sie wollen fliehen?« Sie spürte, wie sich der Druck seiner Hände verstärkte. Sie wand sich unter ihm. »Mich können Sie nicht täuschen, Doktor. Sie mögen es hart und schnell, nicht wahr?« Sein Atem kam in gehechelten Stößen. Sie konnte spüren, wie er die Kontrolle verlor. »Sie begehren mich ebenso, wie ich Sie begehre ...«

Sein Höhepunkt kam schnell, und sie spürte seine Zuckungen der Lust, die durch seinen Körper liefen. Obwohl sie selbst keinen Orgasmus erreichte, spürte sie ein erotisches Glühen, das ihren ganzen Körper erfasste.

»Nun«, sagte er, als er seinen Reißverschluss hochzog, »so hatte ich es zwar nicht geplant, aber es war trotzdem erfrischend.« Er zog sie an den Händen in eine sitzende Position. »Ich muss jetzt gehen. Sie können natürlich bleiben. Ein Wagen wartet auf Sie, wenn Sie nach Hause wollen.«

»Werden Sie zurückkommen?«

»Nein.« Er ging zur Tür und fügte hinzu: »Ich habe das Ziel meines Abends erreicht.«

Sie stand auf und zog ihr Kleid glatt. Blasierter Bastard, dachte sie ohne Groll. Ich sah, eroberte und kam. Haha. »Machen Sie sich nicht die Mühe mit dem Wagen«, sagte sie. »Ich werde Raoul bitten, mich nach Hause zu fahren.«

Nicolás wandte sich noch einmal um. »Wenn Sie versuchen, mich eifersüchtig zu machen, ist das nicht der richtige Weg. Raoul ist nicht Manns genug, Sie zu befriedigen, und außerdem wollen Sie ihn auch gar nicht. Sie haben jetzt, was Sie wollen und was Sie brauchen.« Er zeigte wieder sein schiefes Grinsen. »Ich rufe Sie an, wenn ich Sie sehen will. Gute Nacht, Dr. Muldaire.«

Er zog die Tür hinter sich zu, bevor Jacey eine Gelegenheit zur Replik hatte. Sie setzte sich auf die Schreibtischkante. Stimmt das eigentlich?, fragte sie sich. Ist er, was ich wirklich haben will? Im Augenblick ist er es, und ich schäme mich nicht, es zuzugeben.

Warum sollte ich keine zwanglose Affäre mit diesem eingebildeten aber zweifellos attraktiven Mann haben? Ich bin nach Guachtal geschickt worden, um das politische Klima auszuloten, und Nicolás Schlemann scheint das entscheidende Sagen in diesem Land zu haben. Also ist er alles, was ich brauche, oder? Schon gut, dass er nicht ahnt, wie richtig er mit seiner Behauptung liegt.

Sie hatte keine Gewissensbisse wegen Peter Draven. Die Beziehung war beendet. Ohne es zu wissen, hatte Peter ihr geholfen, den Job zu erfüllen, den sie in Guachtal zu erledigen hatte. Trotzdem war sie enttäuscht von ihm. Und von Raoul Márquez. Peter hatte sich wie ein Zuhälter benommen, und Raoul hatte das dumme Spiel eingefädelt.

Sie zupfte noch einmal an ihrem Kleid und warf einen letzten Blick auf den Fetzen Seide, der einmal ihr Slip gewesen war. Die Putzfrau würde morgen was zu erzählen haben.

Aber als sie hinaus auf den Flur trat, wurde ihr klar, dass ihr abgelegtes Wäschestück im Vergleich zu anderen Dingen, die man morgen finden würde, kaum auffallen konnte. Die Partyatmosphäre hatte sich drastisch gewandelt. Es gab auch neue Gäste von der Sorte, die Carlos und seine Gattin wohl nicht gutgeheißen hätte.

Jacey ging auf die Treppe zu und begegnete einer statuenhaften Blondine in einem atemraubenden, knöchellangen Silberkleid. Der hüftumschmiegende Rock war hinten von der Taille bis zum Fuß geschlitzt, und bei jeder Bewegung der Frau entblößte sich der nackte Po.

»Dr. Muldaire?«

Jacey sah der blonden Frau ins Gesicht und erkannte Carmen, Senor Valientes ›Sekretärin‹. »Was tun Sie denn hier?«

»Dasselbe wir Sie, nehme ich an«, antwortete Jacey.

Carmen lachte. »Ich hoffe nicht. Ich arbeite.« Sie drehte eine Pirouette und enthüllte noch mehr nackte Haut. »Wie Sie sehen.«

Jacey lächelte. Sie hatte sich in den vergangenen Wochen an Carmen und ihre offene Art gewöhnt. »Ich hoffe, dass Senor Valiente nichts dagegen hat?«

»Er ist nicht hier«, sagte Carmen grinsend. »Er würde sich nicht trauen, eine solche Party zu besuchen. Seine Frau könnte es herausfinden. Eigentlich schade, denn er ist genügsamer als die

Kerle, mit denen ich es später noch zu tun haben werde. Und er zahlt prompt.«

»Und die Kerle hier tun das nicht?«

»Carlos zahlt uns«, sagte Carmen. »Irgendwann. Aber man muss ihm das Geld wirklich aus der Nase ziehen. Die Mädchen sind nett zu Gästen, denen er einen Gefallen schuldet oder von denen er etwas will, und wenn wir Glück haben, erhalten wir unser Geld in sechs Monaten.«

Jacey schüttelte den Kopf.

»Der gute alte Carlos«, fuhr Carmen fort, Verachtung in der Stimme. »Verklagen können wir ihn nicht.« Sie hob die Schultern. »Aber warum sind Sie hier? Wissen Sie nicht, was auf Carlos' Partys läuft, nachdem er und sein Frauchen gegangen sind?«

»Man hat mir gesagt, dass es ein bisschen wild werden könnte«, gab Jacey zu.

»Wild?« Carmen lachte. »Dieses ehrenwerte Haus wird zu einem Bordell. Hat Ihnen das niemand gesagt? Und die Ehefrauen einiger Gäste sind die schlimmsten. Ich will Sie ja nicht bevormunden, aber ich kann mir nicht vorstellen, dass dieses Gelage etwas für Sie ist, Doktor.«

»Sie haben Recht«, sagte Jacey. »Aber Peter hat mich eingeladen und ...«

»Peter Draven? Dr. Draven?« Carmen schien wirklich entsetzt zu sein. »Das ist nicht Ihr Ernst? Also, einige der jungen Ärzte haben schon ihren Spaß mit uns im *Primavera* gehabt, sogar im OP, aber nicht Dr. Draven. Er war immer so anständig. Und er hat Sie zu dieser Party eingeladen? Also, das ist wirklich ein Hammer.«

»Er hat versprochen, mich nach Hause zu bringen, ehe es zu wild wird«, erklärte Jacey lahm.

»Und warum hat er das nicht getan?«, fragte Carmen. »Wo ist er überhaupt?«

»Er ist gegangen«, sagte Jacey. Sie wusste, dass Carmen bald erfahren würde, dass sie mit Nicolás Schlemann zusammen war, deshalb wollte sie es ihr selbst sagen. »Ich bin jetzt mit Nicolás zusammen.«

Carmen sah sie mit einem Blick an, der fast so etwas wie Mitgefühl enthielt. »Nun denn«, murmelte sie, »unser Nicci verliert nicht viel Zeit, was?«

»Ich muss zugeben, dass ich mich nicht gerade gewehrt habe«, sagte Jacey.

Carmen seufzte. »Warum fallen so viele anständige Frauen auf diesen Bastard herein? Männer wie Nicolás sollten immer für Sex bezahlen. Huren wie mich kann er nicht verletzen. Aber Sie sind eine gebildete Frau. Wissen Sie nicht, dass er abartige Spielchen treibt? Und wenn er Ihrer überdrüssig ist, lässt er Sie fallen. Das dauert gewöhnlich vier Wochen. Länger als sechs hat es noch nie gedauert.«

Carmen sah Jacey mit echter Besorgnis an. »Es gibt ihm einen zusätzlichen Kick, die Frau abzuservieren, besonders dann, wenn sie noch etwas für ihn empfindet. Ich hoffe, dass Ihnen das nicht geschieht.«

»Das wird es auch nicht«, sagte Jacey, »glauben Sie mir. Ich weiß alles über Männer wie Nicolás Schlemann.« Spontan griff sie Carmens Hand. »Und sprechen Sie nicht so gering von sich. Es gibt keinen großen Unterschied zwischen uns. Wir beide wollen, dass es den Menschen besser geht.«

Carmen lächelte. »Nun, Sie haben wenigstens die Sicherheit, dass niemand Sie anrührt auf dieser Party. Außer Raoul vielleicht, und mit dem werden Sie fertig.«

»Raoul und Nicolás sind zwei von einer Sorte, oder?«

Carmen sah sie überrascht an. »Nein, das sind sie nicht. Haben Sie Raoul noch nicht kennen gelernt?

Er ist ein Süßer, ein Romantiker. Er hat nur das Problem, zu viele amerikanische Filme gesehen zu haben.«

Die beiden Frauen gingen zusammen die breite Treppe hinunter. Die lateinamerikanische Band hatte ihre Instrumente eingepackt. Laute Rockmusik erfüllte den großen Salon, aber niemand tanzte.

Jacey sah, wie eine Frau von zwei Frauen verführt wurde. Sie zogen sie gemeinsam aus und betatschten alle Stellen ihres Körpers. Kichernd versuchte sich die Frau zu wehren, aber ernsthaft waren diese Versuche nicht. Schließlich hoben die Männer sie in die Luft und trugen sie die Treppe hoch, wobei die Frau vor Vergnügen quietschte.

Carmen hatte angewidert zugeschaut. »Sie ist eine der Frauen, die mich nicht mal mit dem Hintern ansehen würde. Die Gattin eines Beraters des Generalissimo.«

»Wo ist ihr Mann?«

»Treibt es wahrscheinlich mit seinem jüngsten Freund.«

Jacey sah sich im Salon um, wo es wirklich drunter und drüber ging. »Haben diese Leute keine Angst vor Erpressung?«

Carmen lachte trocken auf. »Wer soll sie denn erpressen? Nicolás? Wenn er jemanden vernichten will, braucht er keine Erpressung.«

Zwei Männer und zwei Frauen stritten sich über zwei junge Indios.

»Verurteilen Sie die Indios nicht«, sagte Carmen, als sie bemerkte, wie Jacey das Geschehen in einer Ecke des Salons verfolgte. »Es ist schwer für sie, in Techtátuan Arbeit zu finden. Entweder sie huren, oder sie klauen. Den größten Teil des Geldes bringen sie ihren Familien. Und die Familien sind gezwungen, die überteuerten Preise für die Waren zu zahlen, die unsere Regierung in die Reservate schickt.«

»Es gibt Reservate für Indios?«

»Einige. Aber sie sind dabei, sie wieder zu verlegen, weil die jetzigen Reservate im Abholzgebiet liegen.« Sie seufzte. »Ich kann gut verstehen, dass die Indios dieses Land verändern wollen.«

»Indem sie Loháquin unterstützen?«

»Das weiß ich nicht«, sagte Carmen rasch. »Ich kümmere mich nicht um Politik.« Sie sah Jacey streng an. »Und reden Sie bei Nicolás bloß nicht über Loháquin, damit machen Sie sich nicht beliebt.«

»Ich werde mit Nicolás schon fertig.«

»Das haben all die anderen Frauen auch gesagt«, meinte Carmen warnend.

Vielleicht, dachte Jacey. Aber ich glaube, ich bin den anderen gegenüber im Vorteil: Sie wurden von Nicolás Schlemann benutzt. Ich aber benutze ihn. Ich nutze seinen Körper, und ich nutze sein Wissen. Und ich werde jede Minute genießen.

4. Kapitel

Jacey wachte auf, schaute auf die Uhr und drehte sich faul auf die andere Seite. Ihr Dienst begann erst um elf, und sie freute sich auf ein ausgedehntes Frühstück auf dem Balkon, bevor sie eine Nachricht an Major Fairhaven schicken würde. Dieses Mal, dachte sie, hatte sie einige interessante klimatische Beobachtungen zu melden. Während Nicolás Schlemann und Hernandez das Land ausbeuten wollten, hatten Loháquin und seine Anhänger eindeutig andere Pläne. Ob sie auch die Macht hatten, eine ernsthafte Opposition zu bilden, stand noch nicht fest. Vielleicht war dieser Loháquin nur ein Träumer oder ein Mann, der zwar Träume wecken, aber nicht regieren kann.

Ich muss mehr über diesen Loháquin erfahren, beschloss Jacey. Ich muss ihn kennen lernen, um ihn richtig einschätzen zu können.

Ihr Mittelsmann konnte Paulo sein. Er war Indio, und Jacey war sicher, dass er mehr über Loháquin wusste, als er bisher zugegeben hatte. Aber würde Paulo ihr trauen, wenn er erfuhr, dass sie Schlemanns neue Frau war?

Darin liegt auch eine Chance, dachte Jacey. Sie erinnerte sich an das, was Carmen gesagt hatte: Schlemann ließ seine Frauen nach vier bis sechs Wochen fallen.

Wenn er mich abserviert, kann ich durchblicken lassen, dass ich mich rächen will, überlegte Jacey. Je mieser er mich behandelt, desto größer wird das Mitgefühl mit mir sein – jedenfalls von Loháquins Anhängern.

Sie lächelte über ihren Optimismus. Ihr verwegener Plan hatte etwas von poetischer Gerechtigkeit, aber tief in ihrem Herzen war ihr bewusst, dass Revolutionäre nur selten Mitgefühl mit den Mätressen der Diktatoren haben.

Sie ging in die Küche, um Kaffee zu brauen und ein paar Scheiben des schmackhaften Brots in den Toaster zu schieben, das der Küchenchef des Krankenhauses täglich backte. Während sie unter der Dusche stand, dachte sie über die Verschlüsselungen nach, die sie Major Fairhaven durchgeben wollte. Vielleicht warte ich noch, bis ich mehr als nur Spekulationen habe. Ich möchte ihm gern mitteilen, dass ich den geheimnisvollen Loháquin kennen gelernt habe.

Eine halbe Stunde trödelte sie noch herum, weil sie ein Treffen mit Peter vermeiden wollte. Dann ging sie an seinem Büro vorbei und bemerkte, dass die Tür einen Spalt weit offen stand.

Bringen wir es hinter uns, sagte sie sich, und ging hinein.

Das Büro war leer und sah ungewöhnlich aufgeräumt aus. Überrascht ging sie in ihr eigenes Büro und bereitete sich zur Visite vor. Sie brachte sie zu Ende, ohne Peter gesehen zu haben.

Auf dem Flur traf sie Dr. Sanchez. »Ah, Dr. Muldaire.« Der Spanier lächelte sie an. »Ich habe Sie schon gesucht. Kommen Sie allein zurecht?«

Jacey starrte ihn überrascht an. »Wo ist Dr. Draven?«

Jetzt war es Sanchez, der überrascht schaute. »Hat er keinen Kontakt mehr mit Ihnen aufgenommen, bevor er gegangen ist? Er hat gestern Abend einen Anruf aus England erhalten. Ein Tod in der Familie, ich glaube, es war ein Verkehrsunfall. Er musste mit dem ersten Flieger zurück.«

»Er hat mir nichts gesagt.« Jacey wusste nicht, ob sie erleichtert oder wütend sein sollte.

Sanchez sah sie besorgt an. »Vielleicht wollte er Sie nicht beunruhigen. Und er war sehr in Eile. Er meinte, Sie würden es auch ohne ihn schaffen.«

»Natürlich«, sagte Jacey.

Sanchez tätschelte ihren Arm. »Es wird nicht für lange sein. Ich bin sicher, dass Dr. Draven bald zurückkommt.«

Jacey hatte das Gefühl, dass Peters Rückkehr nach England zu einem denkbar günstigen Zeitpunkt erfolgte. Vielleicht schämt er sich, dachte sie. Zumindest sollte er sich schämen, wenn es sein Plan war, mich wie ein Trophäe an seine Freunde in hohen Positionen weiter zu reichen.

Nach ein paar Tagen argwöhnte sie, dass Peter nicht die Absicht hatte, nach Guachtal zurückzukehren. Ihr Misstrauen wurde bestätigt, als sie auch nach einer Woche nichts von ihm gehört hatte. Nicht einmal eine E-Mail hatte er geschickt. Ob Dr. Sanchez erwartete, dass sie Peters Patienten für immer übernahm? Es war leicht zu schaffen, aber die zusätzlichen Stunden im *Primavera* gingen von ihrer Zeit im Invierno ab, wo sie wirklich gebraucht wurde.

Am anderen Morgen, als sie vor der Visite in Peters Büro trat, blieb sie an der Tür stehen, als sie eine blonde Frau hinter dem Schreibtisch sitzen sah.

»Sie müssen Dr. Muldaire sein«, sagte die Frau mit verführerisch tiefer Stimme. »Es freut mich sehr, Sie kennen zu lernen.« Die Blondine hatte einen Akzent, den Jacey nicht auf Anhieb einordnen konnte. »Vielleicht können Sie mir helfen? Einige der Patienten werden mit einem Kürzel geführt. Was bedeuten diese Kürzel?«

Jacey hasste es, im Dunkeln gelassen zu werden. »Wo ist Dr. Draven?«, fragte sie abrupt und machte sich erst gar nicht die Mühe, ihre Verärgerung zu verbergen.

Die Frau sah sie erstaunt an. »Er ist nach England zurückgegangen. Ich dachte, Sie wüssten das.«

»Ich habe ihn längst zurück erwartet.«

»Aber er kommt nicht zurück«, sagte die Frau. »Er hat gekündigt. Dr. Sanchez war nicht gerade glücklich darüber. Ich bin Dr. Dravens Nachfolgerin. Ingrid Gustaffsen.« Sie sah Jacey betroffen an. »Hat man Ihnen nichts davon gesagt? Wirklich, die Leute arbeiten unzulänglich auf allen Gebieten.« Sie erhob sich und streckte ihre Hand aus.

Jacey bemerkte, dass die Kollegin einen sehr kurzen Rock trug und lange, schlanke Beine hatte.

»Ich hoffe, wir werden uns gut verstehen, Dr. Muldaire.«

»Da bin ich mir sicher«, sagte Jacey kühl.

Ingrids Lächeln wich nicht aus ihrem Gesicht. »Wenn ich Dr. Dravens Arbeit übernehmen soll, können Sie mir ein paar Informationen über die Patienten geben? Bei der Durchsicht der Krankenblätter ist mir schon klar geworden, dass viele von ihnen nicht ernsthaft krank sind. Aber was heißt die Abkürzung ›U‹ auf den Krankenblättern?«

»Ernsthaft krank ist niemand«, sagte Jacey. »Und ›U‹ steht für Urlaub.«

Ingrid runzelte die Stirn.

»Aber sie sind noch hier. Wann werden diese Urlauber denn entlassen?«

»Das ›U‹ war Peters persönliche Art, sich die Patienten zu merken, denen absolut nichts fehlt«, erklärte Jacey. »Sie sind hier, weil sie der Nähe ihrer Frau entkommen wollen und weil sie sich ungestört mit einer Freundin einlassen können.« Sie lächelte kurz. »*La Primavera* ist so etwas wie ein Luxushotel mit ärztlicher Betreuung. Falls Sie hier medizinische Praxis erfahren wollten, werden Sie enttäuscht sein.«

Ingrid schüttelte fröhlich den Kopf. »Nein, ich brauche keine medizinische Praxis mehr. Nach meiner Assistenzzeit an einem schwedischen Krankenhaus bin ich fünf Jahre in den Staaten gewesen. Gute Bezahlung, harte Arbeit. Ich kann also eine Ruhepause gut gebrauchen.« Sie senkte die Stimme. »Ich bin auf der Suche nach anderen Erfahrungen, wenn Sie verstehen, was ich meine.«

»Ich fürchte nein«, sagte Jacey frostig.

»Oh, ihr Engländer!» Ingrid trat um den Schreibtisch herum und blieb vor Jacey stehen. »Sie wissen genau, was ich meine. Sie gehen mit diesem scharfen Jungen ins Bett, Schlemann, nicht wahr?« Sie tippte mit einem makellos manikürten Finger gegen Jaceys Brust. »Streiten Sie es nicht ab. Ich selbst würde mich auch nicht dagegen sträuben. Ich habe gehört, dass er ein sexistisches Schwein ist, na und? Ich würde ihn ja nicht heiraten wollen. Sie doch auch nicht, oder?«

»Nein«, sagte Jacey, »ich auch nicht.«

Ingrid fuhr fort: »Sagen Sie mir schon, wie ist er denn so? Hat er Ausdauer? Also, ich habe Männer satt, die nicht durchhalten. Davon habe ich einige Exemplare in den USA genießen dürfen. Ein bisschen Schieben und Stöhnen, dann ein geächztes ›Ah, Baby, großartig‹ und fertig.« Sie lachte. »Ich will ihn lange in mir spüren, voll des pulsierenden Lebens. Er kann mich kräftig durchrütteln. Ich bin fit, habe Muskeln vom Hanteltraining.« Sie streckte ihren Arm aus. »Hier, fühlen Sie mal.«

Obwohl ihr nicht danach zumute war, befühlte Jacey die Bizeps der Kollegin. Sie waren steinhart.

»Na?«, fragte Ingrid. »Was sagen Sie dazu?« Sie nahm eine Bodybuildingpose ein. »Soll ich bei der Wahl zu Miss Universum mitmachen?«

Jacey lachte. Ingrids großer, schlanker Körper gehörte eher auf den Laufsteg als auf einen Bodybuildingwettbewerb. »Ich glaube, Sie sollten mit Ihrer Visite beginnen«, sagte sie.

»Mögen Sie starke Frauen?« Ingrid war plötzlich ernst. »Würde es Sie aufregen, mit einer Frau Liebe zu machen, die Muskeln wie ein Mann hat?«

»Nein.«

»Haben Sie auch noch nie daran gedacht, es mit einer Frau zu tun?«, hakte Ingrid nach. »Viele Frauen haben diese Phantasie, auch wenn sie keine Gelegenheit haben, sie auszuleben. Sie haben noch nie eine Frau angesehen und sich gefragt, wie es wäre, wenn sie mit ihr Liebe machen?«

»Nein«, sagte Jacey.

»Es kann sehr befriedigend sein«, sagte Ingrid. »Natürlich sind Männer interessante Geschöpfe; ich mag ihre harten Körper, und es gibt Zeiten, da will ich das spüren, was bei ihnen am härtesten ist. Aber zur sinnlichen Lust geht nichts über eine Frau. Frauen verstehen sich. Männer verstehen nichts von der Klitoris, sie wissen nicht, was sie mit ihr tun sollen. Ein par Mal mit der Zunge rüber oder sie saugen so hart, dass es schmerzt. Und dann glauben sie, sie hätten dich erregt.« Sie stieß ein schnaufendes Lachen aus. »Ein paar Minuten später wollen sie rein, und dann ist es auch schon vorbei. Frauen lassen sich Zeit.« Sie lächelte Jacey einladend an. »Um wirklich eine gute Zeit zu erleben, brauchst du eine Frau, die an dir runter steigt. Warum besuchen Sie mich nicht heute Abend? Ich möchte Ihnen gern zeigen, was Sie bisher verpasst haben.«

Jacey war amüsiert. »Ist es Ihre Art, Leuten nach fünf Minuten derartige Angebote zu machen?«

»Wenn ich glaube, dass sie interessiert sind«, gab Ingrid fröhlich zu, »ja, natürlich. Viele Frauen lassen sich darauf ein. Sie würden überrascht sein.«

»Was bringt Sie auf die Idee, ich könnte interessiert sein?«, wollte Jacey wissen.

Ingrid lächelte. »Ich sehe es in Ihren Augen. Sie sind eine sinnliche Frau und neugierig. Ich glaube, Sie möchten gern experimentieren.«

»Ich glaube, Sie machen sich was vor«, entgegnete Jacey. Sie schaute auf ihre Uhr. »Wir müssen mit der Visite beginnen. Auch wenn unsere Patienten dem Tod nicht nahe sind, wollen sie uns doch jeden Morgen sehen.«

Später am Tag, als Jacey sich in ihrem Wohnzimmer ausruhte, dachte sie über die Unterhaltung mit Ingrid nach. Hatte sie wirklich Interesse gezeigt? Oder rührte das mögliche Funkeln in ihren Augen eher von Gedanken an ihre nächste Begegnung mit Nicolás?

Nein, wenn sie sich eine Zunge vorstellte, sollte es nicht Ingrids Zunge sein. Ich hatte noch nie eine lesbische Neigung, wurde ihr jetzt erst bewusst. Selbst als Faisal sich als Scheusal entpuppte, hat sie das nicht gegen Männer aufgebracht. Gegen Liebe und Romantik ja, aber nicht gegen Männer. Es ist das emotionale Gepäck, das Frauen so verletzlich macht.

Sie ließ sich weit in den Sessel zurücksinken und überlegte, wie Ingrid wohl nackt aussah. Offensichtlich austrainiert, die Beine beneidenswert lang. Die Brüste kaum ausgeprägt wie bei diesen hageren Laufstegmodellen. Jacey stellte sich vor, wie Ingrid nackt über den Laufsteg schritt, die Rippen sichtbar, ein Hüftknochen vorgereckt. Nein, der Anblick erregte Jacey nicht.

Sie schloss die Augen und stellte sich Nicolás Schlemann vor. Das ist viel besser, dachte sie. Sie hatte ihn bisher noch nicht völlig nackt gesehen, aber von den Teilen, die sie in Erinnerung hatte, konnte sie ein Ganzbild zusammenstellen. Harter, gestählter, gebräunter Körper. Muskulöse Schenkel. Ein beeindruckender Schaft.

Das Telefon klingelte. Sie griff nach dem Hörer.

»Dr. Muldaire?« Die Stimme am anderen Ende klang ein wenig spöttisch. »Ich hoffe, Sie sind nicht zu beschäftigt und können mit mir reden?«

»Nun, Sie sind es, der offenbar sehr beschäftigt ist«, gab sie zurück. »Wollten Sie mich nicht anrufen?«

»Ich rufe Sie jetzt an«, sagte Nicolás. »Ich möchte morgen Abend Ihre Gesellschaft haben.«

»Doch nicht wieder eine Party bei den Márquez?«

»Wäre das so unangenehm? Hat Ihnen die letzte Party nicht gefallen?« Er hörte sich belustigt an. »Mir hat sie gefallen. Besonders die letzten zehn Minuten.«

»Sie haben mich allein zurückgelassen«, erinnerte sie ihn. »Nach einem Quickie auf dem Schreibtisch. Und seither haben Sie nichts mehr von sich hören lassen. Von einem Mann Ihrer Reputation habe ich mir mehr versprochen, Senor Schlemann.«

»Was haben Sie erwartet? Ein Dutzend rote Rosen und ein Dankesschreiben?« Er lachte. »Dann haben Sie den falschen Mann, Dr. Muldaire. Außerdem trifft es nicht zu, dass ich Sie allein zurückgelassen habe. Ich wurde in einer dienstlichen Sache gerufen.«

»Oh, ja, Sie mussten einen Verdächtigten vernehmen«, sagte sie kühl mit einer Spur von Sarkasmus. »Das ist schließlich Ihr Job.«

»Es gehört dazu«, antwortete er. »Ich schicke Ihnen um acht einen Wagen.«

»Ich habe noch nicht zugesagt. Wird es wieder eine halb offizielle Orgie sein?«

»Es ist ein formeller Ball«, antwortete er. »Politiker und Militärs nehmen daran teil, sogar Hernandez und seine Gattin. Sie werden sich alle von der besten Seite zeigen und sich freuen, Sie kennen zu lernen.«

»Ich fühle mich geschmeichelt«, sagte sie. »Ich ahnte nicht, dass sie überhaupt etwas von meiner Existenz wissen.«

»Aber natürlich tun sie das«, sagte Nicolás. »Die neue schöne Ärztin mit den flammroten Haaren, die sich nicht zu schade ist, ihre Finger im *El Invierno* schmutzig zu machen? Jeder spricht über Sie.«

»Auch die Gattin des Generalissimo?«

»Besonders die Gattin des Generalissimo«, bekräftigte er. »Sie will Sie unbedingt kennen lernen. Aber ich werde es sein, der danach zarte Momente mit Ihnen erlebt, und das wissen Sie auch. Seien Sie bereit, wenn der Wagen vorfährt. Ich hasse es, wenn man mich warten lässt.«

Er brach das Gespräch abrupt ab, und Jacey legte den Hörer auf. Was für ein Charmeur Sie doch sein können, Senor Schlemann. Sie lächelte. Und wie nützlich Sie sind. Ich habe die Gelegenheit, mehr über den Generalissimo und seine Gattin sowie über die anderen hohen Tiere aus Guachtal zu erfahren. Aus erster Hand.

Da sie wusste, wie der Abend enden würde, fiel Jacey die Entscheidung nicht schwer, was sie tragen sollte. Sie öffnete den Kleiderschrank und ließ ihre Hände kurz über das hoch geschlossene Kleid mit den Silberperlen und dem weit offenen Rücken gleiten. Es umschmiegte ihre Figur so sehr, dass man die kleinen Erhebungen ihrer Nippel sehen würde.

Schade, dass es zu unanständig für den Anlass war. Sie griff nach dem Designerkleid, das auch ihre Figur umschmiegte, aber längst nicht so viel enthüllte.

Es war aus schwerer, dunkelgrüner Seide. Sie konnte es hoch geschlossen und auch schulterfrei tragen, wozu sie sich an diesem Abend entschied. Die Damen von Guachtal würden ganz sicher die Gelegenheit nutzen, ihre Preziosen zu zeigen, und sie wollte das Kontrastprogramm bieten. Auffällig allein würden ihre roten Haare sein. Wenn die Gäste erwarteten, dass Schlemanns Frau glitzerte, würden sie eine Überraschung erleben.

Dafür wollte sie seiner Schwäche für raffinierte Dessous nachgeben. Das Kleid verlangte keinen BH, das eingebaute Mieder hob ihre Brüste an und schuf ein volles Decolleté. Der Seidenslip – Farbe und Stoff wie das Kleid – passte ihr wie eine zweite Haut, er spannte sich über ihre Pobacken und über den Venusberg. Sie verzichtete auf Strapse und trug dunkelgraue Strümpfe ohne Naht, dazu schwarze Sandalen mit halb hohen Absätzen und schmalen schwarzen Lederstreifen.

Am liebsten hätte sie ihre Haare offen und schwingend getragen. Sie wusste, dass es umwerfend aussehen konnte; sie wäre die einzige Rothaarige im Ballsaal. Aber sie wollte nicht übertreiben. Sie fasste die Haare zu einem Zopf zusammen und steckte ihn mit Nadeln auf dem Kopf fest.

Sie war bereit, als der Wagen vorfuhr. Er wurde

von einem von Nicolás' kaltäugigen Gorillas gefahren, verdunkelte Scheiben, wahrscheinlich kugelsicheres Glas, und ein offizieller Stander mitten auf der Kühlerhaube. Der Chauffeur hielt ihr wortlos die Tür auf und sprach auch während der Fahrt nicht.

Wegen der dunklen Scheiben fiel es Jacey schwer, die Gegend zu erkennen, durch die sie fuhren, aber als sie vor dem breiten Tor des Palastes standen, in dem der Generalissimo regierte, wusste sie Bescheid: Der Palast wurde von gleißenden Scheinwerfern angestrahlt.

Am Tor schaute ein uniformierter Wächter ins Wageninnere. Er schaute auf Jacey, und zu ihrer Überraschung wich er zurück und salutierte. Der Wagen fuhr langsam weiter, bis er vor dem Palastportal anhielt. Eine breite, weiße Treppe führte hinauf. Der Chauffeur hielt die Fondtür auf, und Jacey hörte leise Musik, Stimmen und Lachen.

Der Wagen fuhr davon, und Jacey blieb verunsichert vor der Treppe stehen. Was sollte sie tun? Auf Nicolás warten? Oder hineingehen und ihn suchen? Der Nachtwind spielte mit ihren Haaren. Ein anderes Auto fuhr vor, und ein älterer Mann und eine deutlich jüngere Frau stiegen aus, warfen einen kurzen Blick auf Jacey und gingen die Treppe hoch.

Jaceys Geduld war erschöpft. Sie nahm rasch die Stufen und überlegte sich ein paar beißende Sätze, die sie Nicolás zur Begrüßung sagen würde.

Das Paar, das vor ihr die Treppe hochgegangen war, stand vor einem Sicherheitsmann, der die Einladungen mit übertriebener Langsamkeit überprüfte. Der ältere Mann war sichtlich verärgert, aber er sagte nichts. Jacey wartete in der hohen Marmorhalle und bewunderte einen gewaltigen

Kronleuchter, der von der leicht gewölbten Decke hing.

Das Paar war abgefertigt worden, und der Sicherheitsmann starrte zu Jacey hinüber. Sie hielt seinem Blick stand und wappnete sich mit spitzen Antworten, falls er ihr dumm kommen würde.

»Guten Abend, Dr. Muldaire.« Sie wandte sich um und sah Nicolás, der sich ihr mit gemessenen Schritten näherte. Er trug einen eleganten schwarzen Smoking. Das strahlende Weiß seines Hemds unterstrich seine gebräunte Haut. Als er sie anlächelte, war sie irritiert: Sie war nicht nur froh, ihn zu sehen, sondern sie spürte auch eine Welle sexueller Erregung. Er hielt ihr seinen Arm hin. »Wie entzückend Sie aussehen. Nicht, dass mich das überrascht. Sie strahlen immer Klasse aus.«

Sie hakte sich bei ihm unter. »Für einen Mann, der nicht gern wartet«, sagte sie kühl, »sind Sie nicht sehr pünktlich.«

»Ich habe nie gesagt, dass ich pünktlich bin«, sagte er und verstärkte sein Lächeln noch. »Ganz besonders bei Frauen bin ich es nicht.« Er beugte den Kopf, und sie spürte seine Lippen dicht an ihrem Ohr. »Es steigert die Vorfreude noch ein bisschen mehr. Sagen Sie nur, Sie hätten sich nicht gefreut, mich endlich zu sehen.«

»Nur weil ich es müde war, hier sinnlos herumzustehen«, gab sie patzig zurück.

Er lachte. »Sie sind doch gerade erst angekommen.« Sie wollte den Mund öffnen, um zu widersprechen, aber sie spürte den Druck seiner Hand auf ihrem Arm. »Nicht abstreiten. Ich weiß genau, wann der Wagen bei Ihnen war und wann er hier vorgefahren ist.«

Sie schritten durch die Halle und an dem Paar vorbei, das sie auf der Treppe gesehen hatte. Die

Augen des älteren Mannes blinzelten von ihr zu Nicolás und zurück zu ihr. Sein Ausdruck veränderte sich von Überraschung zu einem schmeichlerischen Lächeln. Seine Begleitung lächelte auch und legte dabei große Zähne bloß.

Jacey murmelte: »So haben sie mich nicht begrüßt, als sie an mir vorbei gerauscht sind. Ich war einfach Luft für sie.«

»Nun, jetzt wissen sie, dass Sie zu mir gehören«, sagte Nicolás. »Das sichert Ihnen die Höflichkeit aller.« Er wies auf den Alten. »Er ist ein Geschäftsmann aus der Stadt, kein großer Fisch, aber er hat mit dem Generalissimo seine Armeejahre verbracht, deshalb wird er ab und zu noch eingeladen. Das hässliche Mädchen an seiner Seite ist seine Tochter. Natürlich unverheiratet. Können Sie sich vorstellen, dass jemand verzweifelt genug ist, sie zu heiraten?«

»Schönheit ist nicht alles«, sagte Jacey.

»In den Augen eines Mannes schon«, antwortete Nicolás.

Sie betraten den Ballsaal, und für ein paar Momente war Jacey überwältigt von den glitzernden Lichtern der Kronleuchter und dem strahlenden Weiß des Marmorbodens. Eine Kapelle spielte eine langsame spanische Melodie. Einige der Gäste trugen dekorative Militäruniformen, aber die meisten trugen Smoking oder Frack, während sich fast alle Frauen – vom Mittelalter aufwärts – in schwere, weite Abendkleider spanischen Stils gezwängt hatten, die langen Röcke üppig verziert und mit vielen Rüschen abgesetzt. Einige Frauen unterstrichen das spanische Thema des Abends noch mit Spitzenmantillas und kunstvollen Fächern.

Als Nicolás den Ballsaal betrat, wandten sich die Gäste, die ihn bemerkten, zu ihm um, verbeugten sich oder nickten, und die Frauen lächelten. Nicolás erwiderte das Nicken ein oder zwei Mal, sehr von oben herab, dachte Jacey.

Plötzlich sah sie ein Gesicht, das sie kannte, einer ihrer ›Patienten‹ aus *La Primavera*. Er war, erinnerte sich, während seines Aufenthalts von einer Reihe gut aussehender junger Männer besucht worden. Er nickte ihr knapp zu, ebenso die blasierte Frau, die neben ihm stand.

»Sie haben einen Bekannten gesehen?«, fragte Nicolás.

»Ja.«

»Senor Controssna und seine Frau?« Nicholas grinste. »Sie denken wahrscheinlich gerade an ihre Freunde. Es gab eine Zeit, da haben sie sich einen geteilt. Nun ja, sie haben ihn sich mit vielen geteilt. Bis er zu habgierig wurde und den falschen Kunden zu erpressen versuchte.«

»Was ist mit ihm geschehen?«, fragte Jacey. Sie hatte Mühe, sich Senor Controssna und seine verbissen aussehende Frau in einer *ménage à trois* vorzustellen.

Nicolás hob die Schultern.

»Er ist verschwunden. Ich bezweifle, dass ihm jemand eine Träne nachgeweint hat, außer vielleicht die Clowns im Regenwald. Man hörte, er unterstützte Loháquin mit dem Geld, das er in der Stadt verdiente.«

»Sie haben ihn töten lassen?«

»Es war politisch erforderlich, ihn zu entfernen«, erklärte Nicolás. »Das passiert mit allen, die Rebellen unterstützen.« Seine Finger gruben sich in ihren Arm. »Vergessen Sie das nicht.«

»Ich bin sicher, dass Sie dafür sorgen, dass ich es nicht vergesse.«

»Es ist zu Ihrem eigenen Besten.« Er führte sie

weiter durch den Saal. »Frauen lassen sich so leicht von romantischen Ideen blenden und schwärmen für Freiheitskämpfer und Revolutionäre. Tatsache ist, dass Loháquin ein ungewaschener Analphabet ist, und das trifft auch auf seine Anhänger zu. Er könnte Guachtal nicht regieren, selbst wenn er eine Chance dazu bekäme.«

Genau das möchte ich gern selbst herausfinden, dachte Jacey. Nicolás führte sie auf eine Gruppe von Uniformierten zu, die abseits von den anderen stand und von einem Kreis von Sicherheitsleuten abgeschirmt wurde.

Die Ärztin erkannte Generalissimo Hernandez. Aus der Nähe sah der kleine runde Mann in seiner mit Litzen besetzten und mit Orden behangenen Uniform noch weniger wie ein Diktator aus als auf dem Bild, das Major Fairhaven ihr gezeigt hatte.

Jacey war viel mehr beeindruckt von der gebieterischen Frau, die ein Kopf größer war und hinter ihm stand. Dies musste die großartige Pilar sein. Im Gegensatz zu ihrem Mann sah sie aus, als wäre sie durchaus in der Lage, ein Land zu regieren und es mit jedem aufzunehmen, der ihr das absprechen wollte. Kein Wunder, dass Nicolás sie nicht mochte.

»Generalissimo«, sagte Nicolás, »darf ich Ihnen Dr. Jacey Muldaire vorstellen?«

Jacey spürte, wie eine warme Hand ihre umfasste. »Dr. Muldaire.« Er schien wirklich erfreut zu sein, sie kennen zu lernen. »Liebe Dame, willkommen in meinem Haus, willkommen in meinem Land. Wir haben schon viel von Ihnen gehört.« Er schaute zu seiner Frau. »Nicht wahr, meine Liebe?«

Pilar bedachte Jacey mit einem frostigen Lächeln. »Ich habe von Ihrer Arbeit im *Primavera* gehört, Dr. Muldaire.«

»Ein wunderbares Krankenhaus, nicht wahr?«,

rief Hernandez begeistert und tätschelte Jaceys Hand. »Haben Sie so etwas auch in England?«

»Nein, eigentlich nicht«, gab Jacey zu.

»Nicolás hat geholfen, den größten Teil des Geldes aufzutreiben«, sagte Hernandez. »Private Spenden. Die Menschen waren sehr großzügig.«

»Ich habe gehört, dass Sie auch im *El Invierno* arbeiten, Dr. Muldaire«, warf Pilar Hernandez ein.

»Eh … ja.«

»*El Invierno* wird vom Finanzministerium unterstützt«, sagte Pilar, »was den Unterschied in der Ausstattung erklärt.« Ihre dunklen Augen fixierten sich auf Jacey. »Mein Gatte versucht, die Nöte des Volkes zu verstehen und ihnen abzuhelfen.« Sie warf einen flüchtigen Blick auf Nicolás, ehe sie wieder Jacey ansah. »Wann immer er kann.«

Es entstand ein unangenehmes Schweigen, bis Hernandez in ein gezwungenes Lachen ausbrach, Jaceys Hand losließ und zu seiner Frau sagte: »Meine Liebe, keine Politik heute Abend. Keine Politik.«

Das, dachte Jacey, gibt die Situation am zutreffendsten wieder. Der Generalissimo liebt die Paraden, gesellschaftliche Auftritte und das Bad in der Menge. Nicolás gewährt ihm das alles, und im Gegenzug erhält er freie Hand in der Wirtschaftspolitik. Ein hübsches Arrangement. Hübsch für Senor Schlemann.

Jacey bemerkte, dass Nicolás sie von der Gruppe rund um den Generalissimo weg schob, dem Tanzboden entgegen. Die Kapelle spielte einen langsamen Walzer, und Nicolás drehte sie zu sich und führte sie im Takt der Musik.

»Senora Hernandez schien mir Ihnen gegenüber recht frostig zu sein«, sagte sie. »Haben Sie gegen den Bau des *El Invierno* gestimmt?«

»Nein«, sagte er knapp. »Ich habe mich nur gegen die Summen gewandt, die dafür eingesetzt werden sollten. Lassen Sie uns über was Spannendes reden. Sagen Sie mir, was Sie unter diesem kostbaren Kleid tragen?«

»Aber nein«, antwortete sie lachend. »Das müssen Sie schon selbst herausfinden.«

Seine Hand strich über ihren Rücken. »Kein BH«, stellte er fest. Ein älteres Paar tanzte an ihnen vorbei, und Nicolás zeigte sein strahlendstes Lächeln, während seine Hand hinunter auf Jaceys Pobacken glitt. Jacey verfolgte den Blick des älteren Paars, das rasch wegschaute. »Kein Höschen?«

»Falsch«, sagte sie.

Seine Hand strich wieder über ihren Rücken. »Wir bleiben noch genau eine Stunde hier, dann bringe ich Sie zu meinem Apartment.«

»Wird der Generalissimo das nicht für ziemlich unhöflich halten?«, fragte sie. »Ich meine, wir sind eben erst angekommen.«

»Ich habe meinen Teil unserer Abmachung erfüllt«, sagte er. »Hernandez wollte Sie kennen lernen. Jetzt kennt er Sie.«

»Und alle, auf die es ankommt, wissen nun, dass die englische Ärztin die letzte Eintragung auf der Liste Ihrer Eroberungen ist«, fügte sie hinzu. »Ich gratuliere Ihnen.«

»Ich habe Ihnen einen Gefallen erwiesen«, sagte er. »Sie werden die Türen nun weit geöffnet finden. Sie werden zu den besten Partys eingeladen, zu den exklusivsten Essen. Sie werden eine gute Zeit bei uns erleben.«

Bis du mich abservierst, dachte Jacey. Dann werden mich die kleinen Kriecher wieder ignorieren und ihr Lächeln für deine nächste Trophäe aufsparen. Vielleicht Ingrid Gustaffsen? Jacey konnte sich nicht vorstellen, dass die schwedische Ärztin ein Typ war, der Nicolás zusagte. Sie war zu energisch und zu maskulin für jemanden wie Nicolás.

Die Stunde verging schnell. Nach dem ersten Tanz schien Nicolás bereit zu sein, Jacey auf eigene Faust kreisen zu lassen. Es war, als trüge sie ein Brandzeichen, das ihm die Gewähr bot, dass niemand seinen Besitz anrührte. Während er hauptsächlich mit männlichen Gästen sprach, absolvierte sie zwei Tänze mit uniformierten Militärberatern des Generalissimo, deren Unterhaltung sich auf Belanglosigkeiten beschränkte. Sie übersah den verstohlenen Blicke, die ihrem Ausschnitt galten. Jacey erkannte Carlos Márquez und seine Frau am Rand der Tanzfläche. Sie nickten einander zu und lächelten kühl. Von Raoul war nichts zu sehen.

Nach genau einer Stunde schlenderte Nicolás ihr entgegen. »Zeit zu gehen.«

Er führte sie vom Tanzboden weg, und Jacey spürte die Blicke der Gäste auf sich. Sie nahm an, dass er gewartet hatte, bis sie mit ihrem Partner am hintersten Ende der Tanzfläche angelangt war, damit jeder auch wirklich sehen konnte, dass sie zu ihm gehörte. Er ist wie ein kleiner Schuljunge, dachte sie. Schauen könnt ihr, aber nicht anfassen!

Obwohl er gesagt hatte, er wollte sie zu seinem Apartment bringen, hatte sie erwartet, sich in irgendeiner palastähnlichen Villa Stadtrand wiederzufinden.

Aber die Autofahrt war überraschend kurz und endete vor einem offiziell und nach ›Zutritt verboten‹ aussehenden Gebäude mit einer Fassade aus blinden Fenstern und einer großen Nationalflagge am Mast.

Nicolás stieg aus dem Auto und öffnete Jaceys Tür. Sie stieg aus und sah Nicolás mit großen

Augen an. »Hier wohnen Sie? Es sieht wie ein Gefängnis aus.«

»Ist es auch«, sagte er. »Und das Polizeihauptquartier.« Er führte sie zur fensterlosen, mit Eisenteilen verstärkten Tür. »Ich wohne hier, wenn ich mich in Techtátuan aufhalte.« Er grinste. »Bei mir ist noch nie eingebrochen worden.«

Er schob eine Karte in das Sicherheitsschloss neben der Tür und wartete. Als nach wenigen Sekunden die Tür aufschwang, roch Jacey Poliermittel und nahm das schwache Ätzen von Desinfektionsmittel wahr. Ihre Schritte klackten laut auf den nackten Steinfliesen, als Nicolás sie über einen Flur, eine Treppe hoch und durch eine weitere Tür führte.

Dahinter lag eine andere Welt. Der Boden war mit dicken Teppichen ausgelegt, an den Wänden hing eine warme Seidentapete in dunklem Orange.

Die Tür fiel hinter Jacey mit einem lauten Klick ins Schloss. Sie zuckte zusammen und drehte sich um.

Nicolás grinste. »Ja, sie ist verriegelt. Aber auch wenn sie nicht verriegelt wäre, kämen Sie ohne mich nicht weit. Meine Karte hat ein internes Alarmsystem aktiviert, und seither werden wir von Kameras erfasst.«

Er öffnete eine weitere Tür und ließ sie in ein großes Zimmer eintreten. Schwere Polstermöbel, dunkle, verschnörkelte Schränke. Holzpaneele an den Wänden, mehrere Porträts auf den Paneelen. Nicolás lehnte sich gegen einen Schrank und beobachtete Jacey, wie sie das Zimmer mit den Blicken abtastete.

Über dem breiten Marmorkamin – er war bestimmt noch nie benutzt worden – hing ein großes Ölgemälde, das einen schlanken Mann in schwarzem Anzug und Hemd zeigte. Man sah ihm an, dass er Europäer war, die blassen Haar glatt zurückgekämmt, einen Ausdruck von Arroganz im Gesicht. Die schwarze Kluft sah wie eine SS-Uniform aus, dachte Jacey. Sie hatte im Gefühl, wer dieser Mann war.

Nicolás bestätigte ihre Vermutung. »Mein Vater Heinrich Schlemann«, sagte er.

»Ich sehe eine gewisse Ähnlichkeit. Und wo ist Ihre Mutter?«

Er wies auf ein kleineres Porträt auf der anderen Seite des Zimmers. Ein zierliches spanisches Mädchen im traditionellen Kostüm sah Jacey ernst an. Senora Schlemann war zumindest zur Zeit des Porträts deutlich jünger gewesen als ihr Mann.

»Sie ist eine wunderschöne Frau«, murmelte Jacey.

»Man hat mir gesagt, sie sei einer der schönsten Frauen von Techtátuan gewesen«, sagte Nicolás. »Offenbar war sie gerade entschlossen, einen armen Spanier zu heiraten. Mein Vater hat ihre Eltern überreden können, dass er der bessere Schwiegersohn wäre.«

Jacey blickte wieder zu dem spanischen Mädchen. Was hatte sie gefühlt, als sie zur Heirat mit dem kalten, arroganten Fremden gezwungen worden war? Hatte sie ihrem armen Geliebten nachgeweint? War sie in ihrer Ehe je glücklich gewesen?

»Was für eine Frau war Ihre Mutter?«

Nicolás hob die Schultern. »Ich habe keine Ahnung. Sie ist bei meiner Geburt gestorben. Man hat mir gesagt, dass mein Vater die Wahl hatte, entweder sie zu retten oder das Kind.«

Jacey schaute zu Heinrich Schlemann auf. Ich wette, du hast dir nicht mal Gewissensbisse gemacht, dachte sie. Du hattest, was du wolltest. Einen männlichen Erben für den Erhalt des Familiennamens.

Nicolás drehte sich zum Schrank um und öffnete eine Tür. Er nahm eine Flasche und zwei Gläser heraus.

»Wein, Dr. Muldaire?«

»Es ist an der Zeit, mich Jacey zu nennen«, sagte sie. »Und ja, gern einen Wein.« Er füllte ein Glas und reichte es ihr. »Fühlen Sie sich als Deutscher oder als Spanier?«, fragte sie. »Ich meine, Sie sind hier geboren. Fühlen Sie sich den Wurzeln Ihrer Mutter mehr verbunden?«

Er starrte sie einen Moment an, dann brach er in Lachen aus. »Wurzeln?« Er schüttelte ungläubig den Kopf. »Ich habe mein Credo von meinem Vater gelernt: Kümmere dich um dich selbst. Er wusste, dass Deutschland den Krieg verlieren würde und verließ das sinkende Schiff, bevor es zu spät war. Hätte er an den Unsinn von Heimat und Vaterland geglaubt, wäre er geblieben und jung gestorben.«

»Und wenn Guachtal zu sinken beginnt?«, fragte sie. »Werden Sie dann auch das Schiff verlassen?«

Sein Lachen klang diesmal gönnerhaft. »Guachtal wird nicht sinken«, sagte er. »Nicht, so lange ich über die Staatskasse wache.« Er ging hinüber zu einem wuchtigen Ledersessel. »Das ist auch etwas, was mein Vater mir beigebracht hat. Einen gesunden Respekt für Geld. Denn Geld sorgt dafür, dass die Menschen einen gesunden Respekt vor dir haben.« Er setzte sich und hob das Glas. »Und er hat mir beigebracht, wie man Frauen behandelt. Eine sehr wertvolle Lektion.«

Sie hob ebenfalls ihr Glas und lächelte. »War Ihr Vater auch ein gefürchteter Frauenheld?«

»Man hat mir erzählt, dass es ihm nie an weiblicher Gesellschaft mangelte«, antwortete Nicolás. »Weder vor dem Tod meiner Mutter noch danach.« Er lehnte sich im Sessel zurück. »Mein Vater hat sich seine Frauen mit großer Umsicht ausgesucht. Er war ein Frauenkenner. Er hat sie immer hierhin gebracht, in dieses Zimmer.«

Waren die Frauen immer freiwillig gekommen?, fragte sie sich. Hat er sie verführt, oder hat er sie bezahlt? Bedroht oder erpresst? Heinrich Schlemann war wahrscheinlich ein sexistischer Bastard gewesen, aber nach seinem Porträt zu urteilen, war er auch ein gut aussehender Mann gewesen. Manchmal konnte es erregend sein, von einem Partner, den man attraktiv findet, zu etwas gezwungen zu werden. Es nahm einem die Verantwortung für die eigene Hingabe.

Jacey wusste, dass sie gelegentlich eine Schwäche für diese Variante hatte.

»Ich hatte mein erstes Erlebnis mit einer Frau auch in diesem Zimmer«, sagte Nicolás.

»Wie alt waren Sie?«

»Fast sechzehn.« Er streckte die Beine aus. »Ich wurde von Privatlehrern unterrichtet. Da drüben am Fenster stand mein Schreibtisch, und Punkt acht Uhr musste ich am Schreibtisch sitzen. Wie in einer richtigen Schule.«

»Das kann aber nicht lustig gewesen sein«, warf Jacey ein. »So ganz allein.«

Er grinste. »Es hatte seine Vorteile. Unter den Lehrern befand sich eine Frau, gerade mal in den Zwanzigern. Sie trug ein teures Parfüm, das herrlich duftete. Hätte ich damals schon Verstand gehabt, müsste ich mich gefragt haben, wie sie sich das exklusive Wasser erlauben konnte. Anfangs kleidete sie sich noch konventionell, Jacke und langer Rock, aber schon nach ein paar Tagen kam sie mit diesen typischen Bauernblusen. Wissen Sie, welche ich meine? Man kann durch ein Bändchen den Halsausschnitt variieren.«

Jacey nickte, und Nicolás fuhr fort: »Sie beugte sich über mich, wenn sie meine Arbeit korrigierte, und ich konnte das Tal zwischen ihren Brüsten sehen. Ich wusste, dass sie nichts unter der Bluse trug. Das Bändchen wurde lockerer, der Ausschnitt rutschte tiefer, und meine Einblicke auch. Sie glättete den Stoff und zog ihn straff, als wollte sie mir zeigen, dass ihre Nippel erigiert waren. Ich wusste genug, um zu begreifen, dass sie sich selbst erregte, indem sie mich reizte.«

Nicolás seufzte. »Mir wurde die Hose schon eng, wenn ich nur an sie dachte. Ich stellte mir vor, wie sie bis zu den Hüften entblößt vor mir stand, die Hände auf ihren Rücken gebunden, sodass ich sie überall berühren konnte, wo ich wollte. Ich hörte sie protestieren, aber gleichzeitig sah ich, dass es ihr gefiel. Ich stellte sie mir nackt vor und mit gespreizten Beinen. Während sie mir Arithmetik beibrachte, träumte ich davon, es mit ihr zu treiben. Und dabei musste ich höllisch aufpassen, dass sie den Ständer in meiner Hose nicht bemerkte.«

»Armer Junge«, sagte Jacey neckend. »Das muss sehr unbequem für Sie gewesen sein.«

»War es auch. Aber nicht sehr lange. Wenn das ein Katz-und-Maus-Spiel ist, dachte ich, will ich lieber die Katze sein. Als sie sich das nächste Mal über mich beugte, um einen Fehler zu korrigieren, griff ich mit beiden Händen nach der Bluse und riss sie auf.« Er atmete tief durch. »Das war einer der erotischsten Momente in meinem Leben. Sie stieß einen verdutzen Halbschrei aus. Der Stoff zerriss, und ich konnte alles sehen. Die vollen runden Brüste, die harten Nippel und ihren entsetzten

Ausdruck, als sie versuchte, sich wieder zu bedecken.«

Er legte eine kleine Pause ein, als erlebte er den Augenblick in Gedanken noch einmal. »Es war großartig. Ich fühlte mich mächtig – und verdammt unbehaglich. Jetzt, da ich alles gesehen hatte, wollte ich auch alles haben. Wir endeten auf dem Teppich und wälzten uns herum.« Er lachte leise. »Bis ganz zum Schluss dachte ich ehrlich, sie sträubte sich und wollte mich abwehren. Ich dachte, sie hätte Angst, weil sie zu weit gegangen war und nun die Kontrolle verloren hatte. Die hatte ich jetzt, und sie wusste, sie würde von nun an die Spiele mitmachen müssen, die ich mir ausdachte.«

»Hat sie Ihnen nicht leid getan?«

Er lachte. »Ich war noch keine sechzehn. Ich wollte es tun, und damals war es die erste Gelegenheit, die sich mir bot.« Er hob die Schultern. »Und es war gut. Wahrscheinlich einer der besten Orgasmen, die ich je gehabt habe. Gewiss aber derjenige, an den ich mich am besten erinnere.«

»Sie haben sie vergewaltigt«, sagte Jacey. »Und ich nehme mal an, dass Sie ungestraft davongekommen sind.«

Er sah Jacey einen Moment lang verdutzt an, dann brach er in Gelächter aus. »Ich habe sie nicht vergewaltigt. Ich sagte doch, sie wollte es haben.«

»Sie hat Sie geneckt, was sie sicherlich nicht verantworten konnte. Aber das gibt Ihnen nicht das Recht, sie gegen ihren Willen zu nehmen.«

Nicolás hörte auf zu lachen. »Sie verstehen es nicht. Also gut – sie wurde dafür bezahlt.« Er lehnte sich wieder bequem im Sessel zurück. »Sie war eine Hure. Mein Vater hat sie bezahlt, damit sie einen Mann aus mir machte. Oder um zu erfahren, ob ich mich wie einer verhalte. Nachdem ich das bewiesen hatte, hat er mich in alle Bordelle der Stadt gehen lassen. Er wollte, dass ich erfahre, wie Frauen sind.«

»Und haben Sie es erfahren?«

»Ich habe erfahren, dass Frauen dir geben, was du willst, wenn du sie bezahlst«, antwortete er. »Und sie haben immer ihre eigene Währung.«

»Bin ich da eingeschlossen?«

»Natürlich.« Seine Stimme klang plötzlich kalt. »Warum sonst haben Sie mit Peter Draven gebrochen und sind zu mir übergelaufen?«

Einen entsetzen Augenblick lang fürchtete Jacey, dass Nicolás genau wusste, warum sie nach Guachtal gekommen war. Und auch, dass sie ihn ebenso benutzen wollte wie er sie.

Sie hatte ihre Gesichtszüge im Griff, deshalb sagte sie ruhig: »Ich wollte herausfinden, ob Sie wirklich so ein guter Liebhaber sind, wie viele behaupten.«

»Sie wissen, dass es stimmt. Mächtige Männer sind ein Quell der Erregung für Sie. Trotz aller Intelligenz und Ihrem qualifizierten Job verhalten Sie sich wie eine Hure. Sie wollen als Hure behandelt werden.« Er grinste kühl. »Peter Draven hätte Sie nach einer Woche gelangweilt. Deshalb haben Sie ihn bereitwillig gegen mich eingetauscht. Ich bin genau der richtige Mann für Sie. Sagen Sie mir, dass ich Unrecht habe, Dr. Muldaire.«

»Würden Sie mir glauben, wenn ich es sagte?«

»Nein. Ich kenne Sie besser als Sie sich selbst. Ziehen Sie jetzt Ihr Kleid aus.«

Sie lächelte. »Sie warten schon den ganzen Abend darauf, dass Sie diesen Satz sagen können, nicht wahr?«

»Ich habe mich den ganzen Abend darauf gefreut, Ihnen zuzusehen, wie Sie es ausziehen«, stimmte er zu. »Ich hatte keine Gelegenheit, Sie bei unserem kleinen tête à tête auf der Party genau in Augenschein zu nehmen. Jetzt habe ich keine anderen Verpflichtungen.«

Jacey stellte ihr Weinglas ab, langte auf ihren Rücken und zog den Reißverschluss auf. Sie ließ sich Zeit dabei und drehte sich langsam, bis sie Nicolás den Rücken zuwandte. Das Kleid glitt von ihren Schultern über die Brüste und auf die Hüften. Sie drehte sich wieder, tauchte die Hände unter die schwere grüne Seide des Rocks und zog ihn nach unten. Sie beugte den Oberkörper, sodass ihre Brüste verlockend schwangen. Der Rock raschelte, als er ihre Knie erreichte, dann noch einmal zu ihren Füßen.

Sie war erleichtert, dass die halterlosen Strümpfe nicht verrutscht waren, trat aus dem Kleid, hob es hoch und legte es über einen Stuhlrücken.

»Keine Strapse?«, fragte er und hörte sich enttäuscht an. »Wie halten die Strümpfe?«

»Elastik«, sagte sie, ging auf ihn zu und grätschte über seine ausgestreckten Beine. Langsam hob sie einen Fuß und stellte ihn auf die Sitzfläche des Sessels. Sie fuhr mit einem Finger über den Saum des Strumpfs, glitt darunter und zog ihn vom Bein weg. »Einfach, nicht wahr?«

»Genial«, sagte er, aber er schaute nicht auf ihre Strümpfe. Der Blick war auf die klamme grüne Seide gerichtet, die sich um die geschwollenen Lippen schmiegte und ihre Erregung verriet. Er drückte seine Fingerspitzen gegen ihren Bauch und schob sie zurück.

»Ausziehen«, befahl er abrupt.

»Die Strümpfe?«

Er stand auf und griff mit beiden Händen nach dem Seidenhöschen. »Nicht die Strümpfe.« Ein kurzer Ruck, und das Höschen lag auf dem Boden. Er setzte sich wieder hin. »Die Strümpfe sind nicht im Weg.«

Er legte die Hände auf ihre Hüften und zog sie zu sich, sodass sie wieder über seine Beine grätschte. Dann glitten seine Hände um sie herum, griffen ihre Backen und zogen Jacey noch näher heran. Seine Lippen berührten ihren Bauch, und sie spürte, wie seine Zunge den Nabel umkreiste, langsam, genießerisch, ehe sie in den roten Busch zwischen ihren Schenkel tauchte.

»Öffne deine Beine weiter«, raunte er. Sie spürte die Wärme seines Atems und versuchte, was er verlangte, aber ihre Füße rutschten weg.

»Ich kann nicht«, rief sie, »ich falle ...«

Er drückte sie plötzlich zurück, und im nächsten Augenblick fanden sie sich auf dem Boden wieder. »Knie dich über mich«, wies er sie an.

Sie gehorchte, die Knie auf der Höhe seiner Schultern. »Der Anzug wird schmutzig ...«

»Zum Teufel mit dem Anzug.« Er grinste. »Ich will Sie tanzen sehen, Dr. Muldaire.« Seine Hände griffen wieder nach ihren Hüften und zog sie so weit herunter, bis ihre Schenkel über seinem Gesicht lagen. »Tiefer«, sagte er. »Ich will dich schmecken.«

Sie spürte seine forschende Zunge. Seine Hände glitten an ihrem Leib entlang, bis die Finger ihre Nippel gefunden hatten, die er mit Drücken und Quetschen zu noch härteren Spitzen manipulierte.

Sie war überrascht. Sie hatte damit gerechnet, dass er sich hinlegen und ihr die Arbeit überlassen würde. Aber seine Zunge verwöhnte sie gekonnt, sie umkreiste den Kitzler und zog sich dann zurück, was sie veranlasste, ungeduldig das Becken zu heben und zu senken. Sie wollte ihn wieder an dieser Stelle spüren, die ihr die größte Lust brachte.

Sie hob die Hüften an und ließ sie ungeduldig kreisen. Sie hörte im Unterbewusstsein, dass er etwas sagte, aber sie verstand ihn nicht, ihre Sinne waren ausschließlich auf eine bevorstehende Erleichterung gerichtet.

Er packte ihre Handgelenke und brachte Jacey mit einer geschickten Drehung in die Rückenlage. Er zog den Reißverschluss seiner Hose mit einer Hand auf, dann spürte sie, wie seine Knie ihre Schenkel weiter spreizten. Sein Mund saugte an ihren Brüsten, und seine Wildheit verriet, dass er sich nicht mehr ganz unter Kontrolle hatte.

Ein animalischer Schrei drang tief aus seiner Kehle; es wurde deutlich, dass ihm jetzt seine eigene Lust näher war als ihre. Aber sie war so nass und erregt, dass der erste Stoß tief in sie eindrang und sie ausfüllte. Ihr ruckartig ausgestoßener Atem nahm seinen Rhythmus auf.

Im nächsten Augenblick zog er sich zurück. Sie stöhnte frustriert auf. Nicolás drehte sie erneut, diesmal auf Hände und Knie. Seine Erektion federte, als er sie zwischen ihre Backen schob. Eine Hand glitt unter sie und spielte mit ihren Brüsten, während die andere ihren Kitzler reizte. Sie spürte, wie sich die lustvollen Gefühle in ihr wieder aufbauten. Als er in sie eindrang und zwischen ihre Backen stieß, hörte sie, wie sie jeden Stoß mit einem Stöhnen begleitete.

»Gefällt es dir, Jacey?« Seine Lippen nagten in ihrem Nacken. »Magst du es auch auf diese Weise?«

Sie presste stöhnend ihre Zustimmung heraus, überrascht darüber, wie heftig dieser Mann sie erregen konnte. Wieder zog er sich zurück, und wieder drehte er sie. Ihr Körper war mit einem dicken Schweißfilm überzogen, und sie fühlte sich so erschöpft, als hätte sie einen Marathon hinter sich.

Durch halb geschlossene Lider konnte sie sein Gesicht sehen. Er lächelte, und zum ersten Mal sah sie, dass seine Haare zerzaust waren.

»Willst du kommen, Jacey?« Seine Lippen waren dicht an ihrem Ohr. »Bitte mich nett darum. Du bist erschöpft, nicht wahr? Ich bringe dir deinen Orgasmus, aber du musst mich darum bitten.« Wieder drang er in sie ein. »Wenn nicht – ich halte das eine sehr lange Zeit durch.«

»Ich habe es dir schon mal gesagt«, stieß sie keuchend hervor, »ich bitte nicht.«

Sie hörte ihn lachen und versuchte, ihre Muskeln zusammen zu ziehen, damit er tiefer eindringen musste. Ob sie es schaffen würde, ihm einen Orgasmus gegen seinen Willen zu beschaffen? Sie bezweifelte es. Er frustrierte sie, indem er kleine, kurze Stöße ausführte. Sie kämpften noch eine Weile um die Vorherrschaft, bis Jacey plötzlich einen überwältigenden Drang verspürte, dem sie nicht länger widerstehen konnte, auch wenn es bedeutete, dass sie sich geschlagen gab.

»Ja«, stöhnte sie, »ja, bitte, jetzt.«

Sein Rhythmus wechselte sofort und passte sich ihrem an, statt sich ihm wie bisher zu widersetzen. Sie schloss die Augen und spürte, wie er mit den Fingern die Labien entlang fuhr und oben die geschwollene Knospe der Klitoris drückte. Die plötzliche Intensität des Orgasmus ließ ihr schwarz vor Augen werden. Sie spürte noch, dass er mit ihr gekommen war.

Sie fühlte sich glücklich erschöpft, auch wenn sie den Verdacht hatte, dass er dem eigenen Orgasmus viel näher gewesen war, als er ihr glauben machte wollte.

Er half ihr zu einem Sessel und richtete seine Kleidung wieder her. Sie lag ausgestreckt da, die

Augen geschlossen. Sie hörte, wie er den Barschrank wieder öffnete, hörte das Klingen der Flaschen, und dann spürte sie, wie er ein Glas in ihre Hand drückte.

Sie nippte mit immer noch geschlossenen Augen am Wein und seufzte. Dies ist wirklich die entspannendste und befriedigendste Art, sich zu erschöpfen, dachte sie. Jetzt müsste es nur noch jemanden geben, der sie in ein breites Bett hob. Sie würde sofort einschlafen.

»Der Wagen wird in fünf Minuten hier sein«, sagte Nicolás. »Zieh dich wieder an.«

Der abrupte Befehl brachte sie zurück in die Wirklichkeit. Sie schlug die Augen auf. »Das war's also?«

Er lächelte zynisch. »Was soll denn sonst noch sein, Jacey? Ich habe dir gesagt, du sollst nichts Romantisches erwarten. Romantik gibt es in dieser Beziehung nicht. Du wolltest Sex, und ich wollte Sex. Hat es dir nicht gefallen?«

»Doch.«

Er schenkte sich ein Glas Wein ein, während sie in ihr Kleid stieg. Die Seide blieb an ihrer verschwitzten Haut haften.

»Das sagen alle meine Frauen«, sagte er.

»Nicht schon wieder eine aufregende Einladung?« Ingrid setzte sich mit einer Backe auf Jaceys Schreibtisch und sah zu, wie die Kollegin ihre Morgenpost öffnete.

»Ja, wieder eine Einladung zu einer langweiligen Angelegenheit«, murmelte Jacey.

»Es ist erstaunlich, welche Auswirkungen Sex mit dem richtigen Mann auf dein gesellschaftliches Leben hat«, bemerkte Ingrid. »Ich hoffe, du beeilst dich mit Nicolás Schlemann und übergibst ihn dann an mich.«

Jacey lachte. »Ich weiß nicht, ob Nicolás zustimmen würde, wenn ich ihn als Geschenk weiter reiche«, sagte sie. Zu ihrer Überraschung fand sie es unmöglich, Ingrid Gustaffsen nicht zu mögen. Die Schwedin hatte schon kurze Affären mit Patienten im *Primavera* gehabt, männlich und weiblich. Daneben war sie auch eine gute Ärztin, und Jacey versuchte sie zu überzeugen, einen Teil ihrer Freizeit im *El Invierno* zu verbringen.

»Wenn ich ihm guten Sex biete, wird Nicolás nichts dagegen haben. Und ich biete immer guten Sex.« Ingrid schlug die langen Beine übereinander. »Was mag er besonders? Du musst es mir sagen, bitte. Wenn es etwas ist, was ich noch nie getan habe, werde ich es lernen.«

»Aus dem, was ich bisher von dir gehört habe, muss ich schließen, dass es nichts gibt, was du noch nicht getan hast«, bemerkte Jacey trocken.

»Oh, du kannst einem so wunderschön schmeicheln.« Ingrid lachte. »Aber solche Komplimente machst du mir nur, weil du mich mit in dein kleines verlottertes Krankenhaus zerren willst. Es hat was mit Schuldgefühlen zu tun, weißt du das? Du klatschst ein paar Salben auf Wunden und legst Verbände an, um dein schlechtes Gewissen zu unterdrücken, dass du hier so viel Geld verdienst.«

Sie sah mit Entsetzen, wie Jacey eine weitere Einladung in den Papierkorb warf. »Gibt es denn überhaupt keine Einladung, die du annimmst?« Dann fügte sie rasch hinzu: »Und zu der du mich mitnehmen kannst?«

Jacey lachte. »Also gut«, sagte sie und hielt Ingrid eine Einladung auf handgeschöpftem Büttenpapier hin. »Ein Polospiel. Ein hübscher Nachmittag in der frischen Luft.«

»Hört sich fabelhaft an. Viele wohlhabende junge Männer in engen weißen Hosen. Wird Nicolás auch da sein?«

»In engen weißen Hosen?« Jacey grinste. »Vielleicht.«

»Und du wirst mich ihm vorstellen?«

»Vielleicht.«

Jacey wusste nicht einmal, wo das Polofeld lag, aber Ingrid hatte alle erforderlichen Einzelheiten herausgefunden und eine Limousine bestellt. Sie war sauer, als Jacey darauf bestand, Paulo als Chauffeur zu nehmen.

»Sein Auto ist eine Rostlaube«, murrte Ingrid.

»Es fährt und ist sauber«, widersprach Jacey. »Und Paulo braucht das Geld.«

»Du bist ein einziger Wohltätigkeitsverein«, knurrte Ingrid. »Er wird trotzdem ein dickes Trinkgeld erwarten.«

Paulo schien erfreut, Jacey wieder zu sehen, aber sie spürte, dass dies eher eine geschäftsmäßige Höflichkeit war. Ganz offensichtlich hatte er von ihrer Beziehung zu Schlemann gehört, und wie sie erwartet hatte, veränderte es ihr ursprünglich lockeres, offenes Verhältnis. Paulo war jetzt wachsam und misstrauisch. Obwohl sie im *El Invierno* arbeitete, war sie ins Lager des Feindes übergelaufen.

Aber nicht für immer, dachte Jacey. In ein paar Wochen wird wieder alles anders sein. Dann werde ich nicht mehr Nicolás Schlemanns Frau sein, und dann brauche ich Leute wie den lieben Paulo, um Rache zu nehmen.

Als sie den Polo-Club erreichten, amüsierte es Jacey zu sehen, wie Ingrid zu Paulo ans Fenster trat und ihm ein paar Scheine in die Hand drückte.

»Ich bezweifle, dass Paulo so viel erwartet hat«, sagte Jacey lachend, als Ingrid zu ihr aufgeschlossen hatte.

»Ich wollte nur sicher gehen, dass er hier ist, um dich nach Hause zu bringen«, sagte Ingrid.

»Du meinst, uns nach Hause zu bringen.«

»Ich habe die Absicht, mit was Aufregendem nach Hause zu gehen«, verkündete Ingrid. »Ich würde mir am liebsten einen hübschen, drahtigen Polospieler angeln.«

Wenn sie diesen Ehrgeiz hatte, wunderte sich Jacey darüber, dass Ingrid sich nicht fraulicher gekleidet hatte. Sie trug einen blassen Leinenanzug, streng und maskulin geschnitten, und dazu einen breitrandigen Hut, ebenfalls aus Leinen. Jacey hatte sich für ein Sommerkleid in einem kleingemusterten Seidenstoff entschieden. Der weite Rock wurde vom Wind gegen Hüften und Schenkel gedrückt. Sie hatte die Haare herunter gelassen und trug einen schlichten Strohhut, um ihr Gesicht vor der Sonne zu schützen.

Sie hatte schon befürchtet, dass sie nicht standesgemäß gekleidet sein könnte, aber als sie das Clubgelände betrat, erkannte sie, eine kluge Wahl getroffen zu haben. Die meisten anderen Frauen trugen luftige Sommerkleider, nur ein paar ältere sahen aus, als wollten sie an einem Festessen teilnehmen.

»Dr. Muldaire.« Ein lächelnder Mann mittleren Alters kam ihr entgegen. »Ich bin Enrico d'Osolo. Wir haben uns auf dem Ball des Generalissimo kennen gelernt. Erinnern Sie sich? Sie waren so liebenswürdig, mit mir zu tanzen.«

»Natürlich erinnere ich mich«, sagte Jacey. »Es war sehr freundlich, mich zu diesem Spiel einzuladen.« Sie sah, wie d'Osolos Blick zu Ingrid huschte. »Das ist Dr. Ingrid Gustaffsen«, sagte sie. »Sie arbeitet auch im *Primavera*, und sie interessiert sich sehr für Polo.«

»Wirklich?« Senor d'Osolo betrachtete sie skeptisch. »Spielen Sie selbst, Dr. Gustaffsen?«

»Nein«, antwortete Ingrid fröhlich, »ich finde es nur schrecklich aufregend, all diese Männer in Stiefeln zu sehen. Und dann haben sie auch noch Peitschen. Oh, macht das Spaß.«

Senor d'Osolo musste schlucken und wandte sich wieder an Jacey. »Senor Schlemann wird natürlich spielen. Sein Team ist der Favorit.«

»Wenn Senor Schlemann spielt, kann ich mir das gut vorstellen.« Nachdem d'Osolo ihnen ein Glas Champagner gereicht hatte, entschuldigte er sich und ging weiter. Jacey wandte sich an Ingrid, halb verärgert, halb amüsiert. »Schäm dich, du hast den armen Mann in Verlegenheit gebracht.«

»Unsinn«, sagte Ingrid. »Ihm ist bestimmt die Hose zu eng geworden. Hast du nicht gesehen, wie breitbeinig er von uns gegangen ist? Wann immer er jetzt einen Polospieler sieht, erinnert er sich an das, was ich gesagt habe, und dann stellt er sich vor, dass ich von einem sexy Spieler in Stiefeln ausgepeitscht werde.« Sie dachte nach. »Oder vielleicht stellt er sich vor, dass ich ihn auspeitsche.«

»Es wird ihn eher daran erinnern, dir Platzverbot zu erteilen«, sagte Jacey. Sie schaute sich um und sah zwei große, bullige Männer vor der Tür zum Clubraum stehen. Nicolás' schwere Jungs. »Sieh dir mal die beiden Typen da drüben an«, murmelte sie,

»wenn du dich nicht benimmst, lasse ich dich von denen rauswerfen.«

»Wirklich?« Ingrid schaute über Jaceys Schulter und musterte die Männer. »Du meinst diese Affen in Anzügen? Wer sind sie?«

»Sicherheit«, erklärte Jacey. »Sie arbeiten für Nicolás.«

»Sie haben so etwas wie einen primitiven Charme«, sagte Ingrid. »Kannst du dir vorstellen, wie sie im Bett sind?«

»Dr. Muldaire«, hörte sie hinter sich eine vertraute Stimme in englischer Sprache, »bitte, sagen Sie mir, dass Sie mir vergeben haben.«

Jacey drehte sich um und stand Raoul Márquez gegenüber. Er trug schon die Polokluft, und Jacey musste zugeben, dass er äußerst attraktiv aussah. Aus den Augenwinkeln sah sie an Ingrids Lächeln, dass die schwedische Ärztin sich ihrer Meinung anschloss.

»Warum sollte Jacey Ihnen vergeben?«, fragte Ingrid neugierig.

Raoul bedachte sie mit seinem charmantesten Lächeln. »Ich habe die Ärztin beleidigt. Sie hat mich derart überwältigt, dass ich mich ihr geradezu aufgedrängt habe.«

»Und das hat sie beleidigt?« Ingrid verdrehte die Augen. »Wie sonderbar.«

Raoul lächelte, aber bevor Ingrid weitere Fragen stellen konnte, ging Jacey rasch dazwischen. »Ich habe Ihnen vergeben, Raoul. Es war alles nur ein Missverständnis.« Sie lächelte strahlend. »Dies ist meine Kollegin Dr. Ingrid Gustaffsen. Sie arbeitet auch im *Primavera*.«

Raoul streckte seine Hand aus. »Ich habe von Ihnen gehört. Die schöne Ärztin mit Haaren wie gesponnenes Gold.« Er hielt ihre Hand fest und sah sie mit ergebenem Hundeblick an. »Wenn ich heute verletzt werde, pflegen Sie mich dann?«

»Selbst wenn Sie sich nicht verletzen, werde ich Sie pflegen«, bot Ingrid an. »Ich bin auch eine gute Krankenschwester.«

Raoul lächelte. »Sie sind eine sehr freie Senorita«, sagte er. »Aber ich bin ein Romantiker. Ich möchte in einem großen Himmelbett Liebe machen, die Fenster müssen weit offen stehen, und das Mondlicht soll hereinstrahlen.«

»Ja, das könnte mir auch gefallen«, meinte Ingrid. »Auch wenn es was Neues wäre.«

Jacey drückte ihr leeres Glas in Ingrids Hand. »Sei so lieb und besorge mir noch einen Drink.«

Ingrid begriff und schlenderte davon. Jacey wandte sich wieder an Raoul.

»Hören Sie, es stimmt, dass ich auf der Party wütend auf Sie war, aber das ist Vergangenheit. Wissen Sie, dass Peter zurück nach England geflogen ist und ich mit Nicolás zusammen bin?«

»Jeder weiß, dass Sie mit Nicolás zusammen sind«, sagte Raoul bedauernd. »Ich kann mir nicht vorstellen warum. Sie hätten mich haben können. Warum waren Sie so wütend auf mich?«

»Ich mag es nicht, wenn ich manipuliert werde.«

Er sah sie überrascht an. »Ich wollte mit Ihnen Liebe machen. Ist das Manipulation?«

»Peter wollte, dass ich mit ihm zur Party gehe«, sagte Jacey. »Er wollte mich zu Ihnen ins Bett schieben. Und Sie haben ihm wahrscheinlich den Auftrag dazu gegeben. Das ist Manipulation.«

»Ich weiß nichts von Peters Motiven«, sagte Raoul. »Ich kenne nur meine eigenen.« Er sah sie wieder an. »Ich würde Sie nicht auf diese Weise beleidigen, und es schmerzt mich, dass Sie das von mir glauben.«

Jacey starrte ihn verdutzt an. Sie hatte das Gefühl, dass er die Wahrheit sprach. Sie erinnerte sich, dass Carmen ihn in höchsten Tönen gepriesen hatte. Süß und romantisch hatte sie ihn genannt. Er hätte nur das Problem, zu viele Filme gesehen zu haben, denn jetzt glaubte er, die Welt sei eine Schlacht zwischen den guten und den bösen Buben.

»Vielleicht habe ich Ihnen Unrecht getan«, räumte Jacey ein.

»Das haben Sie«, sagte er, »wenn Sie das von mir gedacht haben. Aber Missverständnisse kann man verzeihen. Vielleicht können wir gute Freunde sein?«

»Nur gute Freunde?«, neckte sie.

»Natürlich«, sagte er. »Ich glaube an Freundschaften zwischen Männern und Frauen. Ich würde Sie gern zum Abendessen einladen, aber ich bin sicher, das würde Nicolás nicht gefallen.«

»Sie sind nicht befreundet, nicht wahr?«

»Wir sind Todfeinde«, antwortete Raoul dramatisch. »Heute streiten wir uns auf dem Polofeld. In der Zukunft – wer weiß? Regierungen sind nicht unzerstörbar.«

»Sie wollen sich doch nicht gegen Hernandez stellen?«, fragte Jacey.

»Hernandez ist ein Narr«, sagte Raoul. »Ein schwacher Narr. Aber er ist nicht schlecht, nicht böse. Nicolás Schlemann ist ein ganz anderer Fall.«

»Er hat viel Macht.«

»Die Familie Márquez ist viel länger in Guachtal als er.« Raouls Stimme klang kalt. »Und sie wird noch hier sein, wenn er längst verschwunden ist, glauben Sie mir.«

»Ist das kein Risiko für Sie, mir das alles zu erzählen?«, fragte Jacey. »Ich könnte es weiter sagen.«

Raoul lachte, und die Stimmung zwischen ihnen

hellte sich auf. »Das würden Sie nicht tun. Sie sind zu schön, um verräterisch zu sein.« Er hob die Schultern. »Und Sie würden Nicolás nichts sagen, was er nicht schon wüsste.«

»Sie würden also Loháquin unterstützen?«, fragte sie lauernd. »Sie würden auf der Seite der Revolution stehen?«

Raoul lachte wieder. »Ich unterstütze mein Land. Ich bin Patriot.« Er schaute auf die Uhr. »Und ich bin auch der Captain meines Teams. Ich muss gehen.« Er nahm ihre Hand und küsste ihre Finger. »Werden Sie mir verzeihen, wenn mein Team gegen Ihren Geliebten gewinnt?«

»Mir hat man gesagt, dass Nicolás gewinnen wird.«

Raoul grinste. »Wenn der beste Mann gewinnt, wie Sie in England sagen, dann muss ich der Sieger sein. Nun, wir werden sehen.«

Ingrid kehrte zu Jacey zurück. »Was für ein hübscher Junge«, sagte sie. »Nur schade, dass er spricht wie jemand aus einem schlechten Liebesroman. Und ist das, was ich da als Beule in seiner Hose gesehen habe, alles echt?«

»Ich habe keine Ahnung.«

»Aber du warst doch mit ihm im Bett?« Ingrid schüttelte verwirrt den Kopf. »Hat er nicht gesagt, er hätte sich dir aufgedrängt?«

»Er hat es versucht«, sagte Jacey. »Aber ich habe nein gesagt.«

»Bist du verrückt?« Ingrid starrte die Kollegin entsetzt an. »Er ist schön. Stell dir vor, welchen Spaß du mit ihm haben könntest, wenn du ihn als Frau kleidest.«

Jetzt war es an Jacey, verdutzt zu schauen. »Und das soll Spaß bringen?«

»Oh, ja.« Ingrid hatte ein neues Thema gefunden. »Es ist sexy. Hast du nie das Spiel gespielt? Männer lieben es. Ich hatte mal einen Mann in den Staaten, der wurde schon hart, wenn ich ihm erzählte, wie ich ihm Seidenstrümpfe und Strapse anziehe, wie ich ihn schminke und ...«

»Ich glaube, ich müsste laut lachen«, unterbrach Jacey.

»Na und? Es braucht im Bett doch nicht immer ernst zuzugehen. Glaube mir, es törnt ungeheuer an, es mit einem Mann in Frauenunterwäsche zu treiben. Sie lesen einem jeden Wunsch von den Augen ab, es ist, als hätte man einen Sklaven. Und dein Freund wäre ideal dafür, er ist viel zu schön für einen Mann.«

Sie hörten Beifall und gingen hinüber zum breiten Fenster. Die beiden Teams waren schon auf dem Feld. Es war schwierig, aus dieser Entfernung die Gesichter zu erkennen, aber Jacey glaubte, Nicolás ausgemacht zu haben.

»Lass uns hinausgehen«, sagte sie.

Sie fanden einen Tisch im Schatten eines breiten Sonnenschirms. Ein Kellner trat mit einem Tablett voller Getränke zu ihnen und verbeugte sich ehrerbietig. »Mit besten Wünschen von Senor d'Osolo. Erfrischungen für Dr. Muldaire und Dr. Gustaffsen.«

»Puh«, sagte Ingrid, als sie ihre langen Beine unter den Tisch gestreckt hatte, »so stelle ich mir das Leben vor.« Sie schaute aufs Feld und sah den preschenden Pferden zu. »Verstehst du, um was es bei dem Spiel geht?«

»Nicht wirklich«, gab Jacey zu. »Sie spielen eine bestimmte Anzahl von Chukker und versuchen, Tore zu erzielen.«

»Wie Fußball, nur zu Pferde?« Ingrid hob die Schultern. »Na gut, ist bestimmt aufregend. Lass uns über etwas Interessanteres reden. Zum Beispiel über deinen hübschen Freund. Deinen hübschen, reichen Freund.« Es gab wieder Beifall von der Menge. »Da hat jemand ein Tor geschossen«, nahm Ingrid an. »Bravo. Dein Freund ist doch reich?«

»Ich glaube ja«, sagte Jacey. »Aber ich weiß nicht, ob ich Raoul meinen Freund nennen würde.«

Noch nicht, dachte sie. Aber bald wird er es sein. Wenn Loháquin auch in der Oberschicht seine Anhänger findet und Raoul etwas über ihn weiß, dann muss ich die Freundschaft zu ihm pflegen.

Ingrid sagte: »Die Pferde rennen nicht mehr. Glaubst du, es hat sich jemand verletzt?«

»Es ist das Ende des ersten Chukkers, Senorita.« Der Kellner hatte Ingrids Frage gehört und klärte auf. »Die Spieler machen eine Rast von drei Minuten, dann beginnt die zweite Spielzeit, die wieder sieben Minuten dauert.«

»Du brauchst also noch nicht aufs Feld zu laufen, um dein Geschick als Ärztin zu beweisen«, murmelte Jacey, nachdem der Kellner außer Hörweite war.

Die beiden Frauen vertrieben sich die Langeweile, indem sie sich gegenseitig über ihre Studien- und Assistenzzeiten erzählten. Dabei verging die Zeit wie im Fluge. Am lauten Beifall hörten sie, dass das Spiel zu Ende war.

Senor d'Osolo näherte sich Jacey und reichte ihr einen Zettel. »Von Senor Schlemann, Dr. Muldaire.« Er lächelte kriecherisch. »Ich glaube, er möchte Ihnen eine Gelegenheit geben, ihm zu gratulieren.«

»Hat sein Team gewonnen?«, fragte Ingrid.

»Natürlich.«

Ingrid wandte sich an Jacey. »Glaubst du, dass dein hübscher Freund ihn hat gewinnen lassen?«

»Das würde Raoul niemals tun«, sagte Jacey. »Nein, das wäre ausgeschlossen.«

»Dein Nicolás scheint wirklich alles zu bekommen, was er will«, meinte Ingrid. »Jacey, soll ich auf dich warten?«

»Natürlich.« Sie warf einen Blick auf den Zettel. »Nicolás ist in der Spielerbar. Ich werde ihm nur sagen, wie wunderbar er war, dann komme ich zurück.«

»Na, na«, neckte Ingrid. »Das ist keine Art, über den Herrn und Meister zu sprechen.«

»Da er es nicht einmal für nötig gehalten hat, mich zu diesem Spiel einzuladen, ist es fast eine Unverschämtheit, dass er nun auf Befehl meine Gratulation entgegennehmen will.«

In der Spielerbar ging es hoch her. Einige Spieler saßen mit Frau und Kindern an einem langen Tisch und diskutierten das Spiel, andere standen mit ihren Freundinnen oder auch allein an der Theke. Der Geräuschpegel war hoch, als Jacey eintrat, aber dann brach er abrupt ab.

»Ich suche Nicolás«, sagte sie.

»Das habe ich mir gedacht.« Einer der Spieler grinste herablassend, und sie hasste ihn dafür. Er wies auf eine Tür. »Dahinter, Dr. Muldaire.«

Sie fand sich in einem schmalen Flur wieder, dessen Wände mit dunklen Holzpaneelen verkleidet waren. Direkt gegenüber gab es eine weitere Tür. Jacey öffnete sie und stand im Umkleideraum, die Paneele so dunkel wie im Flur, unterbrochen nur durch gerahmte Bilder von Polospielern und Spielszenen.

Nicolás lehnte gegen einem der Spinde aus poliertem Holz. Sein Polohemd war feucht vom Schweiß, und seine kniehohen Stiefel waren mit Dreck bespritzt. Trotz seines zerzausten Aussehens empfand Jacey bei seinem Anblick einen sexuellen Kick. Seine engen weißen Breeches schmiegten sich wie eine zweite Haut um die schlanken Schenkel und die deutlich sichtbare Beule im Schritt.

Jacey schaute absichtlich in sein Gesicht. »Man hat mir gesagt, dass ich gratulieren soll.«

»Ich nehme Gratulationen an«, sagte er. »Wir haben gewonnen. Aber deshalb habe ich dich nicht zu mir bestellt.« Er lehnte sich mit dem Rücken zum Spind und zog langsam den Reißverschluss seiner Breeches auf. Während sie zuschaute, befreite er sich vom Suspensorium, das er beim Spiel zu seinem Schutz trug, dann legte er Penis und Hoden frei. Er war halb steif.

»Komm her«, sagte er.

Unwillkürlich trat sie einen Schritt vor. »Nein, nicht«, sagte sie. »Die Tür ist nicht abgeschlossen. Jemand könnte hereinkommen.«

Er lächelte kurz. »Niemand wird kommen. Sie wissen, dass ich hier bin, und sie wissen, dass du hier bist. Und sie wissen warum.« Er fuhr mit seiner Hand am Glied entlang. »Wie wär's mit deinem Mund, Doktor?«

Jacey trat näher. Sie sagte sich, es gehörte mit zu dem Plan, an dessen Ende sie die Siegerin sein würde, aber sie wusste auch, dass sie die Szene genießen würde. Sie roch Leder und den würzigen, männlichen Geruch seines Schweißes. Seine überwältigende Männlichkeit war ein extrem potentes Aphrodisiakum.

Sie kniete sich vor ihn und nahm ihn in den Mund. Sie spürte, wie ein Schauer durch seinen Körper lief. Er spreizte die Beine und krümmte den Rücken. Sie bewegte die Lippen und koste ihn mit der Zunge.

»So ist es richtig«, murmelte er. »Hübsch langsam. Es soll lange dauern, Jacey.«

Sie versuchte, diesem Wunsch nachzukommen,

aber seine Erregung klomm viel rascher, als sie erwartet hatte. Plötzlich waren seine Hände auf ihrem Kopf, während seine Hüften vor und zurück stießen. Er füllte ihren Mund und ihre Kehle, und für einen Moment glaubte sie zu ersticken. Sie hörte seine herausgestoßenen Seufzer der Erleichterung.

Er brauchte eine Weile, bis er sich erholt hatte. Er brachte seine Kleider in Ordnung und grinste sie an. »Der Nektar des Siegers«, sagte er.

»Das ist in Ordnung, so lange du nicht erwartest, dass ich alle Sieger auf diese Weise belohne.«

Er legte die Hände auf ihre Schultern, und sie spürte, wie sich seine Finger in ihre Haut bohrten. »Hättest du was dagegen?« Sie sah das Glitzern in seinen Augen.

»Ich entscheide, mit wem ich Sex habe.«

»Aber du hast es schon mehrmals mit einem Mann getrieben, den du eben erst kennen gelernt hast«, sagte er. »Deshalb bist du nicht anders als eine Hure.«

»Eine Hure tat es für Geld«, sagte Jacey. »Für sie ist es Arbeit. Wenn ich es mit einem Mann treibe, den ich eben erst kennen gelernt habe, dann wegen der Lust. Weil ich ihn mag. Es ist meine eigene Entscheidung.«

Sie trat aus seinem Griff heraus. »Mein Körper, meine Entscheidung.« Plötzlich setzte ihre geschulte Erinnerung ein. »Du hast mir das schon mal vorgeworfen«, sagte sie. »Denkst du an eine bestimmte Szene?«

»Du hast es verdammt rasch mit Peter Draven getrieben«, sagte er. »Im OP von *La Primavera*.«

»Du hast uns beobachtet?« Sie spürte, wie ihr Zorn anschwoll. »Was für ein mieser kleiner Trick.«

Er hob die Schultern und lachte. »Ich bin ein viel beschäftigter Mann. Ich kann es mir nicht leisten,

Zeit mit einer Frau zu verschwenden, bei der es sich nicht lohnt. Deshalb sehe ich meine Frauen gern in Aktion, ehe ich sie selbst ausprobiere.«

Sie schlug ihn ohne nachzudenken ins Gesicht. Der Schlag war härter, als sie wollte, er klatschte wie ein Pistolenschuss, und sein Kopf ruckte in den Nacken. Sie bereute ihre Impulsivität sofort. Was, wenn er zurückschlug? Dass er dazu fähig war, traute sie ihm durchaus zu.

Sollte sie für diesen Fall ihre Kampfsportkniffe einsetzen, um sich zu verteidigen? Vielleicht würde Widerstand ihn noch mehr reizen, und sie war nicht einmal sicher, ob ihre Tricks gegen ihn ausreichten.

In diesem kurzen Augenblick, als sie vor ihm stand und sah, wie er überrascht eine Hand zum Gesicht hob und sich über die Wange fuhr, erkannte sie, wie wehrlos sie war. Hier in Guachtal war Nicolás Schlemann das Gesetz. Er hätte sie wahrscheinlich ungestraft ermorden können.

Er war in der Lage, alle diplomatischen Ermittlungen zu blockieren. Sicher, man würde eine Vermisstenakte eröffnen, aber nach Monaten der ergebnislosen Nachforschungen würde man sie schließen und in den Keller bringen, wo sie neben anderen ungelösten Fällen vermodern würde.

Nicolás lächelte, aber die Augen blickten ernst. »Das habe ich nicht verdient. Peter Draven war nur allzu bereit zu der kleinen Schau für mich. Und er hat sich auch stark gemacht, dich zur Party der Márquez mitzubringen.«

»Und wenn ich mich für Raoul entschieden hätte?«

Jetzt lächelte er auch mit den Augen. »Davor hatte ich keine Angst, Dr. Muldaire. Raoul würde dich langweilen. Du brauchst einen Mann wie mich. Du kommst gelaufen, wenn ich dich rufe, weil dir das gefällt.«

Er öffnete den Spind. »Jetzt muss ich mich umziehen. In einer Stunde habe ich ein Treffen mit Hernandez.«

»Wie wär's mit einem Treffen mit mir? Von meinem Standpunkt aus war dies hier nicht sehr befriedigend.«

Er grinste überlegen. »Ich rufe dich an. Wenn ich Zeit habe.« Er warf ein Badetuch über seine Schulter. »Halt dich zur Verfügung. Ich mag es nicht, wenn Frauen mich warten lassen. Besonders nicht, wenn ich Sex will.«

5. Kapitel

Jaceys Zorn hielt noch die nächsten Tage an. Es schmerzte, dass ihr Verdacht bestätigt worden war und Peter Draven sie – aus welchen Gründen auch immer – benutzt hatte. Es gab keine Entschuldigung. Ich habe ihm vertraut, und er hat mich benutzt. Wie Faisal, dachte sie.

Sie wollte sich nicht an Faisal erinnern, aber sie konnte ihn jetzt, da er sich in ihr Gedächtnis geschlichen hatte, nicht verbannen. Bei ihrem letzten Treffen hatte er zwischen seiner eisig schönen Mutter und seinem Vater gesessen. Faisal hörte stumm zu, als seine Eltern das Urteil über sie fällten. Er hat ganz gelassen da gesessen, als sie ihr mitteilten, wie sie ihr Leben ruinieren würden. Damals hatte sie ihn zu hassen begonnen. Und sich gefragt, wie sie ihn jemals attraktiv finden konnte. Und warum sie je geglaubt hatte, in ihn verliebt zu sein.

Sie erinnerte sich an den kalten, harten Knoten der Wut in ihrem Bauch, als sie begriff, wie hilflos sie war. Faisals Familie konnte mit ihr anstellen, was sie wollte. Jacey befand sich in einem fremden Land. Nackt, hilflos, frustriert und voller Wut. Sie gelobte sich, nie wieder in eine solche Situation zu geraten. In Zukunft würde sie ihr eigenes Leben beherrschen.

Und sie hatte sich gelobt, sich nie wieder zu verlieben. In den ersten Jahren war es einfach gewesen, sich daran zu halten; sie hatte ihr Studium wieder aufgenommen, schloss es erfolgreich ab und wurde eine der vielen überarbeiteten Assistenzärzte im Krankenhaus.

Während dieser Periode gab es keine Zeit für Romantik, selbst wenn sie gewollt hätte. Die knapp bemessene Freizeit verbrachte sie hauptsächlich mit Schlaf. Es gab den einen oder anderen One-Night-Stand mit anderen Ärzten, aber sie bedeuteten ihr nichts. Anton war die erste längere Beziehung gewesen.

Sie lehnte sich auf ihrem Stuhl zurück und seufzte. Anton hatte ihr nie geglaubt, dass sie nicht an einer langfristigen Beziehung und erst recht nicht an einer Heirat interessiert war. Sein Problem war, dass er viel zu nett war. Wenn ich mit ihm verheiratet wäre, würde ich in ein paar Monaten zu Tode gelangweilt sein. Vielleicht hat Nicolás Recht, dachte Jacey, ich brauche das Unerwartete, eine Aufregung nach der nächsten. Für Sex brauche ich einen dominanten Mann, und im Alltag brauche ich meine Freiheit.

Als wollte sie einen Teil ihrer Frustration los werden, knallte sie eine Krankenkarte auf den Tisch. In diesem Augenblick kam Ingrid durch die Tür.

»Oh, je«, sagte Ingrid, »ist das ein Zeichen von prämenstrueller Anspannung?«

»Damit habe ich nichts zu tun.«

»Dann ist es Frust.« Ingrid hockte sich mit einer Backe auf die Kante von Jaceys Schreibtisch. »Du vermisst deinen sexy Freund, nicht wahr? Du siehst verspannt und nervös aus. Vergiss Nicolás. Geh heute Abend mit mir aus. Ich kenne einen hübschen kleinen Club. Wir können was essen und tanzen.«

»Ja, vielleicht.«

»Okay, also gegen acht.« Ingrid ging zur Tür. »Und wir nehmen natürlich deinen kleinen Paulo als Fahrer, damit wir dein soziales Gewissen besänftigen.«

Erst am Nachmittag dachte Jacey wieder an

Ingrids Vorschlag. Ja, es stimmte, sie fühlte sich nervös. Sie hatte viel zu oft an die Vergangenheit gedacht. Sie ist wie eine Wunde, die sich nur allzu bereitwillig wieder öffnet. Wird sie mich mein ganzes Leben begleiten?

Vielleicht war ein Abend mit Ingrid die richtige Medizin für ihren Zustand. Obwohl Jacey insgeheim befürchtete, dass die Kollegin sie in eine lesbische Kneipe oder in ein bisexuelles S&M-Verlies entführen wollte.

Später an diesem Abend leistete sie Ingrid im Stillen Abbitte. Sie befanden sich in einem diskreten Club, in dem eine einheimische Band Balladen aus den Sechziger und Siebziger Jahren spielte. Die Paare, die sich auf der Tanzfläche drehten, waren jung und gut angezogen. Der erfolgreiche Mittelstand von Techtátuan, dachte Jacey. Das Essen, eine Anzahl einheimischer Spezialitäten, war köstlich.

»Nun, was hältst du vom Club?«, fragte Ingrid, während sie in eine Schüssel mit verschiedenen Gemüsen griff, mit aromatischen Soßen gewürzt. »Es schmeckt wunderbar, nicht wahr? Die besten vegetarischen Gerichte der Stadt.«

»Es ist sehr gut.« Jacey hatte sich für ein Omelette entschieden, und sie konnte sich kaum erinnern, schon mal ein so aufregend gewürztes Omelette gegessen zu haben.

»Mir gefällt dieser Club«, sagte Ingrid, »weil er mich an meine Schulzeit erinnert.«

»Ja, mir gefällt er auch, aber es ist nicht das, was ich erwartet habe«, gestand Jacey.

»Was hast du erwartet?« Ingrid schenkte ihnen Wein nach.

»Etwas ... etwas weniger Orthodoxes«, sagte Jacey, ein wenig verlegen.

»Oh? Du meinst Lesbierinnen mit umgeschnallten Dildos?« Ingrid grinste. »Glaubst du denn, ich hätte nichts als Sex im Kopf?«

»Nun, man könnte den Eindruck haben.«

»Um ehrlich zu sein«, sagte Ingrid, »ich wüsste nicht, wo ich einen lesbischen Klub in dieser Stadt finden soll. Ich glaube auch nicht, dass ich das will. Im *Primavera* bin ich voll ausgelastet, was Sex angeht.«

Am nächsten Morgen brachte Ingrid einen Umschlag aus schwerem Pergament zu Jacey, der Inhalt war die Einladung zu einer Gartenparty bei Carlos Márquez.

»Eine Gartenparty?« Jacey las die Einladung und schaute dann verblüfft zu Ingrid auf. »Warum lädt Carlos Márquez mich zu seiner Gartenparty ein? Ich hatte eher den Eindruck, dass er mich nicht mag.«

»Kann sein«, sagte Ingrid. »Aber Raoul mag dich, und die Einladung kommt von ihm. Mich hat er auch eingeladen.« Sie lächelte. »Du solltest dich geschmeichelt fühlen. Normalerweise kostet dich eine solche Einladung ein oder zwei Monatsgehälter. Es ist eine Wohltätigkeitsveranstaltung. Mit dem Erlös schickt man Esspakete an die Indios im Regenwald.«

»Und das geht von Carlos aus?«, fragte Jacey verdutzt.

»Es ist eine Tradition«, erläuterte Ingrid, »die von seiner Mutter begonnen wurde. Sie muss eine interessante Person gewesen sein. Eine Schande, dass sie tot ist. Ich hätte sie gern kennen gelernt.«

»Ich kenne ihre Tante«, sagte Jacey. »Sie behauptet, dass Juanita noch lebt.«

»Vielleicht stimmt das. Schließlich hat man ihre Leiche nie gefunden, nicht wahr?«

»Nun, es muss leicht sein, im Regenwald eine Leiche zu verlieren«, sagte Jacey.

»Ja«, sagte Ingrid. »Nicolás Schlemann könnte das gewiss arrangieren.«

»Warum sollte er?«, fragte Jacey.

»Er mag keine Opposition«, antwortete Ingrid, »erst recht nicht von Frauen. Man hat mir gesagt, dass Juanita die Anhänger Loháquins nach dem Tod ihres Mannes finanziell unterstützt hat. Und mutig, wie sie war oder ist, hat sie daraus kein Geheimnis gemacht.«

Jacey war sofort interessiert. »Das ist wirklich mutig. Aber vielleicht sind das nur Gerüchte.«

»Nun, die Wohltätigkeitsparty für die Essenspakete sind kein Gerücht«, sagte Ingrid. »Für mich steht fest, dass Juanita den Indios helfen wollte.«

Jacey fächerte sich mit der Einladungskarte Luft zu, während sie überlegte. Wenn Juanita Márquez wirklich etwas mit Loháquin zu tun hatte, dann würde Raoul mehr über den geheimnisvollen Regenwaldrebellen wissen, als er bisher zugegeben hatte. Vielleicht sollte ich beginnen, die Freundschaft zu ihm zu kultivieren, dachte sie. Und wenn Nicolás mich abserviert, habe ich eine bereitwillige Schulter, an der ich mich ausweinen kann – und vielleicht eine Spur zu Loháquin.

In einem riesigen Zelt, üppig mit Blumen und Girlanden geschmückt, waren Büffet und Bar aufgebaut.

Unter einem gestreiften Baldachin spielte eine Kapelle. Über einem Rasenstück war ein Tanzboden ausgelegt, begrenzt von Ketten mit Tausenden kleinen Lichtern.

Jacey hatte versucht, von Paulo etwas über die

Essenspakete zu erfahren, aber er schien nicht sehr beeindruckt zu sein.

»Ja, es ist eine hübsche Idee«, räumte er ein. »Senora Márquez war eine freundliche Dame. Aber die Indios leiden nur deshalb Hunger, weil sie gezwungen werden, in Reservaten zu leben. Sie sind Menschen des Regenwaldes, und wenn sie dort leben dürften, würden sie keinen Hunger leiden.«

»Warum wurden sie aus dem Regenwald weggeschafft?«, fragte Ingrid.

»Weil sie im Wege sind«, sagte Paulo. »Es laufen Gerüchte, dass man den Wald abholzen will.«

»Aber das ist bisher nicht geschehen«, wandte Jacey ein. »Es hat in ganz Guachtal bisher kein Abholzen gegeben. Man könnte die Indios also zurückgehen lassen.«

Sie sah, wie sich Paulos Hände um das Lenkrad verkrampften. Es gab ein kurzes Schweigen, ehe er antwortete: »Es wird geschehen. Es ist nur noch eine Frage der Zeit. Zuerst werden Straßen gebaut, dann werden sie mit dem Abholzen beginnen. Der Profit ist zu groß, dem können sie nicht widerstehen. Auch mein Dorf wird zerstört, und bald wird es keinen Regenwald mehr geben.«

»Und Loháquin wehrt sich dagegen?«, fragte Ingrid.

»Viele Menschen wehren sich dagegen«, sagte Paulo. »Nicht nur Loháquin, nicht nur Indios. Viele Menschen.«

»Aber das ganze Land wird davon profitieren«, meinte Ingrid.

»Einige bestimmte Leute werden davon profitieren«, stellte Paulo klar.

»Zum Beispiel Nicolás Schlemann?«, wollte Ingrid wissen.

»Bestimmte Leute«, wiederholte Paulo. »Aber nicht die Armen, nicht die Indios.«

Ingrid und Jacey hatten weitere Fragen gestellt, aber Paulo schüttelte nur den Kopf. Er wollte das Thema beenden. Jacey fing im Innenspiegel einige Male seinen Blick auf. Sie sah, dass ihre Gegenwart ihn verlegen machte. Das hast du davon, dass du Nicolás Schlemanns Freundin bist, dachte sie.

Später, als sie sich unter die anderen Partygäste begaben, fragte Ingrid: »Glaubst du, dass die Hilfe wirklich bei den Indios ankommt?«

»Wenn Raoul was damit zu tun hat, dann erhalten sie ihre Essenspakete«, sagte Jacey. »Aber es ist schrecklich, dass man sie aus ihrer Welt vertrieben hat.«

»Dein guter Freund Nicolás würde diesem Einwand wahrscheinlich entgegenhalten, dass dies etwas mit Fortschritt zu tun hat«, sagte Ingrid.

»Es ist Vandalismus«, gab Jacey zurück. »Es muss einen besseren Weg geben, die Wirtschaft anzukurbeln, als etwas Unwiederbringbares zu zerstören.«

»Lass das bloß nicht Nicolás hören. Ich bin sicher, dass er einen fetten Anteil von den Straßenbauern und Holzverwertern einsteckt.«

Jacey ahnte, dass es so war. Dann bohrte sich ein anderer Gedanke in ihr fest. Was war mit der britischen Regierung? Warum wollte Major Fairhaven eigentlich Informationen über die politische Situation in Guachtal? Weil er die Regierung in der Frage beraten sollte, ob das Land wirtschaftlich gesund war. Wenn ja, konnte man Investitionen empfehlen, wenn nein, ließen britische Firmen besser die Finger davon.

Wir sind alle gleich schlecht, dachte Jacey und verfiel in eine depressive Stimmung. Eine Bande von Heuchlern. Jetzt weiß ich, wie Loháquin fühlen muss.

»Oh, die beiden Damen haben Zeit gefunden, unsere Party zu besuchen.«

Jacey wandte sich um und sah Raoul Márquez vor sich stehen. Er trug einen eleganten hellen Leinenanzug und ein am Hals offenes Hemd. Er küsste Jaceys Hand und drehte sich zu Ingrid um. »Machen Sie heute einen glücklichen Mann aus mir? Verbringen sie die Nacht mit mir?«

»Sie wollen keine verruchte Frau wie mich«, sagte Ingrid lachend. »Ich würde Sie nur verderben.«

»Aber das würde ich genießen«, sagte Raoul ernst.

Jacey blickte über Raouls Schulter und sah einen schlanken jungen Mann, der auf sie zukam. Sein Körper bewegte sich locker und sprunghaft unter dem hellen Leinenanzug, aber im Gegensatz zu Raoul hatte man bei ihm den Eindruck, dass er sich hastig gekleidet hatte und sich in seiner Haut nicht wohl fühlte. Seine Haare waren dicht und schwarz und streng nach hinten gekämmt, und sein Gesicht verbreitete eine Verletzlichkeit, die Jacey zu ihrer Überraschung ansprach.

Raoul folgte Jaceys Blick. »Wo warst du denn so lange?«, fragte er den jungen Mann auf Spanisch. »Carlos hat dich gesucht.«

»Nun, jetzt bin ich hier.«

»Ich möchte Ihnen meinen kleinen unschuldigen Bruder vorstellen«, fuhr Raoul fort. »Das ist Leonardo, der Geselligkeit hasst und das auch jeden spüren lässt.«

»Ich habe nichts gegen Geselligkeit«, widersprach Leonardo. Er starrte Jacey an. »Es kommt nur darauf an, in wessen Gesellschaft ich bin.«

»Begrüße Dr. Muldaire«, sagte Raoul.

Leonardo streckte eine schmale Hand aus. »Ich freue mich, Sie zu sehen, Dr. Muldaire.«

»Sie sind ein schlechter Lügner«, gab sie lächelnd zurück. »Womit habe ich Sie verärgert?«

Sie fragte sich, warum sie seinen Mund so anziehend fand. Sie hatte noch nie etwas für jüngere Männer empfunden. Aber seine fein gezogenen Augenbrauen, die glatte Bräune und die fast zierlichen Hände waren schon recht verführerisch. Er sah unberührt, unverdorben und gereizt aus. Am liebsten hätte sie ihn durchgerüttelt. Oder, dachte sie, ich sollte ihm die Kleider vom Leib reißen und ihm den Hintern versohlen.

»Er ist ein Idealist«, sagte Raoul. »Sie wissen ja, wie es ist, wenn man jung ist.«

Jacey lächelte Raoul an. »Ich habe auch Sie für einen Idealisten gehalten.«

Raoul blickte plötzlich ernst. »Bin ich auch.« Er wich ihrem Blick nicht aus. »Aber ich bin vernünftig genug, um zu wissen, wer meine wahren Feinde sind. Das hat Leonardo bisher noch nicht gelernt.«

Leonardo hatte inzwischen Ingrids Hand geschüttelt und bedachte sie mit einem dünnen Lächeln. »Musst du mich immer als einen Idioten darstellen?«

»Wenn du Dr. Muldaire nicht magst, weil dir einige ihrer Freunde nicht gefallen«, sagte Raoul, »dann bist du ein Idiot.« Er lächelte plötzlich und gab seinem Bruder einen Klaps auf den Rücken. »Gehe zu Carlos, und dann kümmere dich bitte um Tante Ana. Und hör auf, so ein griesgrämiges Gesicht zu machen.«

Nachdem er gegangen war, sagte Raoul zu den beiden Frauen: »Er kann einem manchmal ganz schön auf den Geist gehen, mein kleiner Bruder.«

»So klein ist er auch wieder nicht«, stellte Ingrid fest. »Und er ist richtig süß. Ist er wirklich noch unschuldig? Vielleicht sollte ich ihm was beibringen.«

»Dr. Gustaffsen«, sagte Raoul, »es wäre viel schöner, wenn Sie mir etwas beibringen.«

»Bei Ihnen ist das nicht mehr nötig.«

»Steht Leonardo auch auf der Seite Loháquins? Wie Ihre Mutter?«, fragte Jacey.

Raoul hob die Schultern. »Leonardo unterstützt alles, was er für originell und ungewöhnlich hält. Und alles, von dem er glaubt, dass es Carlos und Schlemann ärgert. Auf diesem Gebiet ist er ganz gewiss wie meine verstorbene Mutter.«

Er könnte mich zu Loháquin führen, dachte sie. Aber dafür müsste er mir vertrauen, und das wird er nicht tun, so lange ich mit Nicolás zusammen bin.

Nachdem Raoul gegangen war, um sich anderen Gästen zu widmen, und Ingrid von einer drallen, dunkelhaarigen Frau am Ärmel weggezogen wurde, schlenderte Jacey durch den Garten und hoffte, Leonardo zu sehen. Ein paar Mal sah sie ihn aus der Ferne.

Irgendwann drehte sie sich um und sah, wie er sie aus zehn Schritt Entfernung anstarrte. Er wandte rasch den Blick, aber für einen Moment hatten sie sich in die Augen geschaut. Sein Ausdruck war immer noch ablehnend, aber sie erkannte auch einen Anflug von Neugier. Er hasst mich nicht so sehr, wie er vorgibt, dachte Jacey.

Sie beschloss, ihm zu folgen, bis sie eine Gelegenheit hatte, ihn zu stellen. Sie lächelte. Natürlich würde sie den Spieß umdrehen und ihm vorwerfen, sie zu verfolgen. Das würde ihn zwar ärgern, aber es war wenigstens der Beginn einer Unterhaltung.

Sie versuchte sich einzureden, dass sie diesen Plan nur deshalb entwickelte, um Informationen aus Leonardo herauszuholen, aber ihr war auch bewusst, dass es ihr Spaß machen würde. Keine Frage, dass Leonardos Brüder und seine Tante Ana (und seine Mutter zu Lebzeiten) ihn über alle Maßen verwöhnt hatten. Jetzt musste ihm jemand beibringen, wie man sich als Erwachsener benahm. Sie würde ihm beweisen, wie falsch es war, Menschen zu hastig zu verurteilen.

Als Leonardo sich von der Gruppe wegbewegte, wollte Jacey ihm folgen, aber in diesem Augenblick klingelte ihr Handy. Im ersten Moment wusste sie nicht, woher das sanfte Klingeln kam. Es war das erste Mal, seit sie im *Primavera* arbeitete, dass jemand sie übers Handy erreichen wollte.

Sofort waren ihre Gedanken bei der Arbeit und nicht mehr beim Spaß, den sie mit Leonardo haben würde. Sie war sicher, dass es sich um einen Notruf handelte, und ging die Reihe ihrer Patienten durch. Keiner von ihnen litt an einer lebensbedrohenden Krankheit. Sie hielt das Handy ans Ohr.

Eine vertraute Stimme sagte: »Guten Tag, Dr. Muldaire.«

»Nicolás?« Sie war verdutzt, dann wütend. »Diese Nummer ist nur für Notfälle. Was willst du?«

»Dich natürlich.«

»Ich bin auf einer Gartenparty.«

»Ich weiß, wo du bist«, sagte er. »Ich weiß immer, wo du bist. Und ich weiß auch, wo du in zwanzig Minuten sein wirst.«

»Immer noch hier«, sagte sie.

»In meinem Apartment«, erwiderte er. »Ich habe etwas für dich. Ein Wagen wird dich in etwa fünf Minuten abholen.«

Sie wollte etwas einwenden, kam aber nicht weit – die Leitung war unterbrochen. Jacey überlegte kurz, was wohl passieren würde, wenn sie sich weigerte.

Sie schaute sich um. Leonardo war verschwunden. Es würde noch viele Gelegenheiten geben, seine Spur weiter zu verfolgen. Nicolás hatte ihre Neugier angestachelt. Was konnte er für sie haben? Ein Geschenk? Das glaubte sie nicht. Geschenke gehörten nicht zu der Art von Beziehung, die er haben wollte.

Sie schaute sich um und entdeckte Ingrid, der sie kurz zuwinkte. Dann wollte sie noch einen letzten Blick auf Leonardo werfen, aber in diesem Moment sah sie schon einen der Sicherheitsleute, der ihr schnurstracks entgegen kam.

»Sie verlassen uns, Dr. Muldaire?« Carlos Márquez sprach sie an, als sie sich bis zum äußersten Rand der Gäste durchgekämpft hatte.

»Ich habe noch einen anderen Termin«, antwortete Jacey.

Sie sah, wie Carlos einen Blick auf den Sicherheitsmann warf, dann schaute er sie mit einem frostigen Lächeln an. »Natürlich.« Nach einem kurzen Zögern fügte er hinzu: »Sie haben meinen Bruder Leonardo kennen gelernt, nicht wahr?«

»Sehr kurz nur«, antwortete Jacey und lächelte. »Ich glaube, er hat was gegen mich.«

»Er ist jung«, sagte Carlos. »Die Jungen hängen oft albernen Ideen nach.«

Deshalb hast du dich also herabgelassen, mit mir zu reden, dachte Jacey. Du bist besorgt, dein kleiner Bruder könnte ein bisschen zu indiskret gewesen sein. Sie lächelte immer noch. »Wir haben nicht über seine Ideen gesprochen«, sagte sie, »seien es alberne oder andere.«

»Gut«, sagte Carlos und trat einen Schritt zur Seite. »Guten Abend, Dr. Muldaire. Ich hoffe, Ihr nächster Termin wird ein vergnüglicher.«

»Oh, da bin ich mir sicher.«

Im Polizeihauptquartier benutzte der Fahrer seine eigene Karte, um die Eisentür zu öffnen, dann ging er die Korridore voraus, bis sie den Eingang zu Nicolás' Apartment erreicht hatten. Dort ließ er sie allein.

Jacey ging den mit Teppichen ausgelegten Flur entlang und öffnete die Tür zum Wohnzimmer. Nicolás hatte es sich in einem Ledersessel gemütlich gemacht. Er trug einen dunklen Anzug, ein weißes Hemd und eine dezent gestreifte Krawatte. Als ob er zu einem wichtigen Termin wollte.

Er blickte auf seine Uhr.«Ich gratuliere«, sagte er. »Du musst sofort aufgebrochen sein.«

»Hatte ich eine andere Wahl?«

»Natürlich«, sagte er. »Du bist gekommen, weil du kommen wolltest.«

»Ich bin gekommen, weil du gesagt hast, du hättest was für mich.«

Er lächelte. Auf dem kleinen Tisch neben ihm lag eine verpackte Schachtel. Er tippte mit einem Finger darauf. »Nimm sie mit ins Nebenzimmer. Wenn du sie öffnest, wirst du wissen, was zu tun ist. Dann kommst du zurück zu mir. Aber lass nicht zu lange auf dich warten.«

Sie nahm die Schachtel ohne ein Wort und trat hinaus auf den Flur. Eine Tür stand halb offen. Sie trat durch die Tür und befand sich in einem altmodischen Badezimmer. Es gab eine Badewanne mit gewaltigen Ausmaßen, sie stand auf Füßen, die wie Raubtiertatzen aussahen. Messingrohre liefen die

Wände entlang. Der Boden war mit schwarzen und weißen Fliesen ausgelegt, und auf einer Wand befand sich ein mannshoher Spiegel.

Sie öffnete die Schachtel. Als erstes nahm Jacey eine rote Bluse in einem glänzenden Material heraus. Sie hatte einen tiefen runden Ausschnitt und war reichlich mit Rüschen geschmückt. Jacey hielt die Bluse gegen ihren Körper und wusste nicht, ob sie lachen oder verärgert sein sollte.

Das nächste Stück war ein sehr kurzer Rock aus Kunstleder. Er wurde vorn geknöpft. Dann fand sie ein Paar schwarze Seidenstrümpfe mit verzierten Nähten, einen Strumpfgürtel aus lederähnlichem Material sowie offene schwarze Schuhe mit lächerlich hohen Stiletto-Absätzen und schmalen Riemchen.

Sie brauchte keine Anweisung, um zu wissen, dass sie die Sachen tragen sollte. Sie schaute sich im Badezimmer um und fragte sich, ob es irgendwo Gucklöcher gab. Beobachtete er sie? Kaum, dachte sie. Er würde sie bald ohnehin ausgiebig von oben bis unten betrachten können.

Sie zog ihr Kleid aus und zögerte, den BH abzulegen. Ein kurzer Blick auf die Bluse sagte ihr, dass sie nicht für Unterwäsche entworfen war. Sie nahm den Strumpfgürtel und schaute in den Spiegel. Ihr schlichtes Baumwollhöschen sah absurd aus. Sie streifte es ab, rollte die Strümpfe hoch und brauchte eine Weile, ehe sie die Nähte gerichtet hatte. Sie stieg in den engen, kurzen Rock, schnallte die Riemchen der Schuhe und bemerkte, dass sie genau passten.

Sie übte, mit den Schuhen zu gehen – sie waren höher als alles, was sie bisher getragen hatte -, und blieb vor dem Spiegel stehen. Ihre Haare waren noch zusammengefasst, jetzt löste sie das Band und ließ die Haare auf die Schultern fallen. Fast ohne nachzudenken richtete sie die Bluse so, dass der größte Teil ihrer Brüste entblößt blieb.

Sie posierte vor dem Spiegel und spreizte die Beine, bis der unterste Knopf des Rocks aufsprang.

Du siehst wie eine Hure aus, dachte sie, amüsiert über das unvertraute Bild, das sie abgab. Sie wusste, dass Nicolás genau das beabsichtigte. Es war ein anderer Weg, Kontrolle auszuüben. Er hatte aus ihr eine Frau gemacht, in deren Gegenwart er sich wohl fühlte. Eine Frau, die sich gegen Geld anbot. Eine Frau, die tun würde, was man ihr sagte. Sex ohne Verpflichtung.

Und ist das nicht genau das, was auch ich will? Spaß ohne Emotion. Sie drehte sich vor dem Spiegel und betrachtete sich von allen Seiten. Ich spiele die Hure für Nicolás, wenn es das ist, was er will, dachte sie. Mal sehen, ob ihm die Frau gefällt, die er geschaffen hat.

Sie schritt zurück in das Zimmer mit den dunklen Holzpaneelen. Jetzt war es noch dunkler, weil draußen die Dämmerung begonnen hatte. Nicolás saß noch in seinem Sessel. Neben sich auf dem Tisch standen Whiskyflasche und Glas. Sie stellte sich vor ihn und nahm die Pose ein, die sie vor dem Spiegel im Badezimmer geübt hatte.

»Sollen diese Kleidungsstücke ein Geschenk für mich sein?«, fragte sie mit süßer Stimme. »Oder sind sie eher ein Geschenk für dich?«

Er ließ sich Zeit, sie zu betrachten. Schließlich sagte er: »Für uns beide. Komm her.«

Sie schritt auf ihn zu. Die Stilettos ließen sie kleine Schritte machen, und bei jedem Schritt schwangen ihre Hüften. Er stand auf und packte den Bund des engen Rocks. »Du trägst ihn falsch herum«, sagte er. »Dreh dich um.«

Sie gehorchte, und er zupfte so lange am Bund, bis die Knöpfe hinten waren. Sie spürte, wie er sie öffnete und wusste, dass sie Kerbe zwischen den Backen entblößt waren.

»Spreize die Beine«, befahl er.

Sie gehorchte wieder. Er folgte der Kerbe vom Ende des Rückgrats bis zu den Schenkeln. »Gefällt es dir, dich aufreizend zu kleiden?«, fragte er mit sanfter Stimme. »Den meisten Frauen gefällt es.« Er zog sie näher an sich heran, bis sie auf seinem Schoß saß. »Es gibt einem ein Gefühl von Freiheit, nicht wahr?« Er beugte sich vor und strich über ihre Brüste, suchte unter der roten Bluse nach ihren Nippeln. »Die Freiheit, eine andere zu sein«, murmelte er.

Sie spürte, wie sich beide Warzen aufrichteten, als er mit ihnen spielte, zuerst sanft und leicht, dann härter. Die andere Hand forschte zwischen ihren Schenkeln. Sie hielt zischend die Luft an, als seine Finger über den feuchten Kitzler rieben und immer stärkeren Druck ausübten.

Sie spürte die vertrauten Gefühle, die ihren Körper erfassten, diese entzückende Spannung, die der Erleichterung vorangeht. Ungeduldig rutschte sie auf seinem Schoß herum.

Sein Atem kam schneller, als er ihre rasche Reaktion sah und fühlte. »Es braucht nicht viel, um dich heiß zu machen, was?«, murmelte er.

»Nicht, wenn du das tust«, raunte sie.

Er lachte und stand auf. Irgendwie gelang es ihm, sie zum nächsten Sessel zu schieben, ohne die Hand zwischen den Schenkeln wegzunehmen. Er drückte ihren Kopf auf den Ledersitz, hob ihren Torso über die Lehne und hatte sie nun in der Position, in der er sie haben wollte. Ihr Po ragte hoch in die Luft.

Seine Finger kehrten zu der feuchten Wärme

zwischen den Schenkeln zurück. Er spielte noch eine Weile mit ihr, ehe er seinen Reißverschluss aufzog und locker in sie hineinstieß. Sie war völlig entspannt und nass.

Sein Gewicht drückte sie gegen den Sessel; sie fühlte sich gefangen und hilflos. Es überraschte sie, wie sehr sie dieses Gefühl genoss, sie konnte sich seiner Kraft unterwerfen und hatte seine völlige körperliche Aufmerksamkeit. Er zog sich kurz zurück, um dann mit kräftigeren Stößen zu beginnen, die seinen eigenen Orgasmus einläuteten, und Jacey hörte ihr eigenes abgehacktes Keuchen, das den Rhythmus seines gehechelten Atmens aufnahm.

Seine Finger gruben sich in ihre Hüften. Als seine Erregung wuchs, spannte sie ihre inneren Muskeln an und quetschte ihn bei jeder Rückwärtsbewegung. Gleichzeitig langte sie zwischen ihre Schenkel und rieb über ihre Klitoris, entschlossen, diesmal mit ihm zusammen einen Höhepunkt zu erleben.

Sie hörte ihn einmal kurz, aber laut aufstöhnen, dann begann sein Körper zu zucken. Gleichzeitig wurde sie vom eigenen Orgasmus gepackt, und sie mahlte ihre Hüften gegen ihn. Einen kurzen Augenblick lang spürte sie sein volles Gewicht, das sie fast erdrückte. Die Luft wich geräuschvoll aus ihren Lungen und befreite sich in einem Schrei der Erlösung.

Jacey spürte kaum, wie er sich erhob und sie umdrehte, damit sie im Sessel sitzen konnte. Sie bemerkte, dass sie keuchte, als hätte sie einen anstrengenden Lauf hinter sich. Ihre Haare waren klamm vom Schweiß. Sie schloss die Augen und nahm ein paar tiefe Atemzüge.

Allmählich entspannte sich ihr Körper. Ein Glas

wurde in ihre Hand gedrückt. Ohne nachzudenken, nahm sie einen tiefen Schluck und begann zu husten und zu würgen, als die brennende Flüssigkeit durch ihre Kehle lief. Sie hörte Nicolás lachen. »Was für eine Verschwendung guten schottischen Whiskys!»

Sie schaute hoch zu ihm. Eine glänzende Schweißschicht stand auf seiner Stirn, seine Haare waren zerzaust. »Ich dachte, es wäre Wein«, sagte sie.

Er setzte sich ihr gegenüber und lächelte. »Das war ein sehr befriedigendes Treffen«, sagte er und nahm wieder einen Schluck Whisky. »Das Bild der Hure füllst du wirklich gut aus. Sehr befriedigend.«

»Warum nimmst du dir nicht die richtigen? Dann hast du immer ein Original.«

»Warum zahlen, wenn ich es auch so bekommen kann?« Seine Blicke hielten ihre gefangen. »Und wo würde ich eine Hure finden, die so gut aussieht wie du?« Er schaute auf seine Uhr. »Du ziehst dich besser wieder um. Der Wagen wird in fünf Minuten hier sein.«

»Du hast die Zeit im Voraus abgesprochen?« Sie konnte es nicht verhindern, dass ihr ganzer Ärger in der Stimme durchklang.

Er sah sie überrascht an. »Natürlich. Ich weiß doch, wie lange es bei mir dauert.«

Sie stand auf. »Ziemlich kaltblütig, was?«

Er ah sie noch einen Moment an, dann hob er die Schultern. »Hast du erwartet, dass wir noch eine Weile sitzen bleiben und Händchen halten?«

»Ich habe etwas mehr erwartet als ›Rein-raus, danke, Frau‹«, sagte sie.

Er grinste. »Ich erinnere mich, dass ich dich gewarnt habe, keine Romantik zu erwarten.«

»Nun, zehn Minuten Reden machen aus unserer Affäre noch keine romantische Angelegenheit.«

Er sah sie spöttisch an. »Worüber sollen wir denn sprechen, Dr. Muldaire? Glauben Sie wirklich, dass wir irgendwas gemeinsam haben?«

»Vielleicht«, sagte sie süffisant, »könnten wir ja versuchen, das herauszufinden.«

Er lachte ausgelassen. »Warum wollt ihr Frauen immer die Illusion einer Beziehung?« Sein Lächeln wirkte plötzlich kalt und gefährlich. »Mach das Beste aus dem, was du hast. Du kannst nie sicher sein, wie lange es währt.«

»Warum lässt du das mit dir machen?«, fragte Ingrid. »Ich verstehe dich nicht.«

Jacey hob die Schultern. »Er ist ein sehr attraktiver Mann, das hast du selbst gesagt. Und er bringt mir einen guten Orgasmus.«

»Sein Körper ist attraktiv«, stellte Ingrid fest, »aber sein Charakter ist es nicht. Zum Vögeln bestellt und dann nach Hause geschickt zu werden ist erniedrigend. Du lässt zu, dass er die Kontrolle ausübt. Willst du das wirklich?«

»Er hat keine Kontrolle über mich«, sagte Jacey. »Es ist nur ein Fantasy-Spiel.«

»Nicolás Schlemann gibt sich nicht mit Spielen ab«, entgegnete Ingrid. »Schick ihn in die Wüste. Da draußen laufen noch eine Menge attraktive Männer herum. Und wenn sie nicht so gut im Bett sind, kannst du es ihnen beibringen.«

»Ich mag Nicolás«, sagte Jacey leise. »Ich will keinen anderen.«

Aber das war nur die halbe Wahrheit, doch das wollte sie Ingrid gegenüber nicht zugeben. Sie genoss den Sex mit ihm, und sie würde bei ihm bleiben, bis er ihrer überdrüssig geworden war und sie die verlassene Frau spielen konnte.

Es war nur die halbe Wahrheit, weil sie in Zeiten der Muße an Leonardo Márquez denken musste. Noch nie hatte sie sich zu einem jüngeren Mann hingezogen gefühlt, und Leonardo war bestimmt zehn Jahre jünger als sie. Außerdem strahlte er etwas Unschuldiges aus, und unerfahrene Männer waren noch nie ihr Ding gewesen. Warum also Leonardo Márquez?

Nachdem Ingrid gegangen war, bereitete sich Jacey auf die Visite vor. Sie wollte gerade aufstehen, als das Telefon läutete.

»Dr. Muldaire? Jacey?«

Im ersten Augenblick erkannte sie die Stimme nicht.

»Ich hoffe, ich störe Sie nicht.«

»Raoul?« Sie verbannte alle Gedanken an Leonardo aus ihren Gedanken. »Ich wollte gerade zur Visite aufbrechen. Ist es wichtig?«

»Für mich ist es wichtig. Ich komme ins *Primavera*, um einen Freund zu besuchen. Ich möchte Sie um einen persönlichen Gefallen bitten.« Als ob er ihre Zurückweisung ahnte, fügte er rasch hinzu: »Nicht für mich. Es geht um Leonardo.«

Später, als Raoul in ihrem Büro saß, mochte Jacey kaum glauben, was sie hörte.

»Aber Ihr Bruder mag mich nicht einmal«, wandte sie ein. »Er wird von mir keinen Englischunterricht haben wollen.«

»Doch, er will«, sagte Raoul. »Er liest schon ganz gut, aber er hat kaum Gelegenheit zur Konversation. Sie bräuchten sich nur mit ihm zu unterhalten.« Er lächelte. »Dabei würden sich vielleicht auch seine Manieren verbessern.«

»Ihr Englisch ist ausgezeichnet«, sagte Jacey. »Warum können Sie sich nicht mit Ihrem Bruder unterhalten?«

»Ich habe nicht die Zeit dazu«, sagte Raoul. Er beugte sich vor. »Jacey, mein kleiner Bruder würde mich umbringen, wenn er erfährt, dass ich es Ihnen gesagt habe, aber er hat mich sogar darum gebeten, Sie zu fragen. Er ist heimlich fasziniert von Ihnen.«

Jacey verbarg ihre Überraschung. »Ich verstehe«, neckte sie. »Sie versuchen sich als Kuppler.«

Raoul lächelte. »Ich bin sicher, Leonardo wäre schockiert. Er ist noch so unschuldig. Ich glaube, er weiß gar nicht, was er mit einer richtigen Frau anstellen sollte.«

Aber ich weiß, was ich gern mit ihm anstellen würde, dachte Jacey, nachdem sie sich mit Raoul auf einen ersten Termin für Leonardos Nachhilfe geeinigt hatte. Sie wollte nicht in die Márquez-Villa gehen und zog es vor, dass Leonardo ins *Primavera* kam. »Das erspart mir Zeit und lässt erst gar keine Gerüchte aufkommen. Leonardo kann sagen, dass er Freunde besucht.«

»Wenn Sie sich sorgen, dass Nicci davon erfahren könnte«, sagte Raoul, »er wird es in jedem Fall erfahren.«

Jacey hob die Schultern. »Nicolás wird auf Leonardo nicht eifersüchtig sein.«

Er wird hundertprozentig sicher sein, dass ich einen Jungen wie Leonardo nicht sexuell attraktiv finde, dachte sie. Und bisher hätte er damit auch Recht gehabt.

Obwohl sie Leonardo körperlich ansprechend fand, empfand sie den Gedanken, ihn auf Armeslänge zu halten, ausgesprochen verführerisch. Sie würde ihm deutlich genug zeigen, was sie anzubieten hatte, aber sie würde ihn nicht ermuntern, davon Gebrauch zu machen. Sie wusste genau, dass er sich nicht aufdrängen würde. Er würde da sitzen und leiden. Sie würde ihn necken und reizen und zusehen, wie ihm immer unbehaglicher wurde. Nie zuvor hatte sie eine derartige sexuelle Kontrolle über jemanden.

Sie begann sich auf die erste Unterrichtsstunde mit Leonardo zu freuen, und sie fragte sich, ob auch Leonardo der Begegnung ähnlich entgegen fieberte.

Als er dann eintraf, sah er eher verärgert als eifrig aus. Er trug einen hellen, leichten Anzug, Hemd und Krawatte, und hielt eine schmale Ledertasche mit Reißverschluss in der Hand.

Er fragte auf Spanisch, ob er sein Jackett ausziehen dürfte, und als Jacey nickte, zog er es langsam aus.

Wieder bewunderte sie seinen lockeren Körper. Seine Taille war so schmal, dass Jacey glaubte, sie mit beiden Händen umspannen zu können. Er sah wie ein gesundes Fohlen aus. Seine Hose war weit geschnitten, deshalb konnte sie unter dem Stoff nichts von dem sehen, was sie später in natura zu begutachten hoffte.

Er ließ sich Zeit damit, das Jackett über die Stuhllehne zu hängen, und als er sich endlich setzte, hielt er die Ledermappe wie einen Schild vor seinen Körper. Er musterte Jacey mit einem abweisenden Blick. »Das war die Idee meines Bruders«, sagte er auf Spanisch.

»Sprechen Sie Englisch«, forderte sie ihn auf. »Und legen Sie die Mappe auf den Boden.«

»Ich habe einen Block mitgebracht«, sagte er auf Englisch. »Vielleicht will ich Notizen machen.«

»Sie brauchen keine Notizen«, sagte sie. »Legen Sie die Mappe auf den Boden.«

Er zögerte, legte sie dann hin. Ohne den Schild sah er plötzlich verwundbar aus.

»Jetzt können Sie anfangen zu reden.«

Sie sah, wie sich seine Lippen aufeinander pressten, und wieder fragte sich Jacey, warum sie seinen Mund so verführerisch fand.

»Worüber soll ich reden?«, fragte er, und es hörte sich wie eine trotzige Herausforderung an.

»Du lieber Himmel«, rief sie. »Reden Sie über alles, was Sie interessant finden. Filme, Bücher, Essen. Irgend etwas.« Sie hätte fast noch Politik hinzugefügt, aber das würde sie sich für später aufbewahren, wenn er ihr vertraute. »Reden Sie über Frauen, wenn Sie wollen. Erzählen Sie mir von Ihrer Freundin.«

Er rutschte auf seinem Stuhl unruhig hin und her. »Ich habe keine Freundin.«

Sie lächelte und zog ihren Stuhl näher an seinen heran, dass sich ihre Knie fast berührten. Einen Moment lang sahen sie sich in die Augen. »Heißt das, Ihr Bruder hat mir die Wahrheit erzählt?«, fragte sie leise. »Sie sind wirklich noch unschuldig?«

Sie sah, wie sich sein Körper versteifte. Er wich ihrem Blick aus. »Mein Bruder redet eine Menge Unsinn.«

»Sie sind also keine Jungfrau mehr?«

»Ich glaube nicht, dass dies ein angemessenes Thema für eine Unterhaltung ist«, sagte er frostig.

»Oh, weh«, sagte sie spöttisch. »Habe ich Sie jetzt in Verlegenheit gebracht?«

»Nein.«

Sie lehnte sich zurück und streckte ihre Beine aus. Sie sah, wie sein Blick zu ihren Knien huschte, dann hielt er ihn auf einen Punkt oberhalb ihrer Schulter gerichtet. »Dann wählen Sie ein Thema aus«, schlug sie vor.

Er druckste noch ein wenig herum, dann begann er zögernd von den Filmen zu erzählen, die ihm gut gefallen hatten. Allmählich entspannte er sich, und Augen und Sprache wurden lebhaft. Jacey stellte

Fragen, korrigierte ab und zu seine Grammatik und lobte seine Aussprache. Nach einer halben Stunde lächelte er sie an.

»Nun«, sagte sie, nachdem er ausführlich erklärt hatte, warum er Clint Eastwood bewunderte, »das war doch nicht zu schwierig, oder?«

Sein Lächeln schwand. Er sah sie argwöhnisch an. »Was war nicht schwierig?«

»Mit der Geliebten von Nicolás Schlemann zu reden.«

»Ich kümmere mich nicht um das Privatleben anderer Menschen«, sagte er.

»Und warum waren Sie dann so unhöflich zu mir auf der Wohltätigkeitsparty?«

Er verdrehte seine langen Finger. »Es war mir nicht bewusst, dass ich unhöflich war.«

»Das wissen Sie ganz genau«, widersprach sie. »Die Politik des Nicolás Schlemann geht mich nichts an, ich habe nichts damit zu tun.«

Er erhob sich. »Natürlich nicht«, sagte er, und sie bemerkte den unterdrückten Zorn in seiner Stimme. »Sie sind eine Ausländerin. Eine Besucherin unseres Landes. Sie sind wegen eines Jobs gekommen und werden gut bezahlt. Warum sollten Sie sich um unsere Politik kümmern?«

Jacey wusste, dass das Verständnis, das sich zwischen ihnen in der knappen Stunde, in der sie über Filme gesprochen hatten, längst aufgehoben war.

Er griff nach seiner Ledermappe. »Danke für Ihre Hilfe, Dr. Muldaire.« Er wandte sich zur Tür.

»Vielleicht können wir uns das nächste Mal über die Bücher unterhalten, die Ihnen besonders gut gefallen haben?«

Er blieb an der Tür stehen und zögerte. Dies war der entscheidende Augenblick. Wenn er sexuell an ihr interessiert war, würde er wiederkommen wollen. Wenn nicht, waren die Chancen, mit ihm eine Beziehung aufzubauen – und von ihm über Loháquin zu erfahren – verloren.

»Vielleicht morgen Abend?«, schlug sie vor.

Es schien eine lange Pause zu sein, ehe er antwortete: »Das passt mir sehr gut, Dr. Muldaire.«

Jacey war dabei, einen Bericht an Major Fairhaben zu schicken. Was sie bisher geschrieben hatte, klang optimistischer, als sie sich fühlte. Sie war davon überzeugt, dass Leonardo ihr die Spur zu Loháquin weisen würde, aber es konnte lange dauern, bis sie das Vertrauen des jüngsten Márquez errungen hatte, so lange sie Nicolás' Geliebte war.

Und Nicolás zeigte keine Anzeichen, die Beziehung bald beenden zu wollen. Es war eher so, dass er sich noch besitzgieriger gab. In dieser Woche war sein Wagen dreimal vorgefahren, jeweils nach kurzer Vorwarnung. Jedes Mal hatte er ihr einen Drink angeboten, hatte seinen Reißverschluss geöffnet und sie angewiesen, sich an die Arbeit zu begeben. Er hatte seinen Orgasmus so lange wie möglich hinausgezögert und sie gezwungen, mit allen möglichen Techniken zu experimentieren. Später, als er sie befriedigte, hatte sie versucht, ihren eigenen Höhepunkt auch weit hinauszuschieben, um ihm zu beweisen, dass sie eine ebenso eisenharte Disziplin hatte wie er. Aber die Nähe seines Körpers hatte sie zu sehr erregt, und jedes Mal hatte sie die Kontrolle früher verloren, als sie wollte.

Als er triumphierend festgestellt hatte: »Du kannst mir nicht lange widerstehen, was?«, hatte sogar die leichte Berührung seiner Lippen an ihrem Ohr einen Schauer der Erregung durch ihren Körper gejagt.

Wie er aussah und was er tat, war eine Garantie für ihren Orgasmus. Und sie gestand sich ein, dass das Wissen um seine Macht und seine Gefährlichkeit zusätzliche Würze in ihre Treffen legte.

Gott helfe der Frau, die sich in ihn verliebt, dachte Jacey. Sie konnte sich vorstellen, dass er eine solche Schwäche voll ausnutzte. Er würde wahrscheinlich eine grandiose Hochzeit arrangieren, die höchste Gesellschaft von Guachtal einladen und die Braut allein vor dem Altar stehen lassen.

Ganz gewiss hatte er einen Hang zum Sadistischen. Einmal in dieser Woche hatte er sie eine Stunde lang warten lassen, und als er eingetreten war, hatte er sie roh und ohne jede Vorbereitung genommen. Er hatte ihr die Kleider vom Leib gerissen, während er sie zur Schlafzimmertür schob.

Aber ich hatte einen großartigen Orgasmus, erinnerte sich Jacey. Danach, als sie keuchend auf dem Bett gelegen hatte, hatte sie ihm seine Verspätung vorgehalten, er hatte sie nur angeschaut und schief angelächelt. »Das war's aber doch wert, nicht wahr?« Ja, räumte sie ein.

Sie starrte auf den Bildschirm und ging noch einmal ihren Bericht durch. Wenn Nicolás entschied, dass er von ihr genug hatte, würde sie dem Major wahrscheinlich bessere Informationen schicken können. Informationen über Loháquin, über die Anzahl seiner Anhänger und vielleicht sogar Erkenntnisse aus erster Hand, wenn sie ihn ihm Regenwald besuchen konnte.

Aber was, wenn sich Loháquin als schmuddeliger Nörgler erwies, wie Nicolás ihn einmal bezeichnet hatte, ohne wirkliche Anhängerschaft, ein Mann, der sich auf ein Spiel eingelassen hatte, das er nicht gewinnen konnte? Der Gedanke bedrückte sie. Sie war nicht gegen wirtschaftlichen

Fortschritt, aber ohne Unterstützung würde der Regenwald von Guachtal von den Straßenbauern und den Holzfällern zerstört. Loháquin schien die einzige Hoffnung des Landes gegen politische Hasardeure wie Nicolás Schlemann zu sein.

Sie gab die verschiedenen Codes ein, schickte ihren Bericht ab und stieß den Drehstuhl vom Schreibtisch zurück. Jacey Muldaire, sagte sie sich, du verstrickst dich zu sehr in diese Dinge.

Leonardo wäre bestimmt überrascht gewesen, wenn er wüsste, welche Aufgabe sie in Wirklichkeit in Guachtal übernommen hatte. Wenn du genug Informationen gesammelt hast, sagte sie sich, kannst du nach Hause gehen. Und dann wird Guachtal mit all seinen Problemen schon bald Vergangenheit sein und in der Erinnerung verblassen. Sei vernünftig. Sei professionell. Du kannst die Welt nicht im Alleingang richten.

Jaceys nächstes Treffen mit Leonardo begann ebenso förmlich und steif wie das erste. Er trug seinen üblichen leichten, hellen Anzug, das volle schwarze Haar sorgfältig gekämmt. Er setzte sich vor sie hin und begann eine trockene, akademische Diskussion über die Bücher, die er gelesen hatte. Er hörte sich an, als hätte er vorbereitete schriftliche Inhaltsangaben auswendig gelernt.

Als er sein drittes Buch über politische Theorien analysiert hatte, fragte Jacey: »Lesen Sie auch etwas Leichtes, Unterhaltendes, Leonardo?«

Seine dunklen Augen musterten sie tadelnd. »Ich lese, um mich zu bilden, Dr. Muldaire.«

»Schön und gut«, sagte sie. »Haben Sie denn das Kama Sutra gelesen?«

Sie musste innerlich grinsen, als sie sah, wie er

auf seinem Stuhl unruhig hin und her rutschte. »Gewiss nicht.«

»Aber es trägt zur Bildung bei«, neckte sie ihn.

»Ich bin nicht so lasterhaft wie mein Bruder Raoul«, sagte er aufgeblasen.

»Also, wirklich, Leonardo«, schimpfte sie. »Hören Sie auf, sich über andere zu erheben, das beeindruckt mich überhaupt nicht. Ihr Bruder ist ein ganz normaler Mann. Er ist an Frauen interessiert. Und an Sex.« Sie beugte sich vor. Auf seiner Unterlippe bemerkte sie einen dünnen Schweißfilm. Sie hatte mit Bedacht eine durchgeknöpfte Bluse mit einem tiefen V-Ausschnitt angezogen, und das Tal zwischen ihren Brüsten war jetzt deutlich zu sehen. »Ein ganz normaler Mann«, wiederholte sie leise. »Wie Sie.«

»Ich habe mit meinem Bruder nichts gemeinsam«, antwortete er steif.

»Aber Sie möchten trotzdem ein bisschen so sein wie er, nicht wahr?« Sie sah ihn unter gesenkten Lidern an. »Nicht viele Frauen würden Raoul einen Korb geben.«

»Sie haben es getan«, sagte er. »Sie haben ihm Nicolás Schlemann vorgezogen.« Wie er den Namen aussprach, hörte es sich wie eine Beleidigung an.

Sie lächelte und lehnte sich wieder entspannt auf dem Stuhl zurück. »Nun, er ist sehr sexy«, sagte sie. »Und sehr einflussreich. Das ist eine potente Mischung, Leonardo.«

»Er ist ein Bastard«, sagte Leonardo wütend. »Er beutet unser Land aus. Er hat seinen Reichtum aus der Armut anderer bezogen. Wir wären ohne ihn besser dran.« Er starrte sie trotzig an. »Und wenn Sie wollen, können Sie ihm das ausrichten.«

Jacey dachte, wie attraktiv er wirkte, wenn er

wütend war. Beinahe hätte sie gelächelt. »Nicolás und ich sprechen nicht über Politik«, sagte sie und fragte nach einer kurzen Pause: »Wenn er nicht mehr da wäre, wer würde ihn ersetzen?« Wieder eine Pause. »Loháquin?«

Leonardo hatte seine Emotionen wieder unter Kontrolle. »Loháquin trägt die Interessen Guachtals in seinem Herzen«, sagte er. »Und auch das können Sie Schlemann sagen.«

»Hören Sie auf, mich zu beleidigen, Leonardo«, sagte sie in scharfem Befehlston.

Er sah sie verdutzt an. »Ich beleidige Sie nicht. Dr. Muldaire.«

»Doch«, widersprach sie. »Sie unterstellen mir, dass ich eine Art Spitzel bin. Nichts, was Sie hier sagen, wird dieses Zimmer je verlassen.« Sie hielt seinem Blick stand. »Ich habe meinen Spaß mit Nicolás Schlemanns Körper, aber das heißt nicht, dass er meine Gedanken kontrolliert.«

Leonardo sah verlegen aus. »Sie müssen Gefühle für ihn empfinden«, sagte er. »Sie sind keine Frau von der Straße. Und Frauen sind nicht wie Männer; Männer können Sex in einer rein mechanischen Weise angehen, aber Frauen brauchen Liebe und Romantik und das alles.«

Er hörte sich so ernst an, dass Jacey lachen musste. »Hat Raoul Ihnen das gesagt?«, fragte sie. Er nickte. Sie beugte sich wieder vor, ihm entgegen. »Nun, es mag Ihnen eine Überraschung sein, Leonardo, aber auch Frauen können mit einem Mann ins Bett, ohne Gefühle zu investieren. Genau wie Männer.« Sie hatte ihn schockieren wollen, und sie sah, dass es ihr gelungen war. Er errötete sogar. »Oh, mein Lieber, Sie müssen noch eine Menge lernen.«

Leonardo rutschte unruhig auf dem Stuhl herum.

»Mir ist bewusst, dass ich Frauen nicht verstehe. Aber ich möchte gern lernen.« Er blickte auf, und sie glaubte, ein Funkeln der Erregung in seinen dunklen Augen gesehen zu haben. »Ich bewundere Frauen. Besonders intelligente Frauen. Starke Frauen mit eigenem Willen.« Er senkte den Blick rasch, schaute sie dann kurz an. »Frauen, auf die das alles zutrifft, sind meistens älter als ich, aber ich finde sie sehr attraktiv.«

Jacey war sicher, dass darin eine Einladung an sie lag, den nächsten Schritt zu gehen. Er sah entzückend verletzlich aus, wie er so steif auf dem Stuhl saß, die Hände zusammen gelegt. Ich könnte alles mit ihm machen, was mir gerade einfällt, dachte sie. Und er würde es genießen.

»Ich bin sicher, dass es viele Frauen gibt, die Ihnen das gern beibringen«, sagte sie und fügte mit süßlicher Stimme hinzu: »Vielleicht könnten Sie Raoul dazu bringen, Sie mit einer seiner Freundinnen bekannt zu machen.«

Er blickte zur Seite.

»Die interessieren mich nicht. Sie sind meist jung und dumm.«

»Sie sind aber auch sehr wählerisch«, tadelte sie ihn. »Was lässt Sie glauben, warum eine intelligente Frau sich zu Ihnen hingezogen fühlen könnte?«

Er sah sie von der Seite an. »Ich weiß es nicht.« Dann senkte er den Kopf. »Ich hoffe nur, dass ich eines Tages eine entsprechende Frau finde.«

Sie erhob sich brüsk. »Ich bin sicher, es wird Ihnen gelingen«, sagte sie gönnerhaft. »Wenn Sie lange genug warten.«

Sie sah die Enttäuschung auf seinem Gesicht. Wenn du glaubst, es ginge so einfach, junger Mann, dann hast du dich in die Finger geschnitten. Du willst etwas von mir, aber ich will auch etwas von dir. Sex mit dir kann eine köstliche Erfahrung sein, aber bedeutet es auch, dass du mir vertraust? Dass du mir genug vertraust, um mich zu Loháquin zu führen? Ich fürchte, wir werden beide die Kleider anbehalten, bis ich die Antwort auf diese Frage gefunden habe.

»Wir sehen uns in zwei Tagen«, sagte sie. »Dann diskutieren wir über Kunst.«

Das Geräusch des Handys verdutzte Jacey nicht mehr. Bevor sie sich meldete, wusste sie ziemlich sicher, dass es sich nicht um einen Notruf handelte. Als das Mobiltelefon jetzt klingelte, erwartete sie, Nicolás' kühle befehlsgewohnte Stimme zu hören, die ihr mitteilte, dass ein Wagen unterwegs war, um sie abzuholen. Er wusste immer genau, wo sie sich gerade aufhielt, und die Anrufe kamen immer, wenn sie Bereitschaftsdienst im *Primavera* hatte und sich die Zeit in der Wohnung oder im Pool des Hospitals vertrieb.

Obwohl sie sicher war, dass Nicolás wusste, wie sehr sie sich in der Freizeit im *El Invierno* einbrachte, hatte er nie etwas darüber gesagt, und er hatte sie auch noch nie angerufen, während sie dort beschäftigt war.

Trotz ihres Verhältnisses mit Nicolás blieb die Beziehung mit dem Personal vom *El Invierno* freundlich. Sie wusste, es war sinnlos, mit ihnen ein Gespräch über Politik oder Loháquin zu beginnen, deshalb achtete sie darauf, dass sie nur über unverfängliche Dinge sprach.

Dr. Rodriguez war der einzige, der Nicolás erwähnte. Er kritisierte ihn immer wieder und fragte Jacey, was sie in ihm sah, aber das zeigte ihr, dass er ihr traute: Sie würde seine Kritik nicht weiter geben.

»Er ist sexy«, sagte sie, während sie Rodriguez bei einer kleinen Operation assistierte.

»Er ist ein Verbrecher«, knurrte Rodriguez. »Ein Dieb. Das könnte mir ja noch egal sein, aber das Geld, das er stiehlt, gehört den Steuerzahlern.«

Paloma blickte hinter ihrer Maske missbilligend auf, um den Arzt zu warnen.

»Du brauchst gar nicht so zu gucken, Mädchen«, sagte Rodriguez. »In Wirklichkeit stimmst du mir zu.«

Wenn sie allein waren, hatte Jacey ein paar Male versucht, Rodriguez zu Äußerungen über Loháquin zu locken. Einmal hatte sie tatsächlich Glück. Der Arzt sagte, er sei davon überzeugt, dass Loháquin nie die Kontrolle über Guachtal erringe, und dass er das auch nicht verdient hätte.

»Er hätte längst seine nächsten Schritte gehen müssen«, sagte Rodriguez. »Aber was macht er statt dessen? Er schmollt im Regenwald, während Ihr Freund seine Macht in Guachtal festigt.« Er fixierte Jacey mit starrem Blick. »Fangen Sie nicht auch noch damit an, Loháquin zu verherrlichen. Überlassen Sie das albernen Mädchen wie Paloma. Loháquin ist ein Versager, wer auch immer er ist.«

»Nicolás hält ihn für bedeutend genug, um eine Belohung für seine Festnahme auszuloben«, hielt Jacey dagegen.

Rodriguez lächelte dünn. »Wahrscheinlich weiß er, dass er sie nie zahlen muss. Loháquin achtet darauf, sich nirgendwo sehen zu lassen. Ich habe noch keinen kennen gelernt, der behauptet, ihm begegnet zu sein.«

Seit Dr. Rodriguez ihr auch medizinisch vertraute, überließ der überlastete Arzt immer mehr Fälle für Jacey. Einmal, als sie gerade bei einer komplizierten Naht war, meldete sich ihr Handy. Paloma war die OP-Schwester.

»Gehst du mal ran?«, bat Jacey, ohne aufzuschauen. »Es könnte jemand aus dem *Primavera* sein.«

Als Paloma sich vor sie stellte und das Telefon hin und her schwenkte, wusste sie, dass es niemand aus dem *Primavera* war.

»Nicolás?«

Paloma nickte. Im ersten Moment war Jacey versucht, Paloma zu bitten, die Leitung zu unterbrechen oder Nicolás zu bitten, später noch einmal anzurufen, aber sie wusste, dass er keine Ruhe geben würde. Sie gab Paloma zu verstehen, das Telefon an ihr Ohr zu drücken und hörte, wie Nicolás die üblichen Anweisungen gab.

Sie unterbrach ihn abrupter, als sie beabsichtigt hatte. »Ich kann nicht kommen, ich bin mitten in einer Operation.«

Kurze Pause. »Ein anderer kann das übernehmen.«

»Nein.«

»Bist du der einzige Arzt im El Invierno?«

Sie hörte seinen Ärger. Sie rief sich in Erinnerung, dass dies das erste Mal war, dass sie sich seinen Befehlen widersetzte.

»Ich bin mitten in einer komplizierten Operation«, sagte sie. »Ich muss an den Patienten denken. Ich kann jetzt nicht kommen, tut mir leid. Ruf mich später an.«

Sie gab Paloma ein Zeichen, die Leitung zu unterbrechen. Paloma sah Jacey nervös an. »Vielleicht sollte ich Dr. Ramez rufen? Ich glaube, er ist noch da.«

»Du bleibst hier«, sagte Jacey scharf. »Nicolás muss lernen, dass ich zuerst Ärztin bin, dann erst seine Freundin.«

»Ich glaube nicht, dass er darüber sehr glücklich ist«, murmelte Paloma.

»Sein Pech«, sagte Jacey brüsk und wandte sich wieder ihrem Patienten zu.

Sie war immer noch beschäftigt, als eine aufgelöste Krankenschwester in der Tür des OPs erschien und gestenreich Paloma zu sich rief. Nach einer kurzen aufgeregten Unterhaltung lief Paloma zu Jacey. »Draußen steht ein Auto«, sagte sie. »Es wartet auf Sie.«

Jacey spürte, wie der Zorn in ihr aufstieg. »Sag dem Fahrer, er soll verschwinden. Ich bin hier noch nicht fertig, und selbst, wenn ich fertig wäre – ich habe keine Lust mehr, mich auch noch auf Nicolás einzulassen.«

Paloma sah sie mit schreckgeweiteten Augen an. »Das wird niemand sagen«, stammelte sie. »Draußen steht einer von Senor Schlemanns Männern.«

»Dann lass ihn warten«, sagte Jacey, »nachher sage ich es ihm selbst. Wenn ich hier fertig bin.«

Sie ließ sich Zeit mit den abschließenden Arbeiten, und als sie schließlich hinaus ging, erwartete sie, dass der Wagen abgefahren war. Aber er stand noch da, der Fahrer im dunklen Anzug hinter dem Lenkrad.

»Sagen Sie Senor Schlemann, dass ich nicht komme«, teilte sie ihm mit. »Ich habe noch zu tun.«

Der Mann starrte sie eine volle Minute lang an, und Jacey starrte zurück. Dann öffnete er seine Tür, stieg aus und öffnete die Fondtür. Mit einer Geste bedeutete er ihr, einzusteigen.

Die Tatsache, dass er ihre Aussage völlig ignorierte und unterstellte, dass sie trotzdem mit ihm fuhr, erzürnte sie. Sie hatte nicht damit gerechnet, dass der Bruch mit Nicolás so schnell kommen würde, aber sie hatte das Gefühl, dies könnte eine gute Gelegenheit sein, ihn einzuleiten.

»Du scheinst nicht nur taub zu sein, sondern auch dumm«, fuhr sie den Fahrer an. »Ich habe gesagt, dass ich nicht mitkomme. Ich bleibe hier. Und du verschwindest jetzt. Auf der Stelle.«

Als Jacey zurück zum *Primavera* ging, war sie fast davon überzeugt, den Wagen dort zu finden. Dann lächelte sie. Nicolás würde sich diese Blöße nicht geben, er würde ihr nicht wie ein liebeskranker Verehrer durch die ganze Stadt folgen. Das war nicht sein Stil.

Sie ging in ihre Wohnung und ließ sich ein heißes Bad ein. Sie gab duftende Öle dazu und fläzte sich eine halbe Stunde lang in der parfümierten Wärme. Als sie sich kurz darauf einen Seidenkimono überwarf und ein Glas Wein einschenkte, fühlte sie sich viel entspannter und in bester Stimmung.

Während sie in ihrem Sessel döste, hörte sie das Geräusch eines hastig bremsenden Wagens, dann knallten die Türen, und irgend jemand blaffte ein paar Befehle. Jacey nahm das nur im Unterbewusstsein wahr, erst als die Geräusche sich näherten, begleitet vom Klacken von Stiefeln, wurde sie hellhörig. Im nächsten Augenblick klopfte es an ihre Tür.

Sie hielt den Kimono über der Brust fest, öffnete die Tür und sah drei uniformierte Männer dort stehen. Sie sahen wie Soldaten aus, aber sie wusste, dass es Polizisten waren. Ihre Gesichter lagen im Schatten der militärähnlichen Kappen, und sie trugen leichte Maschinengewehre.

»Sie sind Dr. Muldaire?« Der am höchsten aufgeschossene Polizist trat vor. Er hatte drei horizontale Streifen auf dem Ärmel. Der Lauf seiner Waffe war auf Jacey gerichtet.

»Ich bin Dr. Muldaire«, bestätigte sie und bemerkte, dass Dr. Sanchez hinter den Polizisten stand. Er sah entsetzt und besorgt aus. Jacey fügte in ihrer autoritärsten Stimme hinzu: »Ich hoffe, Sie haben einen guten Grund für Ihr Benehmen, Sergeant.«

Der Sergeant grinste. »Sie kommen mit«, sagte er, dann schwand sein Grinsen. »Sie stehen unter Arrest.«

»Arrest?«, wiederholte Jacey. Es dauerte ein paar Sekunden, ehe sie den Sinn des Wortes begriff. »Warum?«

»Keine Fragen.« Er richtete den Lauf seiner Waffe auf ihren Kopf. »Sie können sich ein paar Sachen anziehen. Aber beeilen Sie sich.«

»Sie brauchen keinen Grund, um jemanden zu verhaften.« Dr. Sanchez streckte flehend seine Hände nach ihr aus. »Tun Sie alles, was man Ihnen sagt. Ich bin sicher, das ist ein Missverständnis. Ich meine, Sie haben doch einflussreiche Freunde.«

Ein Verdacht stieg in Jacey auf. »Ja«, murmelte sie grimmig. »Die müssten mir eigentlich helfen, oder?«

Sie ging ins Schlafzimmer und zog eine lange Hose und ein gerafftes Sweatshirt an. Als sie heraus kam, flankierten zwei Polizisten sie. Jacey lächelte Dr. Sanchez ermutigend zu. »Keine Sorge«, sagte sie, »ich werde bald wieder hier sein.«

Draußen wurde sie in einen fensterlosen Polizei-Van gesetzt. Die Polizisten sprachen nicht mit ihr. Es war eine unbequeme Fahrt, und sie war froh, als der Van endlich anhielt. Als sie ausstieg, sah sie nicht die Eisentür, die zu Nicolás' Wohnung führte, sondern den Säulengang zum Hauptportal des Polizeihauptquartiers.

Drinnen wurde sie rau den Flur entlang geführt. An den Wänden brannten nackte Glühbirnen. Vor einer geschlossenen Tür wurde sie angehalten. Der Sergeant drückte die Tür auf. »Hinein«, blaffte er sie an. Er folgte ihr nicht.

Jacey trat in ein Zimmer, das von einem riesigen, altmodischen Büroschreibtisch beherrscht wurde. Nicolás saß hinter dem Schreibtisch. Er trug einen dunklen Anzug und ein schwarzes Hemd. Sie wurde an das Porträt seines Vaters erinnert. Sie ging auf ihn zu, ignorierte aber den Stuhl vor dem Schreibtisch.

»Nun«, sagte er mit einem kurzen, kühlen Lächeln, »ich wusste, dass ich Sie irgendwann zu sehen bekomme, Dr. Muldaire. Die Frage, die Sie sich jetzt stellen sollten, lautet: Lasse ich Sie wieder gehen?«

6. Kapitel

»Wenn das deine Vorstellung eines Witzes ist«, sagte Jacey kalt, »dann tust du mir leid.«

Nicolás schob seinen Stuhl zurück und streckte seine langen Beine unter dem Schreibtisch aus.

»Ich mache keine Witze«, sagte er. »Hast du es für einen Witz gehalten, als ich dir heute den Wagen schickte?«

»Du weißt, dass ich einen Patienten hatte.«

»Du hättest ihn an einen anderen übergeben können.«

»Ich war mitten in einer Operation. Mein Patient hätte sterben können.«

Er hob die Schultern. »Ich will nicht unvernünftig sein, Jacey«, sagte er. »Ich würde dich nicht aus dem OP wegrufen, auch wenn du nur an einem Indio herumflickst.« Er stieß einen Seufzer aus. »Aber mein Fahrer wartete, und du hast ihn fortgeschickt.«

»Ich brauchte Ruhe«, erklärte sie. »Das ist doch wohl zu verstehen, oder? Ich hatte einen langen Tag im Krankenhaus.« Sie lächelte. »Ich wäre zu kaum was zu gebrauchen gewesen.«

Sein Ausdruck veränderte sich. »Das lässt du gefälligst mich entscheiden. Du kommst, wenn ich rufe. So lange wir zusammen sind, ist das die Regel. Und du hältst dich daran.«

Sie öffnete den Mund, um zu protestieren, aber er hob eine Hand. »Ich sage dir warum, Jacey. In diesem Gebäude kann ich alle Spiele spielen, die mir einfallen. In diesem Gebäude hast du überhaupt keine Rechte. Und jetzt habe ich dir gezeigt, wie leicht es für mich ist, dich herzubringen.«

»Ich bin also deine Gefangene, ja? Wirst du mich in Ketten legen wie in einem Verlies?«

»Ein interessanter Vorschlag.« Seine Blicke glitten langsam über ihren Körper. »Vielleicht würde es dir sogar Spaß machen.« Plötzlich richtete er sich auf seinem Stuhl auf und beugte sich vor. »Oder ich kann Marco rufen und dich an ihn übergeben. Er würde über dich her fallen, gleich hier, auf dem Boden. Erinnerst du dich an Marco? Gewiss erinnert er sich an dich. Und nicht mit den besten Gedanken. Das würde dir vielleicht weniger Spaß machen.« Er grinste grausam. »Glaube bloß nicht, dass ich dazu nicht fähig wäre, Jacey. Wenn ich es wollte, könnte es auch so arrangiert werden, dass du ... einfach verschwindest.«

»Warum sagst du nicht einfach, dass du mich töten lassen könntest?«, fragte sie herausfordernd.

»Ich könnte dich töten lassen«, bestätigte er. »Oder zweifelst du daran?«

»Nein.«

Sie wusste, dass dies die Antwort war, die er hören wollte. Sie wusste auch, dass es leicht sein musste, ihren Körper im Regenwald zu entsorgen, wo Ameisen sie an einem Tag bis aufs Skelett abnagen würden.

Ihr kam ein anderer Gedanke. Wer würde sich um ihr Verschwinden kümmern? Sie hatte keine nahe Familie mehr; ihre Eltern waren kurz nacheinander gestorben. Major Fairhaven würde misstrauisch sein, es würden einige Briefe zwischen England und Guachtal gewechselt, aber Major Fairhaven würde den Vorgang nicht allzu hoch hängen. Plötzlich begriff Jacey, wie verletzlich sie war.

Aber würde Nicolás sie wirklich umbringen lassen? Und würde er sie wirklich an Marco übergeben? Das glaubte sie nicht. Sie schätzte, dass Nicolás eine bestimmte Befriedigung aus seinen Drohungen zog. Sie glaubte, die Leute fürchteten ihn wegen der Dinge, die er ihnen antun könnte und weniger wegen der Dinge, die er wirklich tat.

Sie wollte ihn herausfordern. »Du überlegst also, mich umbringen zu lassen, nur weil ich nicht gekommen bin, als du nach mir gerufen hast?«, fragte sie, scheinbar unbeschwert. »Ist das nicht ein bisschen extrem?«

»Ich genieße den Sex mit dir, Jacey«, sagte er. »Aber glaube nicht, dass dich das rettet, wenn du dich gegen mich stellst. Ich lasse nicht zu, zum Narren gemacht zu werden. So lange wir zusammen sind, wirst du tun, was ich dir sage. Nur so gefällt es mir.« Er lächelte. »Und dir auch, nicht wahr?«

»Mir gefällt es nicht, von deinen Polizeigorillas aus dem Bett gezerrt zu werden«, sagte sie.

Er lachte und lehnte sich auf dem Stuhl zurück. Sie starrten sich eine lange Zeit an, und sie spürte, wie sie erregt wurde – trotz seiner Drohungen. Sie hasste sich selbst dafür, dass sie ihn immer noch überwältigend sexy fand.

»Komm her«, sagte er. Sie ging um den Schreibtisch herum, und er schob seinen Stuhl zurück, die Beine weit gespreizt und von sich gestreckt. »Zieh deine wenig schmeichelhafte Hose aus«, sagte er.

Es war eine weite, lockere Sporthose, die von schmalen Schnüren gehalten wurde. Sie öffnete die Schnüre, und die Hose fiel zu Boden. Sie hatte nicht genug Zeit gehabt, Unterwäsche anzuziehen, deshalb stand sie nur noch in ihrem Sweatshirt vor ihm. Er betrachtete sie ausgiebig und griff dann nach dem roten Busch ihres Schamhaars.

»Du hast nicht die ganze Prozedur gehasst, nicht wahr?«, fragte er leise. Seine Finger erforschten sie kundig und fanden rasch heraus, dass sie feucht und erregt war.

»Niemand hat es gern, wenn die Polizei an seine Tür klopft«, sagte sie.

Er spielte behutsam mit ihr. »Ein bisschen Angst«, murmelte er, »kann ein starkes Aphrodisiakum sein.«

Er zog sie an sich, bis sie gespreizt auf seinem Schoß saß. Er ließ einen Finger über ihren Kitzler gleiten und wandte genau so viel Druck an, dass sie es voll genießen konnte. Schauer auf Schauer durchlief ihren Körper, und sie sah, wie seine Erektion gegen den Hosenstoff drückte.

Sie griff nach unten, öffnete den Reißverschluss und nahm den pochenden Penis in die Hand. Sie drückte ihn kräftig, Revanche für die Art und Weise, wie er sie behandelt hatte, aber er stöhnte nur lustvoll und bewegte die eigene Hand schneller. Er schob erst einen, dann einen zweiten Finger in ihre feuchte Tiefe.

Sie massierte ihn, aber es war schwierig, sich zu konzentrieren, wenn ihr eigener Körper so heftig auf seine geschickte Behandlung reagierte. Sie wiegte sich vor und zurück, gefangen im Rhythmus der Verlangens, und gewahrte kaum, dass sie ihn immer noch im Griff hatte und immer stärker erregte. Sie hatte die Augen geschlossen, und als der Orgasmus sie erfasste, hörte sie einen harschen Schrei – aber es dauerte mehrere Sekunden, ehe sie ihre eigene Stimme erkannte.

Ihr Körper schwang hin und her, aber schließlich sackte sie auf seinem Schoß zusammen und fiel gegen seine Brust.

Sie lag zusammengekauert da, orientierungslos

von den körperlichen Wellen der sexuellen Euphorie, die sie geschüttelt hatten.

»Du kannst mich jetzt los lassen«, sagte Nicolás leise.

Erst jetzt wurde ihr bewusst, dass sie immer noch seinen Penis fest in der Hand hielt. Eingelullt von der Schläfrigkeit, die oft gutem Sex folgt, fühlte sie sich glücklich und zufrieden, und für einen Moment vergaß sie, wo sie war und wie sie hergekommen war. Nicolás' Körper fühlte sich warm und angenehm unter ihr an. Sie konnte seinen Herzschlag hören.

Einen kurzen Augenblick lang hätte man sie für Liebende halten können, die sich von einem Akt gegenseitiger Leidenschaft erholten.

Aber nur für einen kurzen Augenblick. Ihr eigener Herzschlag normalisierte sich, und ihre Gedanken kehrten in die Gegenwart zurück. Die kalten, nackten Wände des Zimmers holten sie mit einem Ruck in die Wirklichkeit und erinnerten sie an ihr Verhältnis mit Nicolás, das alles andere als romantisch war. Er behandelte sie wie sein Eigentum, und er würde es wieder tun, wann immer es ihm genehm war.

Sie löste sich von ihm, rutschte von seinen Knien und stand auf. Nicolás zog den Reißverschluss hoch, und sie bückte sich nach der Sporthose.

»Nein«, sagte er, »noch nicht.« Er ließ sich wieder auf dem Stuhl zurückfallen. »Geh zur Wand.« Sie wusste nicht, was er diesmal wollte, aber sie gehorchte. »Dreh dich um«, wies er sie an, »und komm zurück.« Sie spürte seine Blicke auf ihrem Dreieck, als sie zu ihm ging. »Stopp«, sagte er. »Und jetzt zieh dein Sweatshirt hoch.«

Sie tat, wie geheißen, und hob das Hemd, bis ihre Brüste entblößt waren. Ihre vorangegangene sexuelle Erregung hatte die Nippel zu kleinen harten Knospen zusammengezogen, und jetzt sorgte die kühle Büroluft für eine zusätzliche Verhärtung.

Nicolás starrte sie lange an. Jacey erwartete, dass er sie noch näher haben wollte, aber dann sagte er nur: »Sehr hübsch. Jetzt kannst du dich anziehen.«

Er sah ihr zu, als sie die Sporthose anzog. »Schläfst du in diesem Outfit?«

»Ich schlafe in meiner Haut«, sagte sie. »Dieses Outfit benutze ich nur, wenn ich von der Polizei aus dem Bett geholt werde.«

Er lachte. »Das wird nicht wieder geschehen, es sei denn, du widersetzt dich mir erneut. Aber das wird es nicht mehr geben, nicht wahr?«

»Das liegt an dir«, antwortete sie. »Vergiss nicht, dass ich einen Job habe. Ich bin Ärztin, und meine Patienten kommen immer zuerst dran.«

»Das ist in Ordnung«, sagte er. »Aber ich komme dicht dahinter. Sehr dicht. Vergiss das nicht, Dr. Muldaire.«

»Ich kann nicht glauben, dass er dir das angetan hat«, sagte Ingrid zornig, nachdem Jacey die Vorkommnisse der vergangenen Nacht bestätigt hatte. »Der arme Dr. Sanchez war überzeugt davon, dass wir dich nie wiedersehen werden.« Sie lehnte sich über Jaceys Schreibtisch, das Gesicht ernst. »Du musst darauf achten, Nicolás nicht zu verärgern. Dr. Sanchez ist sicher, dass dein Nicolás für den Tod der Juanita Márquez verantwortlich ist. Er ist ein Psycho! Und ist es nicht zu gefährlich, deiner kleinen Jungfrau Leonardo Englischunterricht zu erteilen? Wird das Nicolás nicht eifersüchtig machen?«

Jacey lachte. »Nicolás würde in Leonardo keine Gefahr sehen. Außerdem mag Leonardo mich nicht.

Du hast doch gesehen, wie er mich auf der Wohltätigkeitsparty behandelt hat.«

»Man nimmt keine Privatstunden bei jemandem, den man nicht mag«, stellte Ingrid fest.

»Doch, das tut man, wenn es einem der große Bruder gesagt hat«, gab Jacey zurück. Erklärend fügte sie hinzu: »Der Unterricht war Raouls Idee, nicht Leonardos.«

»Bitte.« Ingrid nahm Jaceys Hand und drückte sie. »Versprich mir, dass du dem Jungen nur Englisch beibringst.«

»Er will nichts anderes von mir lernen«, murmelte Jacey.

Aber sie wusste, dass das eine Lüge war.

Sie spielte inzwischen ein merkwürdiges Spiel mit Leonardo. Während jeder Stunde gab er mindestens einen Kommentar ab, den sie als Einladung auslegen konnte, das Thema in Richtung Sex zu lenken. Er hoffte ganz offensichtlich, dass die Dinge nicht beim Plaudern blieben, aber er selbst war zu schüchtern oder zu unerfahren, um den nächsten Schritt zu gehen.

Jacey bezog Befriedigung daraus, ihn zu necken. Manchmal stellte sie sich schwerfällig an, als verstünde sie seine Anspielungen nicht, ein anderes Mal tadelte sie ihn wegen seiner Keckheit.

Als sie sich das nächste Mal trafen, ließ Jacey ihren Schüler fast eine Stunde lang über die Musik erzählen, die er am liebsten hörte. Als er schließlich seinen Diskurs beendet hatte – er gestand seine Vorliebe für Tanzmusik aus den Dreißigern und Vierzigern -, begann Jacey, ihn intensiv anzustarren. Es verwirrte ihn, wie sie erwartet hatte. Er errötete und begann zu stammeln.

»Bi ... bitte, hören Sie auf, mich so anzustarren. Es ... es macht mich nervös.«

Sie bewegte ihren Blick nicht. »Warum sagen Sie mir nicht die Wahrheit, Leonardo?«, fragte sie. Und dann, ohne den lockeren Ton zu wechseln, fragte sie: »Sie wollen mir sagen, dass es Sie sexy macht, nicht wahr?«

Er zuckte zusammen. Die Röte in seinem Gesicht vertiefte sich. »Nein«, antwortete er.

»Aber Sie haben einen Steifen, nicht wahr?«

»Nein«, presste er hervor.

»Stehen Sie auf.«

Er zögerte einen Augenblick, dann erhob er sich langsam, und Jacey wusste, dass sie gewonnen hatte. Auch sie stand auf und trat dicht vor ihn.

»Wenn er Ihnen nicht hart wird«, sagte sie, »müsste ich verdammt verärgert sein.«

»Wieso?«, flüsterte er.

Sein Gesicht war nur eine Handbreit von ihrem entfernt. Sie bewunderte seine glatte, gebräunte Haut und den eleganten Schwung seiner Augenbrauen. Schweißperlen hatten sich auf seiner Oberlippe gebildet.

»Weil es eine Beleidigung für mich ist«, antwortete sie. »Bei jedem Treffen lassen Sie mich wissen, dass Sie intelligente Frauen mögen, starke Frauen, ältere Frauen. Diese drei Eigenschaften treffen auf mich zu. Und jetzt teilen Sie mir mit, dass ich bei Ihnen nichts bewege? Das ist eine Beleidigung, Leonardo.«

»Ich kann nicht ...«, murmelte er. »Ich meine, Sie sind Nicolás' Frau ...«

»Und warum sind Sie dann zu mir gekommen? Warum versuchen Sie, mich anzumachen?«

»Das habe ich nicht ...«

»Doch.« Sie schaute an ihm hinunter, aber der

lockere Fall seiner weiten Hose versteckte die körperliche Reaktion, von der Jacey überzeugt war. »Schade, dass die Hose nicht enger ist«, sagte sie. »Sonst könnte ich genau erkennen, was Sie empfinden. Aber ich will es wissen. Ich will sehen, ob Sie mich mögen, Leonardo.« Sie trat einen Schritt zurück. »Ziehen Sie Ihre Hose aus.«

»Aus?«, wiederholte er ungläubig. Auch er trat einen Schritt zurück. »Nein, ganz sicher nicht.«

Sie hörte einen Hauch von Erregung in seiner Stimme. »Bringt Sie das in Verlegenheit?« Lacey lächelte. »Ich bin Ärztin. Ich habe schon Tausende Männer nackt gesehen. Mit allem, was sie zu bieten haben.« Grinsend fügte sie hinzu: »Vielleicht sollte ich Sie selbst ausziehen. Wäre Ihnen das lieber?«

Sie sah, wie es um seine Mundwinkel nervös zuckte, aber seine Augen funkelten vor Erwartung. »Nein«, antwortete er.

Sie packte sein Handgelenk und drehte seinen Arm, bis Leonardo mit dem Rücken zu ihr stand. Sie spürte die Wärme seines Körpers an ihren Brüsten, die sie absichtlich gegen seinen Rücken drückte.

»Also gut«, sagte sie. »Fangen Sie an.«

»Bitte, lassen Sie mich los.« Es hörte sich nicht sehr überzeugend an.

Ihr Mund war dicht an seinem Ohr, und sie raunte ihm zu: »Zieh deine Hose aus, Leonardo. Ich will sehen, ob ich dir gefalle.« Sie verstärkte den Druck gegen seinen Arm. »Ich wäre sehr verärgert, wenn du immer noch keine Erektion hast.«

Sie schaute über seine Schulter, als er an seinen Hosenstall griff und an den Knöpfen fummelte. Seine Hand zitterte, und dann spürte sie, wie sein ganzer Körper zu zittern begann. Wenn er bisher noch keine Erektion hatte, dachte Jacey, dann bekommt er jetzt eine.

»Beeile dich«, befahl sie. »Du willst die Sache doch nicht in die Länge ziehen?« Sie spürte, wie ein Zucken durch seinen Körper fuhr, als hätte er einen elektrischen Schlag bekommen. »Komm schon«, sagte sie ungeduldig. »Zeige mir, was für ein Mann du bist, Leonardo.«

Sie genoss das Winden und Schlängeln seines Körpers, während er die Knöpfe öffnete, und schließlich glitt die Hose zu Boden. Sie schob ihn einen Schritt vor, damit er aus der Hose heraustreten konnte.

Er hatte lange, schlanke Beine, die kaum behaart waren; die Hemdschöße bedeckten einen Teil seiner Oberschenkel.

Jacey griff mit einer Hand an seine Pobacken, worauf Leonardo wieder zu zittern begann. Seine Backen waren klein und fest und erregten Jacey, aber sie widerstand der Versuchung, weiter nachzuforschen. Statt dessen fuhr sie mit einem Finger über den Bund seiner engen Unterhose.

»Die ist als nächstes dran«, befahl sie.

Er versuchte, den schmalen Slip nach unten zu schieben, aber Leonardo hatte Mühe, ihn über die Erektion zu heben. Sein Körper wand sich gegen Jaceys wie in einem ungeschickten, unbeabsichtigten Tanz. Jacey wollte über seine Schulter blicken, um zu sehen, was Leonardos Ausziehaktion aufhielt, aber dann rutschte der Slip endlich die Beine hinunter.

Jacey ließ ihn los und stellte sich vor ihn, um ihn aus der Nähe zu mustern. Leonardo war so vollkommen, wie sie es sich vorgestellt hatte: Schlank, jung und begehrenswert.

»Heb dein Hemd hoch.«

Langsam hob er die Hemdschöße und entblößte eine Erektion, die beeindruckend hoch stand und überraschend groß war. Auch die Hoden waren größer, als sie vermutet hatte, voll und schwer. Die Größe wurde noch unterstrichen durch die schmale Taille und die schlanken Oberschenkel.

Ja, Leonardo bot einen verführerischen Anblick. Er stand da und sah Jacey mit einem Ausdruck an, der Eifer, Unsicherheit und Vorfreude verriet.

»Binde die Hemdschöße zusammen«, wies sie ihn an, und als er das getan hatte, fügte sie hinzu: »Jetzt gehst du ins Schlafzimmer.«

Sie genoss den Anblick seiner auf und ab federnden Erektion, als er an ihr vorbei ging. Als er vor dem Bett stand, drehte er sich nach Jacey um. Sein schlanker, gebräunter Körper und die vollen dunklen Haare erinnerten sie plötzlich an Faisal. Er war größer als Faisal, und sein Körper war etwas schlanker, aber trotzdem war die Ähnlichkeit so groß, dass sie plötzlich Zorn empfand.

Sie wusste, dass Leonardo unschuldig an ihrem Empfinden war, aber als sie sein Lächeln sah und den Anflug von Triumph in seinen Augen, begriff sie, dass er genau wusste, was er wollte – und auch wusste, welche Wirkung er auf sie hatte.

Jacey empfand eine Mischung aus Lust und Wut. Sie war mit wenigen Schritten bei ihm, packte ihn am Handgelenk, wirbelte ihn herum und warf ihn bäuchlings aufs Bett. Leonardo stieß einen Knurrlaut der Überraschung aus und wollte sich zur Wehr setzen, aber sie verstärkte nur den Druck gegen den Arm, den sie ihm auf den Rücken gedreht hatte.

Mit der anderen Hand holte sie kurz aus und ließ sie auf seinen Hintern klatschen. Es hörte sich wie ein Pistolenschuss an. Leonardos Aufschrei wurde vom Kissen gedämpft. Er wandte den Kopf zur Seite. Sie schlug wieder zu, zwei-, dreimal hintereinander. Ihr war, als züchtigte sie Faisal, als könnte sie ihn für seinen entsetzlichen Verrat abstrafen.

Dann wurde ihr bewusst, dass es Leonardo war, auf dessen Hintern sie klatschte, und einen Augenblick lang fühlte sie sich schuldbewusst. Sie schaute in Leonardos Gesicht. Sein schwarzes Haar breitete sich auf dem weißen Kissen aus, und sein Ausdruck war so verzerrt wie ein Mann in den Fängen des Orgasmus. Oh, er liebte jede Sekunde dieser schmerzvollen Demütigung.

»Wage nur nicht zu kommen, bevor ich bereit bin«, sagte sie und begleitete jedes Wort mit einem Klatschen, aber diesmal waren es leichtere Schläge.

»Dann beeile dich«, murmelte er zwischen zusammen gepressten Zähnen, »denn ich kann nicht mehr lange durchhalten.«

Sie ließ ihn los und drehte ihn auf den Rücken. Mit wenigen Handgriffen entledigte sie sich ihres Rocks und des Slips. Dies war nicht das, was sie geplant hatte, aber dann rollten sie und Leonardo quer übers Bett. Schließlich lag er unter ihr, und sie grätschte über ihn, griff seine Erektion und ließ sich langsam hinab. Sie war nass und bereit für ihn und mahlte mit dem Becken, bis sie ihn ganz aufgenommen hatte.

Sie hörte ihn aufstöhnen, eine Mischung aus Gier und Erleichterung. Sie setzte ihr Gewicht ein, um ihn zu kontrollieren, und begann mit langsamen Bewegungen. Aber sein Zucken und Schütteln verriet ihr, dass er nicht mehr lange zur Verfügung stehen würde, deshalb ließ sie ihn zustoßen.

Sie hatte Recht. Sein Orgasmus rüttelte ihn durch, sein Körper bäumte sich unter ihr auf, und seine frenetischen Schreie kündeten von seiner Lust. Obwohl sie selbst noch keine Erfüllung gefunden hatte, ließ sie ihn die explosiven Gefühle auskosten, und erst als sich sein Atem normalisiert hatte, rollte sie von ihm und legte sich neben ihn.

»Nun«, sagte sie, »das war fürs erste Mal keine schlechte Vorstellung.«

»Ist es immer so gut?«, fragte er schläfrig.

»Manchmal ist es noch besser«, antwortete sie. »Und manchmal auch nicht so gut. Aber das gehört mit zum Spiel.«

Er wandte ihr das Gesicht zu und grinste anzüglich. »Dir hat es Spaß gemacht, mich zu klatschen, was?«

»Nicht weniger als dir«, sagte sie und erwiderte sein Grinsen.

»Hast du das schon oft getan?«

»Noch nie«, gestand sie.

»Hat ein Mann dir schon mal den Hintern versohlt?«

Sie sah ihn stirnrunzelnd an. »Man stellt keine frechen Fragen, junger Mann. Und bilde dir bloß keine Schwachheiten ein.«

»Oh«, sagte er, seine Stimme plötzlich leise und verführerisch. »Du bringst mich auf eine Menge Ideen, und die möchte ich alle mit dir ausprobieren.«

»Mit der ersten kannst du gleich beginnen«, sagte sie trocken. »Du kannst lernen, wie du mir einen Höhepunkt besorgst.«

»Du meinst, ich habe dir nicht ... Du hast nicht ...?« Er schien wirklich überrascht zu sein.

»Nein, hast du nicht. Und ich habe nicht«, antwortete sie. Aber lass dir darüber keine grauen Haare wachsen. Dieses Mal verzeihe ich dir noch.«

»Ich erhalte also noch eine Chance?«

Er hörte sich so ängstlich an, dass sie laut lachen musste. Sie streckte einen Arm aus und streichelte über seine klammen Haare. »Das weißt du doch.

Noch viele Chancen. Aber Leonardo» – sie wandte sich ihm jetzt zu und sah ihn mit ernstem Ausdruck an – »dies müssen wir geheim halten. Nicolás kann sehr eifersüchtig sein. Und sehr gefährlich. Erst kürzlich habe ich feststellen müssen, wir gefährlich er sein kann. Sage auch nichts zu Raoul.«

»Nein, niemals«, antwortete Leonardo. »Er mag es vielleicht erahnen, aber er würde nichts tun, was dich in Gefahr bringen könnte. Und ich natürlich auch nicht. Und ich weiß auch, dass Nicolás Schlemann ein sehr gefährlicher Mann ist.« Er stützte sich auf einen Ellenbogen auf und starrte sie ernst an. »Tatsache ist, dass ich jetzt schon die ersten Schuldgefühle spüre. Ich hätte das nicht geschehen lassen dürfen.«

»Du hast es nicht geschehen lassen«, stellte Jacey klar. »Wir haben es beide geschehen lassen.« Jetzt, dachte sie, war der richtige Augenblick, um seine Männlichkeit herauszufordern. Seinen Beschützerinstinkt. »Um ehrlich zu sein«, sagte sie, »möchte ich die Beziehung mit Nicolás beenden, aber ich fürchte mich vor seiner Reaktion. Die Entscheidung muss von ihm kommen, nicht von mir. Hast du gehört, dass er mich ins Polizeihauptquartier hat abführen lassen, weil ich ihn verärgert hatte?«

»Ja.« Leonardo nickte. »Ich habe davon gehört, aber ich hielt es für eine Übertreibung.«

»Nein«, sagte sie, »es stimmt wirklich. Er hat mir auch gedroht. Er hat gesagt, er könnte mich umbringen lassen.« Sie zögerte und überlegte, wie verängstigt sie sich geben sollte. »Ich glaube ihm, Leonardo. Ich halte ihn fähig, mich umbringen zu lassen.« Wieder eine Pause. »Ich habe von dem Gerücht gehört, dass er für den Tod deiner Mutter verantwortlich sein soll.«

Leonardo mied ihren Blick. »Nun ..., das glaube

ich nicht. Obwohl ich sicher bin, dass er sich über das Verschwinden meiner Mutter gefreut hat.«

»Deine Tante Ana scheint auch nicht zu glauben, dass deine Mutter tot ist.«

»Ich habe nicht gesagt, dass sie noch lebt«, sagte Leonardo rasch. »Aber wie du weißt, wurde ihre Leiche bis heute nicht gefunden.«

»Glaubst du, dass sie zu Loháquin gegangen ist?« Mit dieser Frage düpierte sie Leonardo. Sie sah das nervöse Zucken seiner Mundwinkel.

»Natürlich nicht«, sagte er rasch.

»Aber es gibt Menschen, die in den Regenwald gehen, um sich den Rebellen anzuschließen, nicht wahr?«

Er wand sich auf dem Bett. »Ich weiß es nicht. Ja, kann sein.«

»Bist du Loháquin schon mal begegnet, Leonardo?«

»Nein.«

Sie glaubte ihm. »Kennst du jemanden, der ihn schon mal gesehen hat?«

Er wand sich wieder. »Nein.«

»Du traust mir nicht, nicht wahr, Leonardo?«

»Doch«, sagte er. »Ich glaube jetzt, dass du ein gutes Herz hast. Du kümmerst dich um Menschen. Du arbeitest im *El Invierno*. Dr. Rodriguez mag dich. Ich verstehe nicht, warum du Nicolás Schlemanns Frau geworden bist, aber ich verstehe dich jetzt ein bisschen besser. Man kann dir nicht verübeln, dass du ihn für attraktiv hältst. Das tun viele Frauen. Bis sie schließlich erkennen, was für ein Typ Mann er ist.« Er blickte sie ernst an. »Nicolás Schlemann hat zu viel Macht. Aber vielleicht ändern sich die Verhältnisse. Das hoffen jedenfalls viele Menschen.«

»Ich hoffe es auch«, sagte Jacey.

Später an diesem Abend fand Jacey, dass es mit Leonardo Márquez einen guten Anfang genommen hatte. Er begehrte sie, und er war bereit, sie zu schützen. Ich habe das Gefühl, dass Leonardo genau der Mann ist, den ich brauche. Auf die eine und auf die andere Weise, dachte sie zufrieden.

»Du meinst, Mister Bin-ich-nicht-wunderbar Curtis Telford hat noch nicht gefragt, ob du mit ihm ins Bett willst?« Ingrid hockte wieder auf Jaceys Schreibtischkante. »Das wundert mich. Er hat jede andere gefragt. Vielleicht hat Nicolás ihn vorgewarnt.«

Jacey hob die Schultern. »Ich weiß nur, dass er ein amerikanischer Freund Nicolás' ist. Wir haben uns etwa zwei Minuten lang gesehen. Er wollte irgendwas gegen seine Müdigkeit nach der Zeitverschiebung.«

»Man sollte ihm die Finger amputieren«, sagte Ingrid. »Nicht alle Krankenschwestern stehen darauf, dass man ihnen in den Po kneift.«

Curtis Telford war mit Nicolás ins Krankenhaus gekommen. Er war ein großer, blonder Mann, gebaut wie einer der Chippendale Boys, aber nicht so schön. Er hatte kurz geschorene Haare und eine tiefe kalifornische Bräune. Jacey schätzte ihn auf etwa Vierzig. Er hatte sie kurz angelächelt. Sein Blick blieb etwa eine Sekunde auf ihr Gesicht gerichtet, ehe er sich zu ihren Brüsten senkte.

Er wandte sich an Nicolás. »Du hast mir nicht gesagt, dass deine kleine Freundin so hübsch ist.«

Nicolás hob die Schultern. »Alle meine Frauen sind hübsch.«

Als Telford ging, drehte er sich noch einmal zu Jacey um und zwinkerte ihr zu. Sie zeigte ein dünnes Lächeln. Ihre Gedanken kreisten um den Anlass seines Besuches in Guachtal.

Es stand fest, dass Nicolás bemüht war, seinem Besucher zu imponieren. Ihm war ein Auto samt Chauffeur zur Verfügung gestellt worden. Er tauchte unangemeldet im Krankenhaus auf und schäkerte mit Carmen und den anderen Mädchen.

Carmen hatte Jacey erzählt, dass der Amerikaner einen bizarren Geschmack hatte, was Sex anging, und dass er nicht bereit war, auch nur einen cento zu zahlen.

»Wieso nicht?«, hatte Jacey gefragt.

Achselzuckend hatte Carmen geantwortet: »Man hat uns aufgetragen, nichts von ihm zu verlangen.«

Jacey ersparte sich die Frage, wer diese Anweisung gegeben hatte.

Jacey ersparte sich auch, Nicolás nach Telford auszufragen, aber sie war überrascht, dass Leonard behauptete, so gut wie nichts über den Amerikaner zu wissen. Sie wartete, bis sie nach einem stürmischen Nachmittag bequem nebeneinander im Bett lagen.

»Wer ist Curtis Telford?«

Er sah sie düpiert an. »Ich weiß es nicht. Ich wollte dich schon fragen. Ich weiß nur, dass mein Bruder Carlos wütend über die Ankunft des Amerikaners ist. Carlos hat Nicolás in der Vergangenheit geholfen, Geld zu verdienen, und jetzt fürchtet Carlos, dass Nicolás ohne ihn Geld verdienen will, dass Nicolás ihn ausschließt und den Profit allein einsteckt.«

Ja, dachte Jacey, das hört sich überzeugend an. Aber welche Pläne hatte Nicolás? Es hat was mit dem Regenwald zu tun, dachte Jacey. Vielleicht geht es um den Vertrag mit der Holzfällerfirma? Was auch immer es so, sie war wild entschlossen, es herauszufinden.

Für Jacey brachte der Aufenthalt von Curtis Telford auch Vorteile: Nicolás' Anforderungen übers Handy hörten auf. Sie wusste von Carmen und Ingrid, dass der Amerikaner einen unersättlichen Appetit hatte, was sexuelle Experimente anging, und Nicolás hatte wahrscheinlich alle Hände voll zu tun, die Gelegenheiten dafür zu arrangieren.

Wegen ihrer zusätzlich gewonnenen Freizeit konnte Jacey häufiger im *El Invierno* arbeiten. Während sie mit Paloma in der Ambulanz arbeitete, fiel ihr auf, dass viele Indios, Männer und Frauen, Amulette trugen. Einige hatte auch Zeichen in roter Farbe auf der Stirn.

»Sie glauben, dass ihnen das hilft«, erklärte Paloma auf Jaceys Frage.

»Und trotzdem kommen sie in die Klink?«

Paloma lachte. »Die Indios sind praktisch veranlagt. Warum sollen sie nicht alle Möglichkeiten wahrnehmen?«

Jacey nickte. »Ich bin sicher, dass einige der traditionellen Methoden helfen«, sagte sie. »Damit meine ich nicht die Amulette und die magischen Zeichen, sondern Medizin, die aus den Pflanzen des Regenwalds gewonnen wird.«

»Oh, ja, sie hilft«, sagte Paloma eifrig. »Meine Mutter ist von einer *mochtó* geheilt worden. Nach ihrem ersten Baby hatte sie starke Blutungen, und damals gab es noch keine Krankenhäuser wie El Invierno. Sie ging zu einer *mochtó*, wurde unter einen Zauberspruch gestellt und erhielt einen Saft zum Trinken. Sie ist gesund geworden.«

»Ein Zauberspruch?«, fragte Jacey amüsiert. »Paloma, ich dachte, du stammst aus einer katholischen Familie.«

»Ja, natürlich.«

»Und deine Mutter ist trotzdem zu einer Medizinfrau gegangen?«

»Eine *mochtó* ist keine Medizinfrau«, erklärte Paloma. »Sie ist eine Heilerin.«

»Was macht sie?« Jacey konnte dem Thema noch nicht mit dem nötigen Ernst begegnen. »Opfert sie ein Huhn?«

»Aber nein. Die *mochtó* hat Respekt vor dem Leben. Nichts wird während der Zeremonie getötet. Das wäre ja auch ein Widerspruch, nicht wahr? Man kann das Leben nicht dem Tod erkaufen.«

»Du scheinst sehr viel darüber zu wissen«, stellte Jacey fest.

Paloma hob die Schultern. »Ich habe mich mit einigen Indiofrauen angefreundet, und eine hat mich zu einer Heilung eingeladen. Es war sehr interessant.« Sie fügte leise hinzu: »Es gab viele Heilungen.«

»Nur durch Zaubersprüche?«, fragte Jacey. »Oder auch durch Medizin?«

»Beides.«

»Ich möchte an einer solchen Zeremonie teilnehmen«, sagte Jacey. »Ist das möglich?«

»Ja, ich glaube schon. Ich meine, Sie sind schließlich auch eine Heilerin. Wenn Sie möchten, erkundige ich mich.«

Der Raum war klein, voll besetzt und dunkel, und schwerer Kräuterduft hing in der Luft. Paloma schob Jacey weiter nach vorn, auf eine kleine Frau zu, die mit gekreuzten Beinen in einem Kreis saß, der mit Büschen getrockneten Grases und Blumen abgesteckt war.

Die Frau blickte hoch und sah Jacey mir kleinen, hellen Augen an und sagte etwas in ihrer Indiosprache.

»Die mochtó heißt Sie willkommen«, übersetzte Paloma. »Sie möchte wissen, ob Sie eine Heilung brauchen.«

Jacey starrte in die freundlichen, weisen Augen der Heilerin. Die Ärztin war versucht, »Ja» zu sagen. Heilen Sie mich von meinen Erinnerungen, von meinen schlechten Träumen. Heilen Sie mich von den Erinnerungen, was Faisal mir angetan hat.

Die mochtó wiegte sich langsam vor und zurück und nickte Jacey aufmunternd zu.

»Nein«, sagte Jacey zu Paloma. »Danke ihr und sage, dass es mir gut geht.«

Die mochtó nickte wieder, und Jacey hatte das unbehagliche Gefühl, dass die alte Frau trotzdem über sie Bescheid wusste. Sei nicht albern, schalt sie sich. Niemand kann Gedanken lesen. Die Dunkelheit und der schwere Kräuterduft benebeln dich. Sie folgte Paloma zum hinteren Teil des Raums. Als die Zeremonie begann, übersetzte Paloma.

Die *mochtó* fiel in einen monotonen Singsang und wedelte mit einem brennenden Kräuterbund durch die Luft.

»Um die Geister zu beschwichtigen«, flüsterte Paloma.

Dann traten mehrere Menschen aus dem Rund und setzten sich vor die alte Frau. Sie unterhielten sich in einem leisen Raunen. Manchmal legte die *mochtó* nur ihre Hand auf den Kopf des Hilfesuchenden, oder sie malte mit einem kleinen Stock, den sie in einen Topf mit dunkler Flüssigkeit tunkte, ein bestimmtes Muster auf die Stirn.

»Die Geister werden ihn heilen«, murmelte Paloma.

Später brachten Helferinnen kleine Gläser und reichten sie der Heilerin. Sie öffnete jedes Glas, roch daran und nickte, ehe sie die Medizin an die Hilfesuchenden weiter gab. Diese Art Hilfe konnte Jacey begreifen.

»Was ist in den Gläsern?«, fragte sie Paloma. »Ob sie mir das verraten wird?«

Paloma schüttelte den Kopf. »Das ist ein Geheimnis. Indiozauber. Niemand wird es verraten.«

Es sind eher Indiokräuter, dachte Jacey. Sie fragte sich, wie viele neue Medikamente die westliche Medizin finden würde, wenn sie die Geheimnisse der Indios aus dem Regenwald erforschten. Das wäre segensreicher, statt den Regenwald zu vernichten.

Nachdem alle, die gekommen waren, mit der *mochtó* zu reden, das auch getan hatten, half man der alten Frau auf die Füße. Öllampen wurden angezündet, und zwei Helferinnen setzten die Heilerin auf einen bequemen Stuhl. Die Menschen drängten sich um sie, lachten und erzählten sich Geschichten, aber auch jetzt sah Jacey, dass alle Besucher eine hohe Achtung vor der alten Frau hatten.

»Jetzt tauschen sie Klatsch und Tratsch aus«, erklärte Paloma. »Und sie trinken Tee. Den kann ich Ihnen nicht empfehlen, er schmeckt sehr bitter.«

Jacey hatte nicht gesehen, dass irgend jemand Geld gezahlt hatte. »Muss man nicht für die Beratung oder die Medikamente bezahlen?«, fragte sie.

»Nur wenn sie helfen«, antwortete Paloma. »Dann zahlt man, was man sich erlauben kann. Wenn man geheilt ist, kommt man hierhin zurück und bringt der *mochtó* ein Geschenk.«

»Sie vertraut den Menschen?«

Paloma lächelte. »Wer versucht, sie zu hintergehen, läuft Gefahr, die Geister gegen sich aufzubringen, und das will niemand.«

»Geister wie *lohá*?«, fragte Jacey. »Derjenige, der auf Nicolás warten soll?«

Paloma sah sich unbehaglich um und wich Jaceys Blick aus. »Ja, so heißt es. Der *lohá* ist ein sehr böser Geist. Aber ich bin Katholikin und glaube nicht an solche Dinge.«

Jacey lächelte. »Nicolás auch nicht.« Sie blickte sich in der Menge um und bemerkte, dass nicht alle Besucher Indios waren. Es waren viel mehr spanisch stämmige Menschen hier, als Jacey zunächst wahrgenommen hatte. »Es sieht so aus, als schienen viele Spanier den Geistern der *mochtó* zu trauen.«

»Diese Menschen können sich keinen Arzt erlauben«, erklärte Paloma.

In diesem Augenblick sah Jacey ein Gesicht, das weder Indio noch spanisch war. Der Mann unterhielt sich gerade mit einem Indio. Er war groß und hager, trug ein weißes Hemd und verwaschene Jeans.

Jacey stieß Paloma an und deutete auf den Mann. »Wer ist das?«

»Felix Connaught«, sagte Paloma. »Er ist Amerikaner. Möchten Sie ihn kennen lernen?«

»Ja, natürlich. Ist er Arzt?«

»Nein«, antwortete Paloma. »Er ist nur seltsam.« Sie hob eine Hand und winkte und erlangte damit die Aufmerksamkeit des Amerikaners. Er winkte zurück, dann drängte er sich durch die Menge und kam auf sie zu.

Als er sich näherte, bemerkte Jacey, dass er älter war, als sie auf den ersten Blick gedacht hatte. Eher vierzig als dreißig, dachte sie, obwohl es schwer fiel, sich genau festzulegen. Er hatte das verwegene gute Aussehen der Männer, die keine ebenmäßigen Gesichtszüge brauchten. Seine dichten braunen Haare standen wirr vom Kopf ab. Er trug keine Uhr, dafür ein gehämmertes Metallband um ein Handgelenk und ein Amulett an einem Lederband um den Hals.

Er lächelte sie an. Es war jenes offene, freundliche Lächeln, dem man nur schwer widerstehen konnte. Er streckte seine Hand aus. »Und Sie sind Dr. Jacey Muldaire von *El Primavera* und *El Invierno*.«

»Hallo«, sagte Jacey. »Ich weiß über Sie nur, dass Sie Amerikaner sind und merkwürdig.«

»Ich meinte nett merkwürdig«, stellte Paloma klar.

Felix lachte. »Du hast Recht, Paloma. Ich bin merkwürdig. Um es zu beweisen, bitte ich dich, mir eine Tasse Tee zu besorgen.« Er wandte sich an Jacey. »Sie wollen nicht auch eine Tasse, nicht wahr?«

»Paloma hat mich davor gewarnt.«

»Recht so.« Er nickte eifrig. »Man braucht etwa zwanzig Jahre, um sich daran zu gewöhnen.«

»Sie sind seit zwanzig Jahren hier?«

»Länger«, antwortete er. »Ich kam her, als ich drei Jahre alt war. Ich war ein paar Male weg, aber ich bin immer zurück gekehrt.«

»Wie kommt es, dass ich Sie bisher noch nie gesehen habe?«, fragte Jacey.

»Auf einer der Márquez-Parties oder beim Polospiel?« Er hob die Schultern. »Zu solchen Anlässen lädt man mich nicht ein. Die Elite von Techtátuan mag mich nicht. Nicht, dass mich das stören würde.«

»Was haben Sie getan, dass man Sie ausschließt?«

Er lachte. »Ich bin das bemitleidenswerte Geschöpf, das zurück zur Natur will. Tatsächlich ziehe ich den Regenwald und die Indios der Stadt und Männern wie Carlos Márquez vor. Und ganz besonders Männern wie Nicolás Schlemann.« Er zögerte. »Kann ich so etwas in Ihrer Gegenwart sagen?«

»Nun, Sie scheinen eine Menge über mich zu wissen«, sagte Jacey. »Deshalb überrascht es mich nicht, dass Sie von meinem Verhältnis mit Nicolás im Bilde sind.«

»Fast jede schöne Frau, die nach Techtátuan gekommen ist, hat sich mit Nicolás in dieser Situation gefunden«, sagte Felix. »Wenn er das vermarkten könnte, was die Frauen zu ihm hinzieht, müsste er Multimillionär sein.« Er sah sie fragend an. »Vielleicht auch nicht. Ich habe gehört, dass die Betörung sich rasch auflöst.«

Sie hielt seinem forschenden Blick voller Unschuld stand. »Was bringt Sie auf die Idee?«

»Wenn die schöne Frau sich woanders umschaut«, sagte er achselzuckend, »dann kann man doch annehmen, dass sie sich langweilt. Oder sogar Angst hat?«

»Es kann auch sein, dass sie mehrere Geliebte haben möchte«, parierte Jacey.

»Kann sein«, räumte Felix ein. »Aber in diesem Fall glaube ich das nicht.«

Paloma drängte sich durch die Menge und hielt eine kleine Tasse in einer Hand.

»Ich muss mit Ihnen reden, Dr. Muldaire«, sagte Felix. »Wir haben vieles gemeinsam.«

»Wirklich?«, fragte sie. »Ich bewege mich in einer Gesellschaft, die Sie nicht mögen. Ich schlafe mit einem Mann, den Sie hassen. Also, ich finde eher, dass wir überhaupt nichts gemeinsam haben.«

»Ich glaube, wir könnten einander helfen.«

»Was bringt Sie auf den Gedanken, ich könnte

Hilfe benötigen, Mr. Connaught?«, fragte sie kühl.
»Felix«, berichtigte er. »Sie wollen den Menschen in Guachtal helfen. Ich auch. Ich weiß eine Menge über Sie, Dr. Muldaire. Wir haben gemeinsame Freunde. Aber hier können wir nicht reden. Besuchen Sie mich zu Hause?«
»Ich weiß nicht, wo Sie wohnen.« Sie war voller Neugier.
»Paulo weiß es«, sagte er. »Paulo wird Sie morgen Abend abholen. Wenn Sie nicht beschäftigt sind, wird er Sie zu mir bringen. Wenn Sie beschäftigt sind, machen wir einen neuen Termin aus. Wir brauchen einander.«

Jacey saß neben Leonardo auf dem Bett. Sie hatte ihm gerade befohlen, sich auszuziehen, und jetzt lag er nackt da und wartete auf weitere Instruktionen. Einfach nur Befehle von ihr entgegen zu nehmen, verschaffte ihm eine Erektion. Er hatte sich die Kleider ganz, ganz langsam ausgezogen, um die Lust der Unterwerfung hinaus zu zögern, aber Jacey war dabei fast verrückt vor Frust geworden.
Sie fand ihn körperlich immer noch äußerst begehrenswert. Sein gebräunter Körper, seine delikaten Gesichtszüge, die fein geschwungenen Augenbrauen und die glänzenden schwarzen Haare erregten sie noch wie am ersten Tag. Als sie sein halb geöffnetes Hemd gesehen hatte, wollte sie die restlichen Knöpfe aufreißen und einen Nippel zwischen die Lippen nehmen und den anderen mit den Fingern quälen.
Jetzt fuhr sie mit einer Hand über seinen Leib, vom Brustkorb über den flachen Bauch bis hinunter in das dunkle Gewirr seiner Schamhaare. Sie umfasste seinen senkrecht stehenden Penis mit der

Hand, fuhr langsam mit der Hand auf und ab, beugte sich über ihn und nahm ihn tief in den Mund.

Nach ein paar Minuten ließ sie ihn frei. »Wie hat sich das angefühlt?«

Er keuchte, und seine Hüften ruckten rhythmisch hoch. Er murmelte etwas, was sie nicht verstehen konnte. Seine Augen waren geschlossen, und sein Gesicht war verzerrt.

»Hör nicht auf? Oder hast du gesagt: Bitte, hör auf?«

»Hör nicht auf«, stieß er hervor.

»Hör nicht auf, bitte.«

»Bitte.« Er legte seine Hände auf ihren Kopf und versuchte, ihn wieder nach unten zu drücken. Aber sie wich ihm aus, und dann bewegte sie sich mit einer Geschwindigkeit, die ihn verblüffte, und im nächsten Augenblick fand er sich auf dem Bauch wieder. Sie grätschte über ihn, griff zwischen seine Beine und drückte grob seine Hoden. Er stieß einen unterdrückten Schrei aus.

»Leonardo«, sagte sie dicht an seinem Ohr. »Du hast Dinge über mich erzählt.«

»Habe ich nicht.«

Sie verstärkte den Druck. »Kennst du einen Amerikaner namens Felix Connaught?«

Er zögerte, und sie schüttelte ihn, bis er wieder aufschrie. »Ja«, gab er zu.

»Was hast du ihm über mich erzählt?«

»Nichts.«

Sie griff stärker in die Hoden. »Lüge mich nicht an. Ich habe ihn gestern Abend kennen gelernt.«

»Ich habe ihm nicht viel erzählt«, keuchte Leonardo. »Nur, dass du Verständnis für die Indios hast. Dass du ein netter Mensch bist. Er ist mein Freund, und er möchte auch gern dein Freund sein.«

Sie behielt den Griff bei. »Vielleicht ziehe ich es vor, meine Freunde selbst auszusuchen, Leonardo.«

»Er kann dir von Loháquin erzählen.« Leonardo bäumte sich auf und ruckte hin und her, und Jacey hatte Mühe, ihn im Griff zu behalten. Sie hatte ihn so sehr erregt, dass er rasch die Kontrolle verlor. Sie empfand plötzlich Mitleid mit ihm und griff mit der anderen Hand nach seinem Penis. Das reichte schon. Er begleitete seinen Höhepunkt mit einem langgezogenen Schrei des Entzückens. Nachdem sich sein Körper beruhigt hatte, gestattete sie ihm, sich auf den Rücken zu legen.

»Felix Connaught ist Loháquin, nicht wahr?«

Sie hatte gehofft, ihn mit der Frage zu überraschen, aber er sah sie nur verdutzt an und lächelte dann. »Nein, nein«, sagte er, »das ist er ganz gewiss nicht.«

»Woher willst du das wissen? Du hast mir einmal gesagt, dass du Loháquin noch nie gesehen hast.«

»Felix ist nicht Loháquin«, wiederholte er. »Das weiß ich mit Gewissheit.«

»Hat Felix ihn schon mal gesehen?«

Leonardo hob die Schultern. »Warum fragst du ihn das nicht selbst?« Er lächelte. Ziemlich selbstgefällig, dachte sie. »Bei deinem nächsten Besuch«, fügte er hinzu.

Jacey wusste sofort, als Paulo sie überschwänglich begrüßte, dass er ihr wieder traute. Im Auto plauderte er die ganze Zeit. Er brachte sie zum Stadtrand von Techtátuan und von dort auf eine nicht ausgebaute Straße, die in den Regenwald führte. Schließlich ging es auf eine Spur voller Schlaglöcher, und Jacey fürchtete um die Achsen des Autos.

Felix Connaught lebte in einem überwucherten Flachbau aus natürlichen Materialien. Es gab eine breite, überdachte Veranda. Das Haus wurde von hohen Bäumen umgeben, und dichtes Buschwerk schützte vor unwillkommenen Blicken. Ganz in der Nähe floss ein kleiner Bach. Connaught hatte einen kleinen Nutzgarten direkt am Haus angelegt.

Er begrüßte sie in seinen verwaschenen Jeans und im offen stehenden Hemd. Das Metallarmband glitzerte in der späten Sonne. Er reichte ihr einen kühlen Drink in einem hohen, schmalen Glas.

»Willkommen bei mir zu Hause, Dr. Muldaire.«

»Jacey«, sagte sie und nahm das Glas.

Paulo verabschiedete sich; er wollte einen kurzen Besuch in seinem Dorf machen, was ganz in der Nähe lag. Felix führte Jacey zur Veranda, wo zwei Stühle standen. Jacey nippte am Glas, es war ein Getränk mit Zitrusgeschmack.

»Mein eigenes Rezept«, sagte er, als sie den Geschmack des Drinks lobte. »Der Regenwald liefert die Zutaten, und der Bach hält es kühl.«

»Kaufen Sie irgend etwas in Techtátuan?«

»Sehr wenig«, antwortete er. »Wenn ich es nicht schon habe und der Regenwald es nicht liefert, dann brauche ich es auch nicht.« Er lächelte sie an. »Was bedeutet, dass ich die meisten Dinge habe, die ich wirklich benötige.«

»Haben Sie das Haus gebaut?«

Er schüttelte den Kopf. »Das haben meine Eltern getan. Sie sind vor sechsunddreißig Jahren nach Guachtal gekommen, als ich drei Jahre alt war. Mein Vater war Ingenieur, der aus der Tretmühle heraus wollte, und meine Mutter war Ärztin. Sie wollte Menschen helfen. Ich weiß nicht, warum sie sich für Guachtal entschieden haben, aber ich weiß, als sie einmal hier waren, gab es für sie kein Zurück mehr. Sie haben alles verkauft und trafen hier mit dem Schaukelstuhl der Familie ein – ich besitze ihn noch. Sie hatten viele Bücher mitgebracht, ein bisschen Geschirr und Besteck. Sie liebten die Indios und ihre Kultur und bewunderten, wie der Regenwald ihnen alles lieferte. Meine Mutter fand heraus, dass die Indios ihre westliche Medizin nicht brauchten, sie hatten ihre eigene. Sie hat Jahre damit verbracht, die Zusammensetzung zu studieren. Mein Vater hat seine Ingenieurkenntnisse einbringen können, um Bewässerungssysteme anzulegen; er erwies sich schließlich als brauchbarer Bauer. Jedenfalls hat er uns am Leben gehalten.«

»Und Sie interessieren sich auch für Medizin?«

»Weil ich bei der Heilungszeremonie dabei war?« Er grinste sie an. »Ich muss ein Geständnis ablegen. Ich bin hingegangen, weil ich Sie kennen lernen wollte. Ich hatte das mit Paloma abgesprochen.«

»Ich habe das Gefühl, dass ich von allen manipuliert werde«, sagte sie verärgert.

»Nicht aufregen«, sagte er. »Ich wollte die *mochtó* wirklich noch einmal sehen. Wir sind alte Freunde.« Er sah ihr intensiv in die Augen. »Ich wollte Sie von Angesicht zu Angesicht sehen. Das brauche ich, bevor ich jemandem völlig vertrauen kann.«

»Und das können Sie jetzt?«

Er nickte ernst. »Ja.« Er lächelte wieder. Ein attraktives Lächeln, dachte sie. Freundlich und sexy zugleich. »Ich habe mich zuerst bei einigen Leuten nach Ihnen erkundigt«, sagte er. »Bei Leuten, deren Urteil ich respektiere. So halte ich es gewöhnlich, und bisher bin ich damit gut gefahren.« Er erhob sich und betrat das Haus. Als er zurückkam, stellte er eine große Tondose auf den Tisch. »Selbstgemachte Kekse«, sagte er. »Greifen Sie zu. Sie sind gesund, und sie werden Ihnen schmecken.«

Jacey nahm ein Plätzchen. Es war dick und uneben und schmeckte nach Nüssen und Gewürzen.

»Was interessiert Sie so an Loháquin?«, fragte Felix plötzlich.

»Bin ich so sehr an ihm interessiert?«, fragte Jacey zurück.

»Ja.«

»Er ist so rätselhaft, so geheimnisvoll«, sagte sie leichthin. »Ein Ökokrieger, der gleichzeitig ein Geist ist und im Regenwald lebt. Das klingt doch interessant.«

Felix schaute sie forschend an. »Ich habe Sie für überzeugender gehalten, Dr. Muldaire.«

»Also gut«, sagte sie. »Wie ist es damit? In Guachtal scheint es viel Ungleichheit zu geben. Wenn eine Rebellenarmee in Techtátuan einmarschierte, könnte sie die Dinge vielleicht ins rechte Lot bringen.«

»Sie glauben also, dass Loháquin ein Rebellenanführer mit einer geheimen Armee ist?« Felix klang amüsiert.

»Ist er das nicht?«, fragte sie und zermahlte ein Plätzchen. »Sie schmecken wirklich hervorragend.«

»Essen Sie mehr davon. Sie sind besonders gut für die Verdauung.« Er lehnte sich auf seinem Stuhl zurück und streckte die Beine aus. Lange Beine, dachte sie. »Ich kann Ihnen sagen, Jacey, dass es keine geheime Armee gibt, und Loháquin ist auch kein Che Guevara des Regenwalds. Es ist eine romantische Vorstellung, und Loháquin ist ihr nicht entgegen getreten, weil sie den Armen und Unterprivilegierten von Techtátuan etwas gibt, woran sie sich festklammern können. Aber er plant keine bewaffnete Rebellion. Sie wäre auch ein entsetzliches Unglück für Guachtal.«

»Weil Hernandez dagegen halten würde?«, fragte

Jacey. »Weil es einen Bürgerkrieg geben würde?«

»Ja, sicher, das auch«, stimmte Felix zu. »Aber die wirkliche Tragödie liegt darin, dass sich nichts ändern würde, wenn Loháquin gewänne. Nachdem sich der Staub gelegt hätte, wäre kein Geld mehr auf den Banken und in der Regierungskasse. Beim ersten Anzeichen von Unruhe würden die Reichen wegrennen und ihr Geld mitnehmen. Dazu gehören auch Nicolás Schlemann und Carlos Márquez. Diese beiden haben ihre Schäfchen im Trockenen.«

»Was ist mit Raoul?«, fragte Jacey. »Er würde nicht weglaufen.«

Felix lachte. »Sie haben eine Schwäche für den idealistischen Raoul? Nein, ich schätze, Raoul würde bleiben und kämpfen wie ein Held. Und Leonardo auch. Aber Carlos kontrolliert das Geld, er ist der Ältere der Brüder.«

»Die Gewinner würden also die Verlierer sein?« Jacey schüttelte den Kopf. »Guachtal wäre völlig verarmt.«

»Richtig.« Felix nickte. »Ein Land unterhalb der Armutsgrenze und total überschuldet. Nicht auszudenken, wer in das Machtvakuum stößt und verlockende Angebote macht. Wahrscheinlich sind es diejenigen, die Schneisen durch den Regenwald schlagen wollen, um rechts und links die Bäume fällen zu können.«

»Aber ich dachte, dass Loháquin das nicht zulässt«, wandte Jacey ein.

»Wie lange, glauben Sie, würde sein Widerstand dauern?«, fragte Felix. »Idealistische Umweltgedanken machen keine Babys satt. Ich glaube, wir wissen beide, was geschieht, wenn es um die nackte Existenz geht.«

»Wenn Loháquin das alles weiß«, sagte Jacey, »warum versteckt er sich dann im Regenwald und lässt Gerüchte zu, dass er eine Armee um sich geschart hat?«

»Nun, die Geschichte mit der Armee war ein Selbstläufer«, sagte Felix. »Und wie ich schon sagte, sie gibt den Leuten Hoffnung. Aber Gewalt ist nicht die einzige Möglichkeit, Dinge zu verändern. Man muss von innen an die Dinge heran.«

»Nun, dazu muss Loháquin aus dem Dschungel kommen.«

Felix lächelte. »Vielleicht wird er das. Und vielleicht können Sie helfen.«

»Sie sind in Wirklichkeit Loháquin, nicht wahr?«

»Falsch«, sagte er. »Sind Sie bereit, mir zu helfen?«

»Was soll ich tun?«, fragte sie vorsichtig.

»Sie müssen nicht so besorgt ausschauen«, sagte er grinsend. »Erzählen Sie mir nur, was Sie über Curtis Telford wissen.«

Jacey sah Felix überrascht an. »Er ist Amerikaner und sexverrückt. Nicolás ist sehr bemüht um ihn, und das gefällt Carlos Márquez überhaupt nicht.«

»Warum nicht?«

Jacey hob die Schultern. »Gerüchteweise habe ich gehört, dass Carlos Márquez fürchtet, Nicolás könnte Geschäfte mit Telford abschließen, ohne ihn zu beteiligen.«

Felix stand auf. »Einen Augenblick, bitte.« Jacey griff nach einem weiteren Plätzchen. Als Felix zurückkam, reichte er Jacey eine verblichene Farbfotografie. »Schauen Sie sich das Foto an«, sagte er. »Ist Curtis Telford auf dem Bild?«

Jacey betrachtete das Bild, das eine Gruppe von fünf Männern in Anzügen zeigte. Offenbar Freunde, die sich zu einer Gartenparty getroffen hatten. Im Hintergrund sah man einen großen Swimmingpool. Die Männer schauten nicht in die

Kamera. Das Problem bestand darin, dass keiner so aussah wie der blonde, gebräunte Curtis Telford. Bei drei Männern war Jacey sicher, dass die Gesichtsform nicht passte. Bei den beiden anderen ließ sie ihre Fantasie spielen – andere Haarfarbe, andere Frisur ...

»Dieser ist es«, entschied sie dann. »Er hat jetzt die Haare blond gefärbt und ganz kurz geschnitten, aber ich bin sicher, dass er Curtis Telford ist.«

Felix nickte. »Das habe ich mir gedacht.«

»Das hilft Ihnen?«

»Sehr sogar«, antwortete Felix. »Mehr, als Sie sich vorstellen können.«

»Ist er ein Gauner?«, fragte Jacey.

Felix lachte. »Das kommt darauf an, was Sie unter Gauner verstehen. Einige Menschen bezeichnen jeden Geschäftsmann als Gauner. Und die Leute, die den Geschäftsmännern den Weg ebnen.« Er hob die Schultern. »Es wäre wichtig, Jacey, wenn Sie mich weiter informieren könnten. Ich möchte vor allem wissen, wann Telford zurück in die Staaten fliegt.«

»Wie soll ich es Ihnen sagen?«, fragte sie. »Sie haben bestimmt kein Telefon.«

»Sie könnten mich wieder besuchen«, schlug er vor. »Paulo würde Sie wieder zu mir bringen. Das bietet ihm die Möglichkeit, seine Familie zu besuchen.« Er sah sie an. »Wäre das ein Problem für Sie?«

»Ich glaube nicht.«

»Sie klingen noch nicht überzeugt«, sagte er. »Wenn Sie wollen, können Sie Paulo auch eine Nachricht zukommen lassen. Oder auch Leonardo.«

»Es ist so, dass Nicolás mich manchmal von einer Minute zur nächsten ruft«, erklärte sie. »Ich weiß nicht, wie er reagiert, wenn ich ein weiteres Mal hier draußen bin.«

Felix erhob sich, und sie gewahrte zum ersten Mal, wie kräftig und gesund er aussah. »Fühlen Sie sich eingeschüchtert von Nicolás?«

»Nein«, sagte sie. »Ich wusste, worauf ich mich einließ, als ich die Affäre begann. Nicolás hat mich nicht unter Druck gesetzt, es war meine eigene Entscheidung.« Sie schaute zu Felix hoch. »Ich möchte nur nicht, dass Sie in Schwierigkeiten geraten. Er kann sehr eifersüchtig sein.«

Die Atmosphäre änderte sich zwischen ihnen. Felix erwiderte ihren Blick. »Aber er hat doch keinen Grund zur Eifersucht«, sagte er leise. »Oder?«

»Nein«, sagte sie. »Aber das spielt keine Rolle.«

Felix lachte. »Machen Sie sich um mich keine Sorgen. Ich habe schon zwanzig Jahre überlebt, und ich werde noch einmal zwanzig Jahre überleben. Ich habe meinen amerikanischen Pass und viele Freunde in den Staaten.«

»Gehen Sie oft nach Hause?«, fragte sie. Sie wollte mehr über diesen Mann erfahren.

»Dies ist mein Zuhause«, sagte er. »Aber von Zeit zu Zeit fliege ich mal hin. Ich bin in den Staaten in die Schule gegangen, denn meine Eltern wollten, dass ich später einmal entscheide, in welcher Welt ich leben will.«

»Und Sie haben sich für Guachtal entschieden.«

»Für den Regenwald«, sagte er. Er griff ihre Hände und drückte sie. »Es ist eine wunderbare Welt«, sagte er weich. »Eine Welt von einer unvorstellbaren Vielfalt. Und es gibt noch so viele Geheimnisse, die darauf warten, entdeckt zu werden. Es lohnt sich, den Regenwald zu beschützen. Das glauben Sie doch auch, oder?«

»Ja.«

»Das habe ich mir gedacht. Ich glaube, wir sind eines Geistes, Sie und ich. Wir haben noch ein wenig Zeit, ehe Paulo Sie abholen kommt. Erzählen Sie mir von sich.«

Sie skizzierte ihm rasch ihr Leben, aber viele entscheidende Phasen ließ sie aus. Sie erwähnte Faisal nicht, und auch Major Fairhaven kam in ihrer Schilderung nicht vor.

Seine Lebensgeschichte erzählte er nicht minder dürr. Seine Eltern waren bei einem Flugzeugunglück ums Leben gekommen. In den Staaten hatte er Computerwissenschaft studiert und eine Zeitlang auch dort gearbeitet, aber dann hatte er gespürt, dass er nicht länger vom Regenwald fernbleiben konnte. Liebesbeziehungen erwähnte er nicht.

Auf dem Nachhauseweg dachte Jacey an Felix Connaught. Er mochte sie und vertraute ihr. Und wenn ich die Zeichen richtig lese, dachte sie, möchte er mehr, als nur mit mir befreundet zu sein. Und sie? Sie war sich nicht sicher.

Felix war intelligent, er hatte Humor und war körperlich attraktiv. Sie schienen einige Interessen zu haben, die sie verbanden. Warum fühlte sie dann dieses Unbehagen? Lag es daran, dass sie glaubte, er wäre an einer flüchtigen Affäre nicht interessiert? Dass er etwas auf Dauer suchte?

Sie schüttelte den Kopf, als wollte sie ihre Gedanken durchschütteln. Was ist los mit dir, Jacey Muldaire? Warum gibst du dich mit Felix Connaught ab? Du hast, was du willst. Du weißt, dass Loháquin keinen Aufstand in Guachtal anzetteln wird. Du kannst Major Fairhaven sagen, wer beim Abholzen des Regenwaldes dabei sein will, kann unbesorgt investieren. Niemand wird sich ihm in den Weg stellen.

Sie blickte zu den Bäumen hoch, die den Weg säumten. Das wollten Sie doch hören, Major Fairhaven, nicht wahr? Gratuliere, Dr. Muldaire, Sie haben Ihren Auftrag erledigt.

Aber Freude wollte in ihr nicht aufkommen.

7. Kapitel

Nicolás streckte seine Beine aus und lächelte Jacey über den Schreibtisch hinweg an. »Wirst du mir sagen, was du die ganze Woche getan hast, oder soll ich es dir sagen?«

Jacey lächelte süßlich zurück. »Sage du es mir.«

»Du hast Baby Leonardo Englischunterricht gegeben, und dann hast du den verrückten Amerikaner, diesen Felix Connaught, besucht.«

»Verrückt?«, wiederholte Jacey. »Ich würde Felix Connaught eher intelligent und interessant nennen.«

»Ich nehme an, er hat dir gesagt, die Indios könnten die Probleme der Welt mit ein paar Pflanzen und ein bisschen Schlamm lösen.« Nicolás verzog höhnisch das Gesicht. »Und die Geister des Regenwalds würden Techtátuan vernichten, wenn die Bäume abgeholzt werden.«

»Ja, so ungefähr.«

»Du bist eine Akademikerin, Jacey«, sagte er. »Findest du es nicht auch bedauerlich, wenn ein Mann aus der zivilisierten Welt sich diesem unsinnigen Aberglauben verschreibt? Wenn Connaught krank wird, kaut er lieber auf ein paar Blättern aus dem Urwald herum, als zu dir zu kommen. Hört sich das intelligent an?«

»Nun, wenn er die richtigen Blätter kaut, dann helfen sie ihm vielleicht besser als meine Medizin«, antwortete sie.

»Ich bezweifle es«, sagte Nicolás. »Es ist nichts Besonderes an der Medizin der Indios. Wenn du mir einen Indio zeigen könntest, der fünfhundert Jahre alt geworden ist, weil er irgendein Gebräu zu sich genommen hat, dann wäre ich beeindruckt. Aber Indios werden krank und sterben, genau wie wir alle.«

»Man kann die Schätze des Regenwalds erst beurteilen, wenn man sie untersucht hat«, meinte Jacey.

Nicolás lachte. »Ich weiß, was ich im Regenwald finde. Bäume. Und Bäume bringen Geld.«

»Und das willst du ausbeuten«, sagte sie anklagend. »Du und Curtis Telford. Du vernichtest den Regenwald, und du vernichtest die Indios.«

»Meine liebe Jacey«, sagte er gönnerhaft. »Man muss oftmals etwas opfern, um etwas zu gewinnen. Wir werden die Indios nicht vernichten, wir werden ihnen neuen Lebensraum geben.«

»Und wenn sie keinen neuen Lebensraum haben wollen?«

Er lächelte zynisch. »Dann haben sie Pech. Sie hatten lange genug Zeit, sich unserer Kultur anzupassen, aber die meisten von ihnen wollen nicht einmal Spanisch lernen. Der Regenwald ist eine Rohstoffquelle, und ich werde dafür sorgen, dass ganz Guachtal davon profitiert.«

»Er gehört nicht dir, und du kannst damit nicht anstellen, was dir gerade in den Sinn kommt.«

»Ich nehme an, du willst mir sagen, das der Regenwald allen gehört, ja?« Nicolás grinste verächtlich. »Dass wir alle in einem globalen Dorf wohnen. Ist das der Unsinn, den Felix Connaught predigt?«

»Der Regenwald ist ein Schatz«, sagte Jacey. »Er ist das Zuhause der Indios. Und er ist unersetzlich. Wir sollten pfleglich mit ihm umgehen.«

Nicolás lachte. »Sei nicht naiv, Jacey. Wir leben in der realen Welt. Dümmlicher spiritistischer Idealismus zahlt nicht die Schulden des Staates.« Er musterte sie abschätzig. »Du überraschst mich. Ich hätte nicht gedacht, dass dir ein paar Bäume so sehr am Herzen liegen.«

»Bevor ich hierhin kam, war es auch so.«

»Und jetzt hat Mr. Connaughts Propaganda dich zu einem Ökokrieger gemacht?« Er lächelte, aber es war ein kaltes Lächeln. »Nun, höre auf einen guten Rat, Jacey. Laufe nicht zu Loháquin und seinen Anhängern, wo immer sie sich auch verstecken, denn sie werden sich nicht mehr lange auf den Schutz des Regenwalds verlassen können. Wenn die Holzfäller beginnen, werden sie alle weggekehrt, und niemand wird etwas dagegen ausrichten können.«

»Das ist ja entsetzlich«, sagte sie.

»Das ist Fortschritt«, sagte er.

Später fragte sich Jacey, warum Nicolás ihr Büro verlassen hatte, ohne auf einer sexuellen Dienstleistung zu bestehen. Eigentlich war es die Art Situation, die ihm Spaß machte: Sie hätte die Bürotür abschließen können, und er hätte sie auf dem Schreibtisch genommen. Oder sich von ihr oral befriedigen lassen, während er sich genüsslich in ihrem Sessel ausstreckte.

Vielleicht wird er meiner schon überdrüssig, dachte sie, und zu ihrer Verwunderung empfand sie keine Enttäuschung. Auch für sie war die Neulust abgeklungen.

Das traf übrigens auch auf ihr Verhältnis mit Leonardo zu. Ihre Sexspiele waren keine spontanen Erkundungsfahrten mehr. Beim nächsten Besuch brachte er einen nicht sofort zu identifizierenden Gegenstand mit, der hauptsächlich aus dünnen, schwarzen Lederbändchen bestand.

»Schau dir das an«, sagte Leonardo stolz. »Ich habe ihn selbst gefertigt.«

»Was ist es?«, fragte sie ohne Begeisterung. Leder war nie ihr Ding gewesen.

»Das ist für mich«, sagte er. »Es soll mich im Zaum halten.« Er reichte ihr das Gebilde. »Gib mir die Anweisung, mich auszuziehen, dann kann ich es anlegen.«

Sie nahm das Ledergeflecht, dessen Sinn ihr immer noch nicht klar war. Die Spiele mit Leonardo erregten sie nicht mehr. Sie hatten Spaß gemacht, so lange er ein unbedarfter Junge gewesen war und nicht wusste, was als nächstes kommen würde. Seine Anspannung und Erwartung zu spüren hatte ihr ein Gefühl erotischer Macht gegeben. Jetzt war sie nicht mehr die Lehrerin, sondern die Begleiterin seiner Spiele.

Er fummelte mit den Knöpfen seines Hemds. »Hemd zuerst?«, fragte er. »Oder die Hose? Du musst es mir sagen.«

»Leonardo«, sagte sie scharf, »du kannst mir nicht befehlen, was ich dir befehlen soll.«

»Aber ich will dieses Ding benutzen«, wandte er ein, »und dafür muss ich mich zuerst ausziehen.« Ungeduld schwang in seiner Stimme mit.

»Vielleicht will ich nicht, dass du das Ding anlegst.«

»Aber es wird dir gefallen«, beharrte er. »Bitte. Ich möchte, dass du es dir anschaust.«

»Also gut«, sagte sie, aber überzeugt war sie nicht.

Sie gab die üblichen Befehle und sah zu, wie er sich auszog. Obwohl er eine Erektion hatte – wie gewöhnlich, wenn er sich vor ihr auszog -, empfand Jacey nichts als Unbehagen. Wenigstens einer von uns, der seinen Spaß hat, dachte sie trocken.

Er nahm ihr die Lederkonstruktion aus der Hand. »Schau zu«, sagte er. »Das geht um meine Hüfte, und das zwischen meine Beine. Dann gibt es diese vier Bänder, die man anziehen kann.« Seine Augen glühten. »Man muss sie so fest wie möglich anziehen.«

Sie fragte sich, warum sie den Mechanismus nicht früher durchschaut hatte. Die langen Bänder befestigten das Ding an seinem Körper, die kurzen gingen um seinen Penis und hielten ihn flach gegen den Bauch gedrückt. Wenn seine Erektion wuchs, würden die Lederbänder ins Fleisch schneiden und beträchtliche Schmerzen auslösen.

Er hatte das Stück selbst entworfen und hergestellt. Wenn er Sex dieser Art mochte, wollte sie ihn dabei nicht unterstützen. Es schockierte sie nicht, sie wusste nur, dass sie keine Lust daraus bezog. Ein wenig spielerische Dominanz, auch ein paar Klatsche auf den Po, weiter ging ihr Interesse an S&M nicht.

Leonardo hatte ein langes Band schon um seine Hüfte befestigt und versuchte nun ungeschickt, das Ende durch eine Schnalle zu ziehen. Seine Hände zitterten vor Erregung. Er schaute bettelnd hoch. »Bitte, hilf mir. Ich will, dass du die Bänder ganz fest anziehst.«

»Nein«, sagte sie.

Er sah sie verdutzt an. »Warum denn nicht?« Dann änderte sich sein Ausdruck. »Hast du eine bessere Idee?«, fragte er voller Hoffnung.

»Nein«, sagte sie wieder. »Ich habe keine anderen Ideen, und ich mache auch bei deiner Idee nicht mit.« Sie sah die Verwirrung in seinem Blick. »Für mich hat das nichts mit Spaß zu tun, Leonardo«, sagte sie. »Ich habe genossen, was wir bisher miteinander gemacht haben, aber wenn du einen anderen Weg gehen willst, musst du dir eine andere Begleiterin suchen.«

Die Verwirrung wich einer Verärgerung. »Ich wusste gar nicht, dass du so spießig bist.«

»Spießig? Nur weil ich mit Fesselungen und Schmerzen nichts zu tun haben will?« Er wollte etwas sagen, aber sie fuhr rasch fort: »Doch, dahin führt dieser Weg, Leonardo. Wenn er dir gefällt – viel Spaß. Es gibt viele Frauen, die ihren Kick dabei erleben, wenn sie dich festbinden und auspeitschen können. Aber ich gehöre nicht dazu.«

Er sah verloren aus und so jung, dachte sie traurig. Sie hoffte, dass er eine vertrauenswürdige Partnerin finden würde.

»Es tut mir leid«, sagte sie, »aber ich mag dich nicht anlügen.«

»Es ist vorbei, nicht wahr?«

»Ja.«

Er befreite sich von seinem Lederkonstrukt. »Ich habe mehr erwartet«, murmelte er, ein Anflug von Trotz in der Stimme.

»Sei dankbar für das, was wir gehabt haben.«

Er zog sich schweigend an, und sie schaute ihm dabei zu, immer noch mit einem Gefühl des Bedauerns. Bedauerte sie das Ende ihrer Affäre oder den Verlust des verletzlichen sexuellen Charmes, von dem sie sich so angezogen gefühlt hatte?

Er warf sich das leichte Jackett über »Es tut mir sehr leid, dich in Verlegenheit gebracht zu haben«, sagte er steif.

»Nun hör aber auf«, rief sie. »So schlimm war es wirklich nicht.«

»Ich glaube, es ist am besten, wenn wir uns nicht mehr sehen«, fügte er, immer noch sehr steif und formell, hinzu.

»Ja, wenn du es so willst.«

Er ging zur Tür und drehte sich dort noch einmal um. »Danke für den Unterricht«, sagte er. »Er hat mir viel Spaß gemacht.«

Sie lächelte. »Ja, und ich hoffe, dass die Englischstunden auch Spaß gemacht haben.«

Sie hoffte, er würde noch einmal lächeln und sich etwas entspannen, aber er ging hinaus, ohne sich noch einmal umzudrehen.

Am nächsten Tag traf ein großer Blumenstrauß in Jaceys Wohnung ein. Auf der beiliegenden Karte stand, handgeschrieben in Englisch: »Ich habe viel in all den Lektionen gelernt, und natürlich würde ich mich freuen, wenn wir uns wiedersehen könnten. Immer Ihr Freund – Leonardo.«

Sie lächelte und nahm die Blumen mit in ihr Büro. Sie arrangierte sie gerade in einer Vase, als Curtis Telford in ihr Büro schlenderte.

»Sehr hübsch«, sagte er.

»Sie sind von einem Verehrer«, sagte sie lächelnd.

»Oh, Sie sprechen von den Blumen?« Das Papier mit der Karte lag noch auf dem Schreibtisch. Curtis hob die Karte auf. »Immer Ihr Freund Leonardo«, las er. »Der kleine Leonardo, eh? Welche Lektionen haben Sie ihm denn erteilt?«

»Englisch.«

Er setzte sich auf die Schreibtischkante. »Ich hätte auch nichts gegen ein paar Lektionen von Ihnen einzuwenden, Dr. Muldaire. Ich bin sicher, ich könnte noch eine Menge lernen. Was möchten Sie mir beibringen?«

»Benehmen«, sagte sie.

»Sie meinen, es macht sich besser, wenn ich sage: Bitte, können wir zusammen schlafen?« Er grinste sie an.

»Ich meine, jemand hätte Ihnen beibringen sollen, dass man zuerst an die Tür klopft, ehe man ein Zimmer betritt.« Sie nahm die Karte aus seiner Hand und warf das Papier in den Abfallkorb. »Und dass man nicht die Post anderer Menschen liest.«

»Auch keine Karte?« Er lachte. »Ich meine, ich habe schließlich keinen Briefumschlag geöffnet.«

»Das traue ich Ihnen auch zu«, sagte sie, »wenn Sie sich was davon versprechen.«

»He«, rief er, »jetzt verstehe ich. Sie sind eine von den Baumfanatikern, was? Sie glauben, diese Affenmenschen im Dschungel sollten die Welt regieren.«

»Ich glaube nur, dass Sie den Regenwald in Ruhe lassen sollen«, stellte sie klar.

Er hob die Schultern. »Dieses hinterwäldlerische Land braucht Kohle, Lady. Ich kann helfen, die richtigen Verträge zu schließen. Ich kann Türen öffnen, nicht nur in den Vereinigten Staaten. Und solche Verbindungen schätzt Ihr Freund.«

»Nicolás Schlemann ist nicht mein Freund«, sagte sie. »Und wenn Sie mich jetzt bitte vorbeilassen, ich muss meine Visite beginnen.«

Curtis Telford folgte ihr in den Flur. »Ich habe die falschen Worte benutzt. Nick ist Ihr Boss, Ihr Herr oder wie immer ich es nennen soll. Seltsam, ich hätte Sie nicht zu den unterwürfigen Typen gerechnet. Ich stelle Sie mir eher in Leder und mit Peitsche vor.« Er grinste. »Ich hätte nichts dagegen. Vielleicht kann ich Sie zu einer Veränderung überreden?«

Sie ignorierte ihn, öffnete die Tür des ersten Zimmers und ging hinein. Sie hoffte, dass Telford verschwunden war, wenn sie herauskam.

Er war nicht verschwunden. Er blieb die ganze Visite über bei ihr, belästigte sie mit seinen sexuellen Phantasien und war immer noch hinter ihr, als sie wieder ihr Büro betrat.

»Also, wie wäre es mit uns?« Er setzte sich wieder auf ihren Schreibtisch. »Sie und ich und ein bisschen Dominanz? Oder Sie und die Eisjungfer legen eine Show für mich hin? Süße Erinnerungen, die ich mit nach Hause nehmen könnte.«

»Ach? Sie gehen bald nach Hause?«, fragte sie. »Das ist eine gute Nachricht. Wann denn?«

»Bald«, sagte er. »In ein paar Tagen.« Er stand auf und kam um den Schreibtisch herum. »Vorher muss ich noch ein paar Dinge erledigen.«

»Dann schlage ich Ihnen vor, keine weitere Zeit zu verlieren«, sagte sie. »Und ich könnte mit meiner Arbeit beginnen.«

»Ein Teil der unerledigten Dinge betrifft Sie«, sagte er. Er legte seine Hände auf ihre Schultern. »Wir müssen noch zusammen ins Bett, Lady. Sie und die Eisjungfer sind die Einzigen, die ich haben will und noch nicht gehabt habe. Ich bin bereit, die Schwedin zu vergessen, sie ist sowieso eine Lesbe. Aber Sie werde ich nicht vergessen.«

»Selbst wenn ich Sie mögen würde, Mr. Telford, was nicht zutrifft«, sagte Jacey kühl, »würde ich es nicht einmal erwägen. Außerdem gehört Nicolás Schlemann zu den eifersüchtigen Typen.«

Telford wedelte mit einem Finger unter ihrer Nase.

»Sie müssen sich schon was Besseres einfallen lassen. Nick hat mir schon gesagt, dass Sie eine heiße Nummer sind, und er hat nichts dagegen.« Er grinste. »Wenn Sie mir nicht glauben, können Sie ihn ja fragen.«

Er trat dichter an sie heran, und sie spürte, wie sich die Hände auf ihren Schultern ins Fleisch bohrten. »Warum nicht in Ruhe genießen? Sie haben die Genehmigung vom Boss. Zeigen Sie mir zuerst ihre Mundfertigkeit.«

Jacey versuchte, ihm auszuweichen, aber er hatte sie am Schreibtisch eingekeilt.

»Geben Sie sich nicht schockiert, Lady, denn ich weiß, dass Sie gern wie eine Hure auftreten. Und das ist ideal, denn ich mag Huren. Ich mag es, wie sie ihrem Geschäft nachgehen und wie sie tun, was man ihnen sagt.« Er zog den Reißverschluss seiner Hose auf, während er sprach. »Also, an die Arbeit. Du weißt, dass du es willst. Fang an.«

Sein Glied hing halb steif aus der Hosenöffnung. Jacey hob ein Knie und rammte es zwischen seine Schenkel. Sie wandte nicht viel Kraft auf, aber sie hatte genau gezielt, und Telford klappte zusammen wie ein Taschenmesser. Er stieß einen Schrei aus, drückte beide Hände gegen den Unterleib und keuchte schwer. Es dauerte fast zwei Minuten, ehe er sich erholt hatte.

»Verdammtes Luder«, sagte er. »Warum hast du das getan?«

»Das ist die blödeste Frage, die ich je gehört habe«, antwortete sie kühl. »Mir ist es völlig egal, was Nicolás Schlemann Ihnen gesagt hat, aber ich suche mir meine Partner selbst aus. Und Sie tauchen nicht einmal unter ›ferner liefen‹ auf.« Sie ging zur Tür und öffnete sie. »Und jetzt raus hier. Ich habe zu arbeiten.«

Er ging, das Gesicht rot vor Wut. Es freute Jacey zu sehen, dass er Schwierigkeiten beim Gehen hatte. Ihr Zorn auf Nicolás, der mit einem anderen Mann über ihre sexuellen Präferenzen gesprochen hatte, wurde ein wenig gemildert durch die Tatsache, dass Curtis Telford ihr genau das gesagt hatte, was sie hatte erfahren wollen.

Paulo war froh, dass er Jacey wieder zu Felix Connaught fahren durfte. »Wenn alle so wären wie Senor Connaught«, sagte er, »wäre dies ein wunderbares Land für Indios. Senor Connaught kümmert sich um uns, er versteht uns. Das ist sehr ungewöhnlich für einen Mann aus dem Westen.«

»Haben Sie seine Eltern gekannt?«

Paulo schüttelte den Kopf. »Sie sind ums Leben gekommen, bevor ich geboren wurde. Aber meine Eltern haben sie gekannt. Es waren gute Menschen. Senora Connaught hat von einer *mochtó* die Heilkraft der Indios gelernt.«

»Und die *mochtó* hat sich darauf eingelassen?«, fragte Jacey überrascht. »Ich dachte, dieses Wissen sei ein großes Geheimnis.«

»Ist es auch«, stimmte Paulo zu. »Aber Senora Connaught war schon viele Jahre hier. Die *mochtó* hat ihr vertraut und sie als Helferin akzeptiert.«

»Würde eine *mochtó* mir auch vertrauen?«, fragte Jacey.

»Vielleicht«, antwortete Paulo. »Wenn Sie viele Jahre bei uns leben.« Er lächelte sie an. »Das wäre doch ein Grund, lange bei uns zu bleiben, nicht wahr?«

»Vielleicht werde ich das«, sagte sie.

Aber sie wusste, dass es eine Lüge war. Sie trug sich mit dem Gedanken, nach England zurückzukehren. Sie hatte alle Informationen, die Major Fairhaven benötigte. Sie war froh, dass Leonardo wollte, dass sie Freunde blieben, aber die Affäre mit ihm war endgültig vorbei.

Sie dachte an ihre Beziehung zu Nicolás, die eher eine Art Sucht war. Wenn sie ihn sah, begehrte sie ihn, aber wenn sie in England war, würde sie kaum einen Gedanken an ihn verschwenden. In Guachtal habe ich nichts mehr zu tun, sagte sie sich. Ich muss bei Felix Connaught nur noch mein Versprechen einlösen.

Als sie vor seinem Haus anhielten, stand Felix schon da und begrüßte Jacey wie eine alte Freundin. Er führte sie zu dem Stuhl auf der Veranda und bot ihr ein kühles Getränk an.

»Telfords kleine Dienstreise hat sich also als erfolgreich erwiesen«, murmelte Felix, nachdem Jacey ihm die Neuigkeiten berichtet hatte. »Gut.«

»Was ist daran gut?«, fragte sie. »Er ist sich mit Nicolás handelseinig, dass mit dem Baumfällen begonnen wird.«

»Noch nicht ganz«, sagte Felix. »Curtis Telford ist ein Mittelsmann. Er stellt sicher, dass die Geschäftsleute willkommen sind, er räumt die Opposition aus dem Weg. Und er streicht eine deftige Provision für seine Bemühungen ein.«

»Nun, er ist in Guachtal kaum auf Opposition gestoßen«, sagte Jacey.

»Weniger, als er erwartet hat. Ich bin sicher, dass Schlemann sich von der besten Seite gezeigt hat.«

»Aber es steht fest, dass jetzt Straßen gebaut werden, damit die Holzfäller nachrücken können«, sagte Jacey wütend. »Niemand kann sie aufhalten. Loháquin wird sich im Regenwald verstecken und nichts tun.«

Felix starrte sie einen Augenblick verblüfft an, dann lachte er. »Der Regenwald liegt Ihnen wirklich am Herzen.«

»Natürlich. Und es macht mich wütend, wenn ich daran denke, dass Nicolás und Telford gewonnen haben.«

»Sie haben noch nicht gewonnen«, sagte Felix leise. »Vertrauen Sie mir.«

»Warum sollte ich Ihnen vertrauen?«, fauchte sie. »Ich habe das Gefühl, dass Sie mir nicht trauen.«

»Ich möchte es gerne, das können Sie mir glauben.«

»Hat meine Beziehung mit Nicolás etwas damit zu tun?«, fragte sie. »Wenn es das ist, kann ich Ihnen sagen, dass ich glaube, sie ist vorbei.« Sie hob die Schultern. »Es war sowieso nie etwas Ernsthaftes.«

»Natürlich hat die Beziehung etwas damit zu tun«, räumte Felix ein. »Aber nur aus einem Grund: Ich kann nicht verstehen, wieso eine Frau wie Sie sich mit einem solchen Mann einlassen kann.«

»Eine Frau wie ich?«, wiederholte sie neckend. »Wie soll ich das verstehen?«

»Eine Frau, die sich kümmert«, sagte er leise. »Eine intelligente Frau.« Er lehnte sich vor und drückte ihre Hände. »Ich weiß, dass man Schlemann für einen gut aussehenden Mann hält, aber ich kann mir nicht vorstellen, dass Sie nicht tiefer blicken.«

»Nun, da irren Sie«, sagte Jacey. »Nicolás war genau das, was ich haben wollte. Ein Mann mit einem guten Körper, der mir guten Sex geben konnte. Nicolás war perfekt.«

Felix sah sie offenen Mundes an, und Jacey spürte plötzlich einen fast perversen Drang, ihn zu verletzen. Welches Recht hatte er, sie zu verurteilen? Zu entscheiden, welche Art Frau sie war, welche Bedürfnisse sie hatte?

»Nicolás hat mich wie eine Hure behandelt«, sagte sie, »und es hat mir gefallen. Schockiert Sie das, Mr. Connaught?«

»Nein«, sagte er leise. »Es stimmt mich traurig.«

»Ich sehe nicht warum«, sagte sie flippig.

»Weil es mir zeigt, dass Sie unglücklich sind«, antwortete er.

»Ich hoffe, dieses Gespräch wird keine Therapiestunde«, sagte sie, immer noch unernst.

Er nahm ihre Hände wieder in seine, und Jacey spürte die Wärme seiner Finger. »Warum hassen Sie sich so, Jacey?«, fragte er leise. »Was ist Ihnen widerfahren?«

Sie schaute in seine Augen und sah eine ernsthafte Sorge, die sie selten bei einem fast fremden Menschen gesehen hatte. Plötzlich schwand ihr Ärger, und zum ersten Mal in ihrem Leben wollte sie reden. Vielleicht hilft es mir, dachte sie. Er ist ein freundlicher Mensch, ein besorgter Mann. Und bald werde ich dieses Land vergessen und Felix Connaught nie wiedersehen.

»Vor langer Zeit habe ich mich verliebt«, sagte sie. »Oder besser: Ich dachte, ich hätte mich verliebt.«

»Er hat sie sitzen lassen?«

»Er hat mich geheiratet«, sagte sie. Die Erinnerungen strömten zurück. »Ich habe ihn geheiratet, und wir bekamen ein Baby.« Es überraschte sie, wie leicht das über ihre Lippen ging. »Einen Sohn.« Sie schaute an Felix vorbei. »Er muss jetzt zehn Jahre alt sein.«

»Er starb?«

»Nein«, sagte sie. »Ich bin sicher, dass er noch lebt.«

Hier in der Abgeschiedenheit, im Hintergrund die gedämpften Geräusche des Regenwalds, sprudelten die Worte nur so aus ihr heraus. Es war, als sei ein Damm gebrochen. Die aufgestaute Wut und der eingefressene Schmerz wollten heraus.

»Ich war noch sehr jung, als ich einen jungen Araber heiratete. Ich bin mit ihm in sein Land gegangen. Als mein Sohn geboren wurde, nahmen seine Eltern das Baby und sagten mir, wenn ich mich nicht exakt an das halte, was sie mir sagen, würde ich ihn nie wieder sehen.«

»Und Ihr Mann war damit einverstanden?« Man sah Felix an, dass er entsetzt war.

»Meinem Mann war alles egal«, antwortete Jacey. »Er war schwul, und seine Familie hatte ihm befohlen, für einen Erben zu sorgen. Das hat er getan, und damit war für ihn der Auftrag erledigt. Was aus mir wurde, interessierte ihn nicht.«

»Aber Sie haben Ihr Kind wieder gesehen?«

»Ich habe meinen Sohn nie wieder gesehen«, murmelte Jacey leise. »Sie nahm ihn mir am Tag seiner Geburt weg. Sie sagten mir, ich sollte mich von meinem Mann scheiden lassen und nach England zurückgehen. Sie drohten, wenn ich ihnen Ärger bereitete, würden sie mich ausweisen lassen. Wenn ich mich aber an ihre Regeln hielt, dürfte ich von Zeit zu Zeit meinen Sohn sehen. Es waren alles Lügen. Sie hatten nie vor, mich mit meinem Sohn noch einmal zusammen zu bringen. Aber ich habe ihnen geglaubt; ich war jung, ängstlich und allein. Was blieb mir anderes übrig, als ihnen zu glauben?«

Sie seufzte und schwieg eine Weile, ehe sie fortfuhr: »Später habe ich versucht, Kontakt zu der Familie aufzunehmen, aber das war unmöglich. Meine Briefe kamen ungeöffnet zurück. Ich habe Hilfe gesucht, um meinen Sohn zu bekommen, aber ich hatte in England aus freien Stücken geheiratet und war ebenfalls aus freien Stücken in das Land meines Mannes gegangen. Niemand interessierte sich für meinen Fall. Ich hatte den Eindruck, dass die Leute glaubten, ich hätte das bekommen, was ich verdient hätte. Vielleicht glaubten sie auch, meinem Sohn ginge es ohne seine dümmliche Mutter besser. Und einige Jahre habe ich insgeheim gedacht, dass diese Leute Recht hatten. Dass alles meine Schuld war.«

Sie atmete tief durch und schaute hoch. »Das ist

schon alles. Was sagen Sie nun, Mister Therapeut?«

»Sie haben entschieden, nie wieder einem Mann zu trauen«, sagte Felix. »Und ich muss sagen, ich kann Sie verstehen.« Er hielt immer noch ihre Hände. »Aber wir sind nicht alle so, Jacey, glauben Sie mir.«

»Ich brauche Ihnen nicht leid zu tun«, sagte sie. »Es tut mir gut, ohne Verpflichtung durch die Welt zu gehen.«

Er sah sie ernst an. »Und Sie hatten nie das Bedürfnis, sesshaft zu werden?«

»Nie«, antwortete sie und lächelte ihn strahlend an. »Vielleicht hat mein Ex-Ehemann mir einen Gefallen erwiesen. Ich führe ein gutes Leben ohne emotionale Bindungen und ohne emotionale Verantwortung.«

»Und ist das wirklich gut?«, fragte Felix. »Fühlen Sie nicht manchmal, dass Ihnen irgendwas fehlt?« Bevor sie antworten konnte, ließ er ihre Hände los und erhob sich. »Kommen Sie mit ins Haus, Jacey. Ich möchte Ihnen etwas zeigen.«

Im Inneren des Hauses war es angenehm kühl. Vor den Fenstern hingen Jalousien aus Bambus. Einige der Möbelstücke waren westlicher Machart; wahrscheinlich hatte Felix sie in Techtátuan gekauft, aber die meisten Stücke waren aus einheimischem Holz gefertigt.

Felix führte Jacey in ein kleines Zimmer, in dem die Regale vom Boden bis zur Decke reichten. Die Regale waren vollgestopft mit Akten, Papieren, Büchern und allen möglichen Bündeln. Auf einem großen Tisch lagen Ordner und Hefter, und mitten in diesem Chaos stand ein Topf mit frischen Blumen.

»Das Arbeitszimmer meiner Mutter«, sagte Felix. Er bemerkte ihren Blick zu den Blumen und lächelte.

»Meiner Mutter musste überall Blumen haben. Ich halte die Tradition aufrecht.«

Jacey berührte einen der dicken Ordner. »Darf ich mal reinschauen?«

»Natürlich, deshalb habe ich Sie hergebracht.«

Der Ordner war voller botanischer Zeichnungen und akkurater Beschreibungen der jeweiligen Pflanzen.

»Das ist ein Schatz«, murmelte Felix, »für jemanden, der sich damit auskennt. Das alles ist das Ergebnis jahrelanger Forschungen. Meine Mutter hat von den Indios gelernt, von den Heilern und Heilerinnen. Ich glaube, bisher hat kaum jemand eine solche Gelegenheit gehabt, gewiss nicht eine westliche Ärztin.«

Er sah, wie Jacey sich neugierig im Zimmer umsah. »Hier liegt ein Vermögen an Wissen. Ich selbst kann nicht viel damit anfangen, ich kenne mich nur mit Computern aus.« Er trat näher an sie heran. »Aber wenn ich eine sympathische Hilfe fände, jemand, der bereit ist, sich einer aufregenden Entdeckungsreise zu verschreiben, dann wären die neuen Erkenntnisse ein Segen für die Menschheit.«

»Wollen Sie mir einen Job anbieten?«

»Und wenn, würden Sie annehmen?«

»Es würde ein Leben lang dauern, sich durch all diese Unterlagen zu arbeiten.«

»Sie haben das Leben noch vor sich.«

Sie wusste, dass er sie küssen würde, und als er es tat, fragte sie sich, warum sie es zuließ. Obwohl sie ihn attraktiv fand, spürte sie nicht jenen sexuellen Kick, den sie empfand, wenn sie Nicolás anschaute. Aber sie empfand Verlangen, als er sie an sich drückte.

Dass sie ihm ihre Vergangenheit erzählt hatte, wirkte jetzt als eine Art Befreiung. Sie fühlte sich beschwingt und sorgenfrei. Seine Lippen huschten über ihr Gesicht und zu ihrem Hals, und sie schmiegte sich an ihn. Sie ahnte, dass er lieb und behutsam sein würde, und das war es, was sie jetzt brauchte. Sie wollte, dass er Liebe mit ihr machte. Sie selbst wollte gar nichts tun, sie wollte es nur geschehen lassen.

Und er schien bereit dazu. Seine Küsse wurden leidenschaftlicher, und sie spürte seine Hände auf ihren Brüsten. Er umfing sie, rieb mit den Daumen leicht über die Nippel, und sie ließ schnurrende, wohlige Geräusche tief aus der Kehle hören. Er drückte ihre Nippel härter und massierte die empfindlichen Spitzen zu kleinen harten Knospen.

Sie trug ein weites, ärmelloses Top ohne Knöpfe. Er zupfte daran, und sie half ihm, indem sie die Arme hob. Er zog das Top über ihren Kopf und öffnete ihren BH, streifte ihn ab. Sie spürte seine wachsende Erregung.

Sein Mund schloss sich um eine erigierte Brustwarze, und seine Finger spielten mit der anderen. Er konzentrierte sich so lange auf ihre Nippel, dass Jacey schließlich ungeduldig wurde. Sie lockerte den Bund ihres Rocks, der langsam zu Boden rutschte. Überrascht beendete er seine Liebkosungen und trat einen Schritt zurück.

»Oh, ich habe dich schockiert«, sagte sie lachend.

»Nein«, sagte er. »Ich habe das nur nicht erwartet ... ich meine, ich wollte dich nicht unter Druck setzen.«

»Nein?« Sie schlang ihre Hände um seinen Nacken, zog seinen Kopf herunter und küsste Felix auf den Mund. »Gibt es ein Bett in diesem Dschungelhaus? Ein weiches, bequemes Bett?«

»Es gibt ein Bett«, murmelte er, sein Mund noch mit ihrem beschäftigt.

»Dann bring mich hin und liebe mich«, sagte sie. »Ganz sanft und zärtlich. Bitte.«

Er hob sie auf seine Arme, was ihm nicht die geringste Mühe zu bereiten schien, und warnte: »So weich ist das Bett aber nicht.«

»Mir egal.«

Im Schlafzimmer war es kühl. Er setzte sie sanft aufs Bett, schnallte den Gürtel auf und öffnete den Reißverschluss seiner Jeans. Jacey schlängelte sich aus ihrem Höschen und wartete darauf, dass Felix ausgezogen war. Aber als er sich neben ihr ausstreckte, wurde ihr bewusst, dass sie sich nicht besonders sexy fühlte, eher schläfrig und angenehm entspannt.

Er küsste wieder ihr Gesicht, hielt sich dort aber nicht lange auf und wandte sich dann ihren Brüsten zu, dem flachen Bauch und dann den Schenkeln. Seine Hände schob er unter ihre Pobacken, die er ein wenig anhob. Jacey öffnete die Beine und spürte im nächsten Augenblick seinen Mund. .

Er ging so behutsam vor, um sie wirklich zu erregen, aber es störte sie nicht. Sie war zufrieden, entspannt auf dem Bett zu liegen und seine Liebkosungen zu spüren. Als er schließlich in sie eindrang, erwiderte sie seine Stöße eher aus Höflichkeit denn aus Leidenschaft. Sein Körper fühlte sich gut an, und seine Kraft und Wärme trugen zu ihrem Wohlbehagen bei.

Danach blieben sie noch eine lange Zeit nebeneinander liegen und redeten. Er erzählte ihr von verschiedenen Liebschaften, die aber alle daran gescheitert waren, dass die Frauen nicht in Guachtal bleiben wollten. Einige Frauen hatte er auch in den Staaten gehabt, aber auch sie hatten sich nicht vorstellen können, die USA zu verlassen und in Guachtal zu leben.

»Eine ist mal im Urlaub hier gewesen«, sagte er und lachte in der Erinnerung. »Als sie entdeckte, dass ich kein elektrisches Licht habe und keinen Klo mit Wasserspülung, hat sie das nächste Flugzeug zurück in die Staaten genommen.« Er rollte sich auf die Seite und strich eine Haarsträhne aus Jaceys Gesicht. »Solche Dinge würden dich nicht stören, nicht wahr?«

»Nein«, antwortete sie. »Ich habe schon unter schlimmeren Bedingungen gelebt.«

Aber sie sagte nicht wo. Sie teilte nur die eigene Vergangenheit mit ihm. Viel später, als sie sich wieder angekleidet hatte und gehen wollte, legte Felix seine Arme um sie.

»Kommst du wieder? Bald?«

»Ja.«

Sie spürte ihr Schuldbewusstsein wie einen kleinen Stich, denn es war eine Lüge. Sie empfand eine starke Sympathie für ihn, denn er war der erste Mann, dem sie vertraut hatte, ohne genau zu wissen warum. Aber er war nicht ihr Typ, er war zu lieb. Er würde sie nicht im Stich lassen, er würde loyal an ihrer Seite stehen. Und sie? Da war sie nicht so sicher. Und sie wollte nicht die Enttäuschung in seinen Augen sehen, wenn sie ihm sagte, dass sie ihm nicht die längerfristige Beziehung bieten konnte, die er suchte.

Es war leichter zu lügen. Leichter zu lügen, als ihm zu sagen, dass sie das Flugticket nach England schon gebucht hatte.

Sie sagte Ingrid und Dr. Sanchez, dass eine Verwandte heiratete, und sie wollte die Gelegenheit zu einem Urlaub nutzen. Sie log auch ihre Kollegen an und ließ sie im Glauben, spätestens in zwei Wochen wieder zurück zu sein.

Sie verabschiedete sich weder von Raoul noch

von Leonardo, und sie sah auch Nicolás nicht mehr.

Zwei Tage nach ihrem Besuch in Felix Connaughts Urwaldhaus war sie zurück in London.

8. Kapitel

Jacey war überrascht, wie grau und farblos London war im Kontrast zum farbenprächtigen Techtátuan, obwohl die Sonne schien. Ihr war auch kalt, deshalb akzeptierte sie gern die Tasse Tee, die Major Fairhaven ihr anbot.

»Sie haben gute Arbeit geleistet«, sagte er, nachdem sie ihre Schlussfolgerungen über die Situation in Guachtal gezogen hatte. »Sie sind zwar nicht dem von mir erwarteten Pfad gefolgt, aber Sie haben ein gutes Ergebnis erzielt.«

»Was war der erwartete Pfad?«

Der Major sah sie verlegen an. »Nun«, sagte er zögernd, »wir ... eh ... dachten, dass Sie und Nicolás Schlemann zueinander finden würden, und er könnte sich Ihnen vielleicht anvertrauen.«

»Wie süß von Ihnen«, sagte Jacey kalt, obwohl sie innerlich kochte. »Sie haben mich als Köder hingeschickt. Wie geht es Ihnen, Senor Schlemann? Hier ist eine hübsche Lady für Sie, derer Sie sich bedienen dürfen. Wir hoffen, dass sich Ihre Zunge lockert, wenn Sie mit ihr im Bett liegen.«

Sie sah, wie der Major das Gesicht verzog. »Bitte«, sagte er, »so war es natürlich nicht. Glauben Sie, wir könnten so kaltblütig sein?«

»Ja«, sagte sie. »Wie schade, dass Sie nicht vorab recherchiert haben. Dabei hätten Sie nämlich herausgefunden, dass Nicolás nicht zu den Typen gehört, die sich in der Euphorie des postkoitalen Zustands über Staatsgeheimnisse aushorchen lassen.«

»An so etwas haben wir natürlich nie gedacht«, sagte der Major steif. »Wir haben es nur als eine

Möglichkeit gesehen. Immerhin sind Sie» – er knipste ein Lächeln an, das seinen Charme zeigen sollte, aber sie starrte ihn nur dumpf an – »eine sehr attraktive Frau, und Schlemann steht in einem gewissen Ruf. Ja, es war eine Möglichkeit, an die wir gedacht haben. Aber es gab auch andere.« Er lächelte immer noch. »Und eine davon haben Sie für sich entdeckt, nicht wahr? Ende gut, alles gut.«

»Für Sie«, stellte Jacey klar, »und für die Geschäftsleute. Aber nicht für den Regenwald.«

»Mein liebes Mädchen«, sagte er, und sie hörte eine Irritation in seiner Stimme, »Sie sind doch nicht diesem grünen Unsinn erlegen? Die Gefahren für den Regenwald sind grässlich übertrieben dargestellt, und außerdem braucht ein Land Einnahmen und keine Hippie-Ideale.«

Jacey erhob sich. »Wissen Sie«, sagte sie mit süßlicher Stimme, »Sie hören sich genau so an wie dieser Kriminelle Nicolás Schlemann. Ist das nicht merkwürdig?« Sie wandte sich zum Gehen, blieb aber noch einmal stehen und lächelte. »Vielleicht ist es auch gar nicht so merkwürdig.«

Das erste vertraute Gesicht, das Jacey sah, als sie zum Midland Hospital zurückkehrte, war Anton O'Rhiann. Er sah gehetzt aus, hatte ein Bündel Papiere unter dem Arm und hastete den Flur entlang. Wenn Jacey ihn nicht angesprochen hätte, wäre er vorbei gegangen, ohne sie zu erkennen.

»Jacey?« Es dauerte einige Augenblicke, ehe er realisiert hatte, wer vor ihm stand. Er sah sehr müde aus. »Was tust du denn hier?«

»Ich bin zu Besuch.«

»Aha.« Er starrte ihr ins Gesicht. »Danke für den Brief.«

Im ersten Moment wusste sie nicht, wovon er sprach, dann erinnerte sie sich, dass sie ihm einen Brief geschrieben hatte, in dem sie ihm sagte, dass sie nach Südamerika flog und ihre Affäre vorbei war. »Ich hatte nicht den Mut, dir ins Gesicht zu sehen, um mich zu verabschieden«, gab sie zu.

»Das habe ich mir gedacht.«

Es entstand ein längeres Schweigen, und sie fragte sich, ob er sich ebenso unbehaglich fühlte wie sie. »Du bist schwer beschäftigt«, sagte sie. »Vielleicht können wir uns später sehen?«

»Wozu?« Seine Stimme klang verbittert. »Damit du mir sagen kannst, wie schön es in Südamerika war? Wie sind die Männer da, Jacey? Nur Sex und keine Verpflichtungen? Hattest du eine Menge hübscher, leerer Beziehungen?«

Sie fing an, sich schuldig zu fühlen. Sie hatte ihn schlecht behandelt, dabei war es sein Drängen gewesen, ihre Beziehung zu legalisieren, die sie schließlich dazu gebracht hatte, Major Fairhavens Angebot anzunehmen. Sie wusste, dass ihre Affäre mit Anton vorbei war, und ein klarer Bruch schien damals das einzig Richtige zu sein.

»Ich bin zum Arbeiten nach Guachtal geflogen«, sagte sie.

»Oh, das glaube ich gern. Und wie lange vorher hattest du es geplant? Es war doch keine Entscheidung von heute auf morgen? Du musst es Wochen vorher gewusst haben. Und es ist dir wohl nie eingefallen, mir etwas zu sagen?«

»Nein, so war es nicht«, widersprach sie. »Es ergab sich wirklich sehr schnell.«

Sie wusste, dass er ihr nicht glaube, und sie konnte es ihm nicht einmal verübeln. Doch die Wahrheit konnte sie ihm auch nicht sagen.

»Das hat am meisten geschmerzt«, sagte er. »Du

wusstest, du würdest mich verlassen, und selbst, als wir Liebe gemacht haben, hast du nichts gesagt.« Sie sahen sich schweigend an. Dann sagte er: »Ich muss gehen. Ich bin sehr beschäftigt.«

»Ja, ich weiß, wie die Ärzte hier schuften müssen«, sagte sie.

»Ach, du erinnerst dich daran?«, fragte er spöttisch. »Ich hoffe, du wirst dich nicht wieder um einen Job im Midland bewerben.« Er wandte sich ab und ging weiter den Korridor entlang. »Denn wenn du das tust, werde ich gehen.«

Jacey saß in der Halle ihres kleinen Londoner Hotels und blätterte im British Medical Journal, als sie spürte, dass jemand sie beobachtete. Sie blickte auf und sah einen lächelnden Peter Draven schräg vor sich stehen.

»Suchst du einen Job?«, fragte er.

»Ja«, gab sie gelassen zurück und versuchte, ihre Verblüffung nicht zu zeigen. »Warum? Hast du eine Empfehlung für mich?«

Er grinste. »Sehr gut. Nicht der Anflug von Überraschung. Ein guter Arzt muss unter allen Umständen seine wahren Gefühle verstecken. Sehr hilfreich, wenn man einem Patienten zu sagen hat, dass er sterben muss.«

Er setzte sich ihr gegenüber in einen Sessel. »Darf ich dir Gesellschaft leisten?«

»Nur, wenn du mir sagst, was du hier tust.«

»Ich bin schon seit einiger Zeit zurück.«

»Ich meine hier.«

»Glaubst du mir, wenn ich ›Zufall‹ sage?«

Sie schüttelte den Kopf. »Nein.«

»Damit liegst du richtig. Ich wusste, dass du zurückgekommen bist. Es war nicht schwierig zu erfahren, wo du wohnst.« Er grinste sie an. »Jeder gute Geheimagent schafft das.«

»Aber du bist Arzt.«

»Du auch«, gab er zurück.

Sie starrte ihn an. »Sage mir, dass das, was ich denke, völliger Unsinn ist.«

»Wenn du denkst, dass auch ich für Major Fairhaven arbeite, ist es kein Unsinn«, sagte Peter Draven.

»Dann sage mir auch noch, was du im La Primavera zu tun hattest.«

»Mehr oder weniger das, was auch deine Aufgabe war.« Er hob die Schultern. »Aber mit weniger Erfolg. Ich bin nicht in den engen Kreis der Freunde von Nicolás Schlemann eingedrungen, wahrscheinlich deshalb nicht, weil es diesen Kreis gar nicht gibt. Ich glaube nicht, dass er irgend jemandem vertraut.« Er grinste. »Nicht einmal mitten in der größten Leidenschaft, habe ich Recht?«

»Absolut«, antwortete sie kühl.

»Dann war es also eine Zeitverschwendung, dich an Nicci zu geben«, sagte Peter. »Ich hätte mich meinen Befehlen widersetzen und dich für mich behalten können.«

»Befehle?« fragte Jacey verdutzt. »Du bist beauftragt worden, mich an Nicolás zu geben?«

Peter Draven nickte. »Glaubst du, ich wäre sonst so verrückt gewesen, das zu tun? Dafür war es zu schön mit uns. Unsere gemeinsamen Bosse waren ziemlich sicher, dass du Nicolás Schlemann ins Auge fallen würdest, aber sie wollten nichts dem Zufall überlassen. Ich hatte sicher zu stellen, dass ihr beide euch findet. Und gleich danach erhielt ich den Befehl, nach Hause zu fliegen und dir alles Weitere zu überlassen. Ich kann dir sagen, das ist mir nicht leicht gefallen. Aber du weißt, wie das ist. Befehl ist Befehl.«

Sie nickte. »Und was machst du jetzt, Dr. Draven? Du verfolgst mich? Sollst du dem Major berichten, wo ich mich gerade aufhalte für den Fall, dass er mich wieder bei einem aufregenden Auftrag einsetzen will? Vielleicht werde ich demnächst irgendeinem Scheich als Köder hingehalten.«

»Nun, ich warte darauf, nach Amerika geschickt zu werden«, sagte Peter, der leicht rot geworden war. »Als ich erfuhr, dass du zurück und in London bist, wollte ich dich sehen.«

»Warum?«, fragte Jacey.

Er sah sie mit steigendem Unbehagen an. »Ich dachte, wir könnten ein paar Tage zusammen verbringen.«

»Der alten Zeiten wegen?«, fragte sie fröhlich. »Oder weil es billiger ist, als zu einer Hure zu gehen?«

Er zuckte zusammen, als hätte sie ihn geschlagen. »Das ist unfair. Wir hatten eine gute Beziehung. Habe ich jedenfalls so empfunden.«

»Hatten wir auch«, bestätigte Jacey. »Aber ich habe die kleine Inszenierung im OP noch nicht vergessen. Damit sich Nicolás ein besseres Bild von mir machen konnte.«

»Das war seine Idee.«

»Das weiß ich selbst«, gab sie zurück. »Aber du hättest dich weigern können. Oder du hättest mir eine Andeutung machen können.« Er wollte etwas sagen, aber sie brachte ihn zum Schweigen. »Sage jetzt bloß nicht, dass es sich wieder um einen Befehl handelte.«

»Was sonst kann ich sagen?« Er hob die Schultern. »Du kennst die Regeln. Wenn es dir ein Trost ist, muss ich sagen, dass es mir überhaupt nicht gefallen hat, ein doppeltes Spiel mit dir zu treiben.«

»Das ist kein Trost für mich«, sagte sie. »Aber weißt du, was noch schlimmer ist? Ich sitze hier und weiß, dass ich manipuliert und benutzt worden bin, wie eine Hure behandelt, und ich spüre nicht einmal mehr Wut. Ich fühle mich nur benommen, als wäre eine große Taubheit über mich gekommen. Das hat man davon, wenn man für Leute wie Major Fairhaven arbeitet. Und deshalb bin ich jetzt endgültig fertig mit ihm. Ich werde ein ganz normales Leben führen und mir einen netten, unkomplizierten Freund suchen.«

»Viel Glück«, sagte Peter Draven.

Jacey wusste nicht genau, ob es der Regen war, der sie ins Reisebüro trieb, um ein Ticket nach Guachtal zu kaufen, oder ob es an ihren Tagträumereien über Felix Connaught lag. Bisher hatte sie nie lange über das britische Wetter nachgedacht, aber jetzt weckte jeder graue Morgen die Erinnerung an die knalligen Farben von Techtátuan.

Und sie hatte auch noch nie von einem Mann geträumt, der so wenig aufregend im Bett war, aber sie erinnerte sich an Felix Connaughts Lächeln, an seine Stimme, an die langen Beine in den verwaschenen Jeans, an das Glitzern des schmalen Armbands. Sie konnte den Amerikaner nicht aus ihren Gedanken vertreiben. Wie wäre es, mit ihm zu leben, bei ihm zu arbeiten, mit ihm ihr Leben zu teilen? Je länger sie darüber nachdachte, desto mehr wollte sie es herausfinden.

Vielleicht können wir beide etwas gegen Nicolás Schlemanns Pläne unternehmen, dachte sie. Vielleicht gelingt es uns, Loháquin aus seinem Versteck zu holen, damit mehr aus ihm wird als nur ein Symbol für die Revolution. Die Möglichkeiten waren da, jemand musste sie nur bündeln. Vielleicht, dachte sie, wird mir das gelingen.

Was das Personal vom *Primavera* anging, hatte nie jemand Zweifel an Jaceys Rückkehr gehabt.

Ingrid erzählte ihr, dass Curtis Telford zurück in die Staaten geflogen war. »Und ich bin nicht mit ihm ins Bett gegangen«, sagte sie mit hörbarer Genugtuung. »Nicht einmal. Glaubst du, ich werde doch noch ein braves Mädchen?«

»Ich glaube, du mochtest ihn einfach nicht«, sagte Jacey. »Und das kann ich gut verstehen.« Grinsend fügte sie hinzu: »Habe ich dir gesagt, dass ich ihm mein Knie in die Weichteile gerammt habe?«

Ingrid brach in lautes Gelächter aus. »Nein, das hast du mir noch nicht gesagt. Erzähle!»

Jacey gab einen kurzen Bericht, und Ingrid stieß mehrmals beide Fäuste in die Luft. »Ja, wunderbar! Genau das hatte er verdient! Warum bin ich nicht selbst auf die Idee gekommen?«

»Weil du eine wohlerzogene Eisjungfer bist«, sagte Jacey.

Als Ingrid gegangen war, blätterte Jacey die Krankenkarten durch. Es hatte sich nichts geändert: Auch die aktuellen Patienten hatten keine ernsthaften Erkrankungen. Sie ging durch die einzelnen Zimmer, ehe sie sich in ihre Wohnung zurückzog.

Sie schloss die Tür auf und sah Nicolás, der es sich in ihrem Sessel gemütlich gemacht hatte. Er trug wie immer einen dunklen Anzug, aber er hatte das Jackett aufgeknöpft und den Hemdkragen gelockert.

»Willkommen zu Hause«, sagte er höflich.

»Danke.«

»Es wäre nett gewesen, im Voraus von deinem Urlaub zu erfahren.«

»Ich dachte, du wüsstest immer alles über mich«, gab sie zurück. »Du weißt sogar, wie du in meine Wohnung gelangst.«

»Die Putzfrau hat mir den Generalschlüssel gegeben«, erklärte er. »Ich habe gehört, du warst auf einer Hochzeit?«

»Ja.« Sie knöpfte den weißen Kittel auf und warf ihn über einen Stuhl.

»Ich hatte gedacht, du wärst nach Amerika gegangen«, sagte er. »Zusammen mit Felix Connaught.« Sie konnte ihre Überraschung nicht verhehlen, und Nicolás fuhr fort: »Du wusstest nichts davon? Wie rücksichtslos von Mr. Connaught. Ich dachte, er hätte es dir gesagt.«

»Warum sollte er?« Sie lockerte ihre Haare, die sie im Dienst im Nacken zusammenband. »Es geht mich nichts an, wann er wohin geht.«

»Ich wäre nicht sehr erfreut gewesen, wenn du mit Mr. Connaught gegangen wärst«, sagte Nicolás leise.

»Nein?« Sie blieb kühl. »Aber es geht dich doch auch nichts an, wohin ich mit wem gehe, oder?«

»Doch«, sagte er. Jetzt lächelte er nicht mehr. »Ich mag meine Frauen nicht teilen.«

Jacey wusste, dass sie es nicht mehr nötig hatte, Nicolás' sexuelle Kontrolle zu testen, aber als sie ihn jetzt anschaute, die langen Beine ausgestreckt und leicht gespreizt, spürte sie ein plötzliches Verlangen. Was, zum Teufel, ist mit mir los?, dachte sie verärgert. Ich dachte, unsere Affäre wäre vorbei; während ich in England war, habe ich keinen Augenblick an ihn gedacht. Und jetzt brauche ich ihn nur anzuschauen, und schon will ich ihm die Kleider vom Leib reißen. Oder er soll sie mir vom Leib reißen. Oder ich knie mich vor ihn hin und ...

Nicolás unterbrach ihre Gedanken. »Ich hoffe, du hast mich vermisst, während du in England warst.« Er grinste zynisch. »Ich hoffe, du hast besonders an mich gedacht, wenn du ins Bett gegangen bist.«

»Nein«, sagte sie wahrheitsgemäß. Und fügte hinzu: »Warum sollte ich? Wir sind doch nie zusammen ins Bett gegangen.«

»Mit wie vielen Männern bist du in England ins Bett gegangen?«, fragte er.

»Mit keinem«, antwortete sie und fragte sich, ob er ihr glaubte. »Und mit wie vielen Frauen warst du in dieser Zeit zusammen?«

Er hob die Schultern. »Mit einigen wenigen. Hauptsächlich wegen Curtis Telford. Er steht auf solchen Sachen.«

»War es denn so wichtig, Curtis Telford zu gefallen?«

Er nickte. »Finanzpolitisch wichtig.« Wieder dieses zynische Lächeln um die Mundwinkel. »Aber keine der Huren war so gut wie du.«

»Oh«, sagte sie, »wie schmeichelhaft. Wenn ich jemals meinen Beruf aufgebe, weiß ich, dass es noch eine Beschäftigung gibt, für die ich geeignet bin.«

»Richtig«, sagte er. »Geh ins Schlafzimmer und zieh deine Kleider aus.«

Sie lächelte. »Warum variieren wir nicht ein wenig? Wir gehen beide ins Schlafzimmer, und ich ziehe dich aus.«

Sie war überrascht, als er aufstand. »Was für eine gute Idee«, sagte er.

Er ging ins Schlafzimmer voran. Sie ging zum Fenster und stellte die Jalousien quer, sodass das Zimmer mit Schatten gesprenkelt war.

Nicolás stand am Bett. »Nun? Machst du einen Anfang?«

Sie setzte sich aufs Bett. »Eine kleine Planänderung«, sagte sie. »Weißt du eigentlich, dass ich dich noch nie ganz nackt gesehen habe?«

Er hob die Schultern. »Und? Warum tust du nichts was dagegen?«

»Nein«, sagte sie. »Du tust was dagegen. Zieh dich aus.«

Er sah sie einen Moment lang an, dann streifte er langsam das Jackett aus. Er zog sein Hemd aus und drehte sich einmal um die eigene Achse, sodass sie seine Muskulatur bewundern konnte. Er streifte die Schuhe ab und öffnete den Reißverschluss seiner Hose. Er ließ sich Zeit und sah zu, wie die Hose langsam zu Boden glitt. Er setzte sich in seinem schmalen, dunklen Slip aufs Bett und streifte die Socken ab. Dann erhob er sich und lächelte Jacey zu.

»Ich glaube, du bist noch nicht ganz fertig«, sagte sie.

Immer noch lächelnd, grub er die Daumen unter den Bund des Slips und schob ihn über seine Erektion, wobei er Jacey den Rücken zuwandte.

»Sehr hübsch«, sagte sie. »Du könntest dein Geld auch als Stripper verdienen.«

»Ich denke, die machen es bei Musik.«

Sie lachte. »Das nächste Mal lege ich eine CD auf. Aber du musst auch noch lernen, dem zahlenden Publikum nichts vorzuenthalten. Dreh dich um.«

Er gehorchte und zeigte sich ohne jede Scheu. Sein Glied ragte fast senkrecht hoch. Jacey fühlte sich ein wenig an Leonardo erinnert. Nicolás hatte die gleichen langen Oberschenkel, die gleiche schmale Taille, aber Nicolás' Statur war zweifellos männlicher, reifer. Er hatte auch eine stärkere

Körperbehaarung. Und seine Muskeln traten prägnanter hervor. Er hat die Muskeln eines Tänzers, dachte Jacey, biegsam und geschmeidig, aber nicht so überentwickelt wie bei einem Bodybuilder. Sie war schon vom ersten Augenblick an von diesem Körper begeistert gewesen, damals, als sie seinen Brustkorb untersucht hatte. Jetzt, da sie den ganzen Körper sah, war ihre Begeisterung noch größer. Er schien kein Gramm Fett zu viel zu haben.

»Lege dich aufs Bett«, ordnete sie an. Es war eine erregende Abwechslung, ihn gehorchen zu sehen. Noch ein paar Sekunden ließ sie ihre Blicke über seinen Körper schweifen, dann setzte sie sich neben ihn. Sie streckte eine Hand aus und rieb mit der flachen Hand über seinen Brustkorb.

Als ihre Finger über seine Nippel strichen, spürte sie, wie er die Luft anhielt. Jetzt fuhr sie mit der anderen Hand über den zweiten Nippel und beschrieb zarte kleine Kreise. Seine Erregung wuchs. Sie verstärkte den Druck ihrer Hände und nahm jeden Nippel zwischen Daumen und Zeigefinger. Sie zupfte leicht, dann kräftiger.

Nicolás ließ es ein paar Minuten bei geschlossenen Augen über sich ergehen, dann langte er hoch, griff ihren Kopf und zog ihn hinunter auf seine Erektion.

Sie nahm ihn im Mund auf, rauer, als sie beabsichtigt hatte, und hörte ihn stöhnen. Sie wollte seinen Orgasmus so lange wie möglich hinauszögern, bis er sie um Erlösung bat und anflehte, aber er hielt ihren Kopf unten und stieß in ihren Mund. Er füllte sie aus, es war unbequem, aber auch erregend. Dann spürte sie das Nahen seines Höhepunkts am unkontrollierten Rucken seiner Schenkel und am wilden Hieven des Beckens.

Es dauerte eine Weile, bis er wieder zu Atem

gekommen war. Er lag auf dem Rücken, das Gesicht schweißnass. Nach ein paar Minuten sagte er: »Das war wirklich gut.«

»Besser als sonst?«, fragte sie.

»Das Beste seit langem.«

»Manchmal macht es Spaß, wenn man die Rollen tauscht«, murmelte sie.

Er lächelte schläfrig. »Sieht so aus.« Er zupfte an ihrer Bluse. »Warum ziehst du die nicht aus?«

»Warum ziehst du mich nicht aus?«, fragte sie.

Er hob die Arme und verschränkte sie hinter seinem Kopf. »Weil ich so bequem liege und mich nicht bewegen will.«

Sie stand auf und entledigte sich ihrer Kleider, aber ohne Versuch, ihn damit zu reizen. Als sie nackt war, legte sie sich neben ihn. Er legte sich auf die Seite, um ihr ins Gesicht sehen zu können, dann richtete er sich auf einen Ellenbogen auf. Mit einer Hand erforschte er ihren Körper. Es begann als wanderndes Kosen, als eine Entdeckungsreise, und ihr war bewusst, dass er das zum ersten Mal bei ihr machte.

Allmählich forschte die Hand zielgerichteter, sie suchte nach erogenen Zonen, um die er sich bisher nicht gekümmert hatte, streichelte sie und schätzte an ihrer Reaktion ab, wie lange er dort verharren sollte. Dösend fragte sie sich, ob er jemals eine Frau derart rücksichtsvoll behandelt hatte. Dann spürte sie, wie sich sein Körper bewegte. Plötzlich befand sich sein Kopf zwischen ihren Füßen.

»Du musst dich für mich öffnen«, raunte er.

Sie spreizte die Beine und spürte, wie er dazwischen hoch kroch. Sie schloss die Augen, und der Gedanke an das, was jetzt geschehen würde, ließ sie genau an der Stelle zucken, an der sie sich im nächsten Augenblick seine Zunge wünschte. Er spreizte die Oberschenkel mit den Händen, und als sein Mund sie berührte, begann ihr Körper vor Lust zu zucken. Seine Zunge war kräftig und beharrlich.

Ihr einziges Bedauern war nur, dass sie diese Lust nicht sehr lange aushalten würde, denn sie spürte bereits, wie sie die Kontrolle verlor.

Als ihr Orgasmus kam, bäumte sich ihr Körper so vehement auf, dass Nicolás sie an den Hüften packen musste, um sie festzuhalten. Es dauerte einige Minuten, ehe sie wieder die Kontrolle über ihren Körper hatte, erst dann nahm sie wahr, dass Nicolás wieder neben ihr lag und sie mit einem befriedigenden Lächeln betrachtete.

»Das hat dir gefallen, was?«, fragte er.

»Ja.«

»So sind wir beide befriedigt«, sagte er. »Hast du einen Wein da?«

»Im Kühlschrank«, sagte sie.

Sie war überrascht, als er aufstand und in die Küche ging, und noch mehr überrascht, als er ein Tablett brachte, auf dem die Weinflasche und zwei Gläser standen.

»Ich dachte, die Zigarette ist das traditionelle Ding danach«, murmelte sie.

»Schlechte Angewohnheit.« Er schenkte ein und reichte ihr ein Glas. »Das ist viel gesünder für dich.«

Während sie nackt zusammen lagen und Wein tranken, dachte Jacey, dass auch das eine Premiere war. Noch nie zuvor war er nach dem Sex so lange bei ihr geblieben. Er blieb neben ihr liegen, bis er den Wein getrunken hatte, und auch dann schien er nicht in großer Eile zu sein.

Als er sich schließlich erhob, lächelte er sie an und fragte leise, als wollte er sie nicht stören, ob er ihre Dusche benutzen dürfte. Sie lag auf dem Bett und hörte dem Rauschen des Wassers zu und stellte sich seinen schlanken, muskulösen Körper unter den prasselnden Strahlen vor. Sie sah ihm beim Ankleiden zu und fand das fast so erregend wie das Ausziehen.

Er schaute auf die Uhr. »Der Wagen wartet schon«, sagte er. Es hörte sich fast bedauernd an.

»Du wirst mich wieder anrufen, wenn du mich sehen willst«, sagte sie.

»Ja.« Selbst dann zögerte er noch, und sie sah ihm an, dass er nur ungern ging. Er zeigte ihr sein vertrautes schiefes Lächeln. »Es war sehr nett«, sagte er. »Du wirst schon bald von mir hören.«

Jacey lag im Bett und dachte an Nicolás und an sein verändertes Verhalten. Wenn ich ihn nicht so gut kennen würde, dachte sie, müsste ich fast glauben, dass er mich vermisst hat und froh war, mich wieder zu sehen. Plötzlich scheine ich mehr für ihn zu sein als nur eine Trophäe.

Aber ich kenne ihn nicht wirklich. Mein Urteil, das ich über ihn verhänge, basiert auf dem, was andere mir über ihn gesagt haben. Obwohl wir so intim sind, wie man intimer kaum sein kann, ist er mir fremd. Wir haben kaum Gemeinsamkeiten, wir wissen nichts voneinander.

Bisher hat mich das nicht gestört, dachte sie. Wenn ich bei ihm bin, fühle ich mich sexy wie bei kaum einem anderen Mann, und wenn ich nicht bei ihm bin, denke ich kaum an ihn.

In England hatte sie nicht an Nicolás Schlemann, sondern an Felix Connaught gedacht, was sie selbst überrascht hatte. Weniger an seine Leistungen im Bett, sondern an seine Ideen und Hoffnungen für Guachtal. Es machte sie glücklich zu wissen, dass es jemanden gab, der sich über die Zukunft des

Regenwalds sorgte. Und er war der erste Mann, mit dem sie über ihr gestohlenes Baby hatte sprechen können. Es hatte ihr gut getan, darüber zu reden. Seither hatten die schrecklichen Erinnerungen sie nicht mehr heimgesucht.

Sogar der Gedanke an ihren Sohn schmerzte nicht mehr. Er wuchs in einer wohlhabenden Familie auf, die ihn unbedingt haben wollte und die ihn wahrscheinlich hoffnungslos verwöhnte.

Sie lächelte schläfrig. Ich bin dabei, halbwegs zu akzeptieren, was mir damals widerfahren ist, und das habe ich Felix zu verdanken. Er war der richtige Mann am richtigen Ort zur richtigen Zeit. Er ist anständig und vertrauenswürdig, und ich mag ihn. Ich mag ihn sehr.

Sie fragte sich, ob sie mit einem Mann wie Felix zusammen leben könnte. Obwohl sie Peter Draven gesagt hatte, sie wollte ein normales, bürgerliches Leben führen, war sie nicht sicher, ob es das war, was sie wirklich suchte. Das Wissen, ihr Leben jetzt unter eigener Kontrolle zu haben und auf niemanden Rücksicht nehmen zu müssen, war sehr attraktiv.

Jacey Muldaire, mahnte sie sich, wenn du wirklich in Guachtal bleiben willst, musst du eine Entscheidung treffen, mit welchem Mann du leben willst. Du weißt, was Felix von dir hält, du weißt, was er von dir will.

Am nächsten Tag rief sie Leonardo an und lud ihn zu sich ein. Schon beim Eintritt in ihr Büro bemerkte sie, dass er sich in den Wochen ihrer Abwesenheit völlig verändert hatte. Er hatte den Ausdruck der Unschuld und Verletzlichkeit verloren, der sie so zu ihm hingezogen hatte. Der verlegene Junge war verschwunden, an seiner Stelle stand ein eleganter, selbstbewusster Mann.

Jacey streckte die Hand aus, und er ergriff und drückte sie. »Leonardo«, sagte sie, »du siehst gut und zufrieden aus. Ich nehme an, du hast eine neue Freundin.«

Er nickte. »Die wunderbarste Frau der Welt«, sagte er, dann fügte er hastig hinzu: »Nach dir, natürlich, meine liebe Jacey.«

»Mach mir nichts vor«, sagte sie lächelnd. »Ich habe dich enttäuscht.«

»Im Gegenteil«, sagte er. »Du warst meine Lehrerin. Ich schulde dir alles. Ich hätte nie das Zutrauen gehabt, mich Margaretté zu nähern, wenn ich von dir nicht so viel über Frauen gelernt hätte.«

»Wie ist sie denn?«, fragte Jacey.

»Sie hat eine große Ähnlichkeit mit dir«, sagte er diplomatisch. »Sie ist schön und intelligent und ein bisschen älter als ich.« Er legte eine Pause ein und fuhr dann fort: »Nun, sie ist ziemlich viel älter als ich. Wir lieben dieselbe Musik und dieselben Bücher.«

»Und beim Sex?«

Sein Lächeln wurde breiter. »Wir haben einige Geräte gemeinsam entwickelt. Margaretté ist einfallsreich, sie hat eine lebhafte Phantasie. Du würdest nicht glauben, mit welchen Ideen sie ankommt. Und sie ist sehr streng. Manchmal kann ich tagelang nicht sitzen, wenn ich einen Abend bei ihr war.«

»Hört sich an, als wäre sie genau das, was du brauchst«, sagte Jacey.

»Das glaube ich auch.« Er starrte sie an. »Aber in meinem Leben ist immer noch Platz für eine andere Frau.«

»Leonardo«, sagte sie lächelnd, »du wirst deinem

Bruder immer ähnlicher. Ich habe dich nicht zu mir gebeten, um eine neue Beziehung zu beginnen. Ich muss mit Felix sprechen. Wann kommt er aus den Staaten zurück?«

»Bald«, antwortete Leonardo. »Felix war sehr unglücklich darüber, dass du ihm nichts über deine Reise nach England wegen der Hochzeit gesagt hast.«

»Ich bin nicht wegen einer Hochzeit nach England geflogen«, gestand sie. »Ich brauchte Luft, um meine Gefühle zu klären und Antworten auf meine Fragen zu finden. Ich wusste nicht, wie ich mich entscheiden würde. Ich war nicht einmal sicher, ob ich nach Guachtal zurückkehren würde.«

»Aber jetzt bist du hier«, sagte Leonardo, »und ich bin froh darüber.« Nach einer kurzen Pause: »Und Felix wird auch froh darüber sein.«

»Das hoffe ich«, sagte Jacey. »Glaubst du, dass er Kontakt mit mir aufnehmen wird, sobald er zurück ist?«

»Da bin ich sicher«, sagte Leonardo. »Und ich glaube, er wird etwas sehr Interessantes zu erzählen haben.«

Es dauerte noch eine Woche, ehe Paulo mit einer Nachricht von Felix und dem Vorschlag eines Treffens zu Jacey kam. Als sie neben dem jungen Indio im Auto saß, hatte sie das Gefühl, dass er ihr etwas vorenthielt. Er schien besonders gut aufgelegt zu sein und deutete an, dass es eine Überraschung für Jacey gäbe. Aber als sie ihn drängte, ihr mehr darüber zu erzählen, gab er sich plötzlich unschuldig und unwissend.

Felix begrüßte sie vor dem Haus. Eine kleine Ewigkeit hielt er Jaceys Hände. »Ich bin froh, dass du zurückgekommen bist«, sagte er.

»Hast du daran gezweifelt?«, neckte sie ihn.

»Nun, ich war nicht sicher, nachdem du gegangen bist, ohne dich von mir zu verabschieden.«

»Ich war zu feige«, gab sie zu. »Aber ich brauchte Zeit zum Nachdenken.«

»Ich werde dich nicht fragen, ob du für immer gekommen bist«, sagte er. »Aber versprich mir wenigstens, dass du mir Bescheid sagst, wenn du wieder gehst.«

»Ich verspreche es«, sagte sie und lächelte. »Wie war es in den Staaten?«

»Schrecklich, die vielen Menschen, die hinter dem Geld herlaufen«, sagte er. »Aber sehr nützlich.« Er streckte eine Hand aus. »Lust auf einen Spaziergang? Ich habe ein paar Überraschungen für dich. Die erste befindet sich im Regenwald.«

Paulo stand noch beim Auto. Felix warf ihm einen Blick zu und nickte. Paulo stieg ins Auto und fuhr davon.

»Keine Sorge«, sagte Felix zu Jacey. »Er kommt zurück. Dies ist kein Entführungsversuch.«

Er führte sie in den Regenwald. Es war das erste Mal, dass sie unter dem riesigen Dach aus Laub spazierte. Die Luft roch warm und würzig, und eine Fülle von verschiedenartigen Geräuschen begleitete sie.

»Wohin gehen wir?«, fragte sie.

»Nach Matá«, antwortete Felix. »Das ist Paulos Dorf. Da gibt es jemanden, dem ich dich gern vorstellen würde.«

Das Dorf war größer, als Jacey erwartet hatte. Rundhütten standen auf einer großen freien Fläche, umgeben von gerodetem Land, auf dem verschiedene Gemüse angebaut wurden. Eine Kindergruppe lief Felix entgegen, und als sie Jacey sahen, hielten sie sich eingeschüchtert zurück.

Felix sprach mit ihnen im gutturalen Chachté, und Jacey verstand das Wort *mochtó*. Die Kinder starrten Jacey offenen Mundes an.

»Was hast du ihnen gesagt?«, fragte sie Felix.

»Die Wahrheit. Dass du eine mächtige Heilerin bist.«

Er führte sie zu einer Hütte am Rand des Dorfes; dicht dahinter begann der Regenwald.

»*Holé tachta!*«, rief Felix.

Jacey erwartete, die ältere *mochtó* von der Heilungszeremonie zu treffen. Sie war völlig unvorbereitet, eine groß gewachsene Frau in den Kleidern der Eingeborenen zu sehen. Ihre schwarzen Haare fielen lang über den Rücken, und ihre Haut war braun gebrannt. Trotzdem sah man ihr an, dass sie keine Indio war.

Die Frau lächelte, streckte die rechte Hand aus und sagte in perfektem Spanisch: »Willkommen, Dr. Muldaire. Ich bin Juanita Márquez. Ich freue mich, Sie endlich kennen zu lernen. Felix hat mir viel von Ihnen erzählt. Kommen Sie, trinken Sie einen *toltoc* mit mir.«

Jacey setzte sich mit Felix auf den Boden. Sie fühlte sich erleichtert und freudig erregt, dass Juanita noch lebte. Ein junges Indiomädchen trat aus der Hütte und brachte zwei Kürbisgefäße, die mit einer würzig riechenden Flüssigkeit gefüllt waren.

»Das ist ein traditioneller Willkommenstrunk«, erklärte Felix. »Völlig harmlos, denn er wird aus Früchten gewonnen. Trink einen Schluck, dann können wir reden.«

»Ich beantworte alle Fragen«, sagte Juanita. »Ich bin sicher, dass Sie eine Menge Fragen haben.«

»Die erste, die mir auf der Zunge liegt: Was ist das für ein Gefühl, tot zu sein?«, fragte Jacey.

Juanita lachte. »Die Berichte über meinen Tod sind aufgebauscht worden. Ist das nicht das Zitat eines berühmten Mannes?«

»Aber die meisten Menschen glauben an solche Berichte«, meinte Jacey.

Juanita beugte sich vor. »Nun, auf eine Art stimmen sie ja auch. Ich bin nicht das habgierige Mädchen, das Alfonso des Geldes wegen geheiratet hat. Ich bereue meine leidenschaftlichen Affären nicht, und ich liebe meine Söhne. Aber die Frau, die all das getan hat, ist wirklich tot.«

»Und wer sind Sie jetzt?«, fragte Jacey.

»Eine Frau im Regenwald«, antwortete Juanita. »Ich bin wiedergeboren worden.« Sie machte eine allumfassende Geste mit beiden Armen. »Alles, was ich brauche, habe ich hier. Ich kann auf die Stadt verzichten. Für mich gibt es dort nichts mehr.«

»Weiß sonst noch jemand, dass Sie hier sind?«, fragte Jacey weiter. »Ich meine, abgesehen von Felix und Paulo und den Dorfbewohnern?«

»Leonardo weiß es«, antwortete Juanita. »Aber es ist gefährlich für ihn, so oft herzukommen. Irgendwann wird jemand Verdacht schöpfen. Deshalb habe ich Raoul nichts gesagt. Er ist ein lieber Junge, aber so impulsiv. Er hätte die ganze Zeit nachsehen wollen, ob ich alles habe, was ich brauche, ob ich gesund und in Sicherheit bin, was wirklich überflüssig ist. Hier ist der sicherste Platz auf der ganzen Welt. Und wenn jemand kommt, den ich nicht sehen will, verstecke ich mich in der Hütte, bis er verschwunden ist.« Sie lächelte. »Aber ich bin nicht isoliert. Ich weiß genau, was in Techtátuan passiert.«

»Dann wissen Sie auch, dass Nicolás plant, die Holzfäller in den Regenwald zu lassen?«, fragte Jacey.

Juanita nickte. »Ich weiß alles über Nicolás Schlemann.«

»Wissen Sie auch alles über Loháquin?«

Juanita zuckte zusammen, und Felix lachte. »Jacey ist wild entschlossen, unseren berühmten Ökokrieger kennen zu lernen«, sagte er.

Juanita sah ihn tadelnd an. »Weiß sie es denn nicht? Hast du es ihr nicht gesagt?«

Jacey wandte sich an Felix. »Was hast du mir nicht gesagt?«, fragte sie scharf. »Was ist das Geheimnis an Loháquin?«

»Es gibt keins«, sagte Felix. Er lächelte. »Es gibt kein Geheimnis, weil es auch keinen Loháquin gibt. Es hat ihn nie gegeben. Ich habe das Gerücht selbst in die Welt gesetzt, in erster Linie deshalb, um eine Opposition gegen Nicolás zu setzen. Das Gerücht verbreitete sich, und jeder entwickelte eigene Vorstellungen von Loháquin.« Er lachte. »Ich muss gestehen, ich habe lachen müssen, als ich sein Porträt auf den Steckbriefen sah. Ich hatte keine Ahnung, dass ich so einen abgerissenen Typen erschaffen hatte.«

»Paloma hat ein Bild von ihm, das viel schöner ist«, sagte Jacey. »Aber hattest du nicht die Befürchtung, falsche Hoffnungen zu erwecken? Du hast einen Geist geschaffen, aber Geister können niemandem helfen.«

»Doch«, widersprach Felix. »Die Menschen haben mir Geld gebracht, das ich an Loháquin weitergeben soll, und ich habe es benutzt, um den Indios zu helfen.«

»Und was ist mit den Holzfällern?«, fragte Jacey. »Ein Geist kann nicht gegen sie kämpfen.«

Felix stand auf und lächelte. »Vielleicht nicht. Aber ich.« Er nahm Jaceys Hand und zog sie hoch. »Komm, ich stelle dir einige Freunde aus dem Dorf vor. Danach gehen wir nach Hause – dort wird der zweite Teil meiner Überraschung auf uns warten.«

Jacey genoss den Rundgang durchs Dorf. Die Menschen waren freundlich und aufgeschlossen. In bester Stimmung kehrten sie zu Felix' Haus zurück. Paulos Auto stand davor.

»Gut«, sagte Felix. »Unser Gast ist eingetroffen.«

Jacey wusste nicht, wen sie erwarten sollte, aber gewiss erwartete sie nicht den großen, hageren Mann im dunklen Anzug, der sie wütend anstarrte, als sie das Haus betraten.

Nicolás Schlemann starrte Felix an, dann Jacey, dann wieder zurück zu Felix. »Was, zum Teufel, geht hier vor?«, fragte er zähneknirschend.

Jacey wandte sich an Felix. »Das ist die Überraschung, die du mir versprochen hast?«

»Ein Teil davon.«

»Sie haben mich unter Vorspielung falscher Tatsachen her bringen lassen, Connaught«, sagte Schlemann scharf. »Es hieß, Sie hätten mir ein Geschäft vorzuschlagen, aber wenn es Dr. Muldaire betrifft, habe ich kein Interesse, mit den Verhandlungen auch nur zu beginnen. Ich teile meine Frauen nicht.« Er grinste Jacey an. »Aber manchmal gebe ich sie weg.«

»Lassen Sie Jacey aus dem Spiel«, sagte Felix gepresst. »Sie wusste nicht, dass Sie hier sein würden. Mein Angebot an Sie ist ernst gemeint. Ich habe etwas für Sie. Etwas, was Sie dringend brauchen.«

»Sie haben nichts, was ich brauche«, fauchte Nicolás. Er ging zur Tür, blieb dort stehen und blickte sich mit einem höhnischen Blick im Zimmer um, ehe sein Blick auf Jacey haften blieb. »Sie scheinen überhaupt nichts zu haben, was von Wert ist.«

»Ich biete Ihnen eine Chance zur Flucht«, sagte

Felix. »Eine Chance, dem Gefängnis zu entkommen.«

»Ihr Leben bei den Indios hat Ihren Verstand zermürbt, Connaught«, sagte Nicolás spöttisch. »Sie sind so verrückt wie sie. Was bringt Sie auf den Gedanken, ich könnte im Gefängnis landen?«

»Sie werden dort landen«, behauptete Felix, »wenn Hernandez erfährt, dass sie hohe Summen aus dem Schatzamt auf ein europäisches Konto transferiert haben. Und was ist, wenn Curtis Telford erfährt, dass die Summe, die er für die Rodungsrechte in Guachtal gezahlt hat, auch schon auf Ihrem persönlichen Konto liegt?«

Einen Augenblick sah Nicolás eher amüsiert drein. »Sie haben zu viel Dschungelsäfte getrunken, Connaught. Ihr Gehirn ist weich geworden. Ich habe kein Geld aus dem Schatzamt angerührt, und Telfords Geld auch nicht. Und ich besitze kein Konto in Europa. Warum sollte ich eins brauchen?«

»Weil Sie planen, Guachtal zu verlassen«, sagte Felix. »Sie planen es schon seit Jahren. Warum sollen Sie den Rest des Lebens hier verbringen, wenn Sie sich als Multimillionär Ihre neue Heimat aussuchen können?«

»Sie sind krank«, sagte Nicolás verächtlich. »Ich habe nicht die Absicht, Guachtal zu verlassen.«

Felix lächelte. »Ich weiß das«, sagte er leise. »Aber sonst weiß es niemand.« Während Nicolás ihn anstarrte, fuhr Felix fort: »Die Beweise sind vernichtend für Sie. Das Geld ist transferiert worden, es liegt auf einem Nummernkonto, und es wird eine leichte Aufgabe für mich sein, den Beweis zu erbringen, dass Sie der Inhaber des Nummernkontos sind. Das Schatzamt ist so gut wie leergeräumt.«

Zum ersten Mal wirkte Nicolás nervös. »Das ist

unmöglich«, sagte er. »Niemand außer mir hat Zugang zu den Konten des Schatzamtes.«

»Falsch«, widersprach Felix. »Ich habe Freunde in den Staaten, die sich Zugang zur Bank of England, zum Weißen Haus und zum Pentagon verschaffen. Oder zu jeder geheimen Akte, die sie reizt. Manchmal tun sie es nur, um zu beweisen, dass sie es können. Oder sie tun es, um Freunden wie mir zu helfen.«

Es dauerte eine Weile, ehe Nicolás seine Gedanken geordnet hatte. »Was erhoffen Sie sich von diesem falschen Spiel?«, fragte er schließlich. »Wenn ich erkläre, was da in Wirklichkeit abgelaufen ist, sind Sie es, der ins Gefängnis geht.«

Felix' Lächeln blieb konstant. »Sie übersehen einen wichtigen Punkt, Mr. Schlemann. Sie sind nicht der populärste Mensch in Guachtal. Die Menschen akzeptieren Hernandez, weil er relativ harmlos ist. Aber niemand mag Sie. Sie haben zu viel Macht. Wenn die Leute eine Chance sehen, Sie zu vernichten, werden sie diese Chance mit beiden Händen ergreifen. Und sie werden mir dafür danken.«

»Ich werde kämpfen«, sagte Nicolás, die Stimme belegt von der unterdrückten Wut.

»Sie werden verlieren«, behauptete Felix. »Denken Sie darüber nach. Wer wird Sie unterstützen? Hernandez nicht, denn seine Frau wird es ihm untersagen. Carlos Márquez auch nicht, weil Sie den Holzfällerhandel ohne ihn durchgezogen haben, und er war sowieso nie ein Freund von Ihnen. Er hat Sie benutzt, wie Sie ihn benutzt haben.«

Jacey sah, wie Nicolás die Fäuste ballte, und einen Augenblick lang befürchtete sie, er würde sich auf Felix stürzen.

»Nehmen Sie, was ich Ihnen anbiete, Schlemann«, sagte Felix leise. »Ich lasse Ihnen Zeit zur Flucht. Südamerika ist groß, irgendwo wird ein kluger Mann wie Sie eine Nische finden. Ich überweise sogar etwas Geld auf Ihr Konto, damit Sie die erste Zeit überstehen.«

»Warum tun Sie das?«, fragte Nicolás misstrauisch. »Was haben Sie davon?«

»Sie werden es nicht glauben«, sagte Felix, »aber ich bin Ihnen dankbar. Sie haben dieses Land finanziell stabil gehalten, wenn auch auf Ihre krumme Tour. Sie hinterlassen uns eine gute Basis, auf der wir für die Zukunft bauen können. Deshalb gebe ich Ihnen die Chance zur Flucht. Aber kommen Sie nie wieder nach Guachtal zurück.« Er lächelte. »Flucht ist besser als Gefängnis, Nicci.«

»Habe ich Bedenkzeit?«

»Bis heute Abend. Wenn Sie so lange brauchen. Ich glaube, wir beide wissen, wie Sie sich entscheiden.«

Nicolás sah Jacey an. »Ich habe dich vermisst«, sagte er. »Als du zurück nach England geflogen bist, habe ich dich vermisst, und ich habe mich wahnsinnig gefreut, dass du zurückgekommen bist. Es ist das erste Mal, dass ich bei einer Frau so etwas empfunden habe.« Dann ging er hinaus und ließ sie verdutzt und atemlos zurück.

»Und?«, fragte Felix. »Was hast du zu meiner kleinen Überraschung zu sagen?«

»Heil dir Retter des Regenwalds«, sagte sie.

»Ich hoffe, dass du erfreut bist?«

»Wegen der Bäume? Natürlich.«

»Und wegen Nicolás?«, hakte Felix nach. »Guachtal wird ohne ihn besser dran sein.«

»Das hoffe ich«, sagte sie. »Hoffen wir, dass der neue Mann im Schatzministerium die Arbeit so gut erledigt wie er.«

»Ich hoffe, dass ich dieser Mann sein werde«, sagte Felix. »Ich habe schon einige Ideen. Hast du schon mal von INBio gehört?«

Sie nickte. »Das ist die Organisation in Costa Rica, die eine Bestandaufnahme aller Urwaldtiere, der Pflanzen und der Mikro-Organismen erstellt.«

»Und die diese Informationen an die Pharma-Industrie verkauft.« Felix nickte. »Sie haben schon mehrere Millionen Dollar eingenommen. Wir könnten uns dieser Organisation anschließen.« Er lächelte Jacey an. »Die Forschungen meiner Mutter würden also doch noch von Nutzen sein.«

»Ist dir eigentlich bewusst«, sagte Jacey, »dass der *lohá* es doch war, der Nicolás vernichtet hat?«

»Du meinst den Geist des Regenwalds?«

Jacey nickte. »Ana Collados hat mir erzählt, dass die Indios Nicolás ihrem *lohá* angeboten haben. Er lebt im Raum zwischen den Welten, und er schlägt zu, wann man es am wenigsten erwartet.«

»Sehr seltsam«, murmelte Felix. »Die liebe alte Ana Collados ist so verrückt wie Juanita, wenn es um die Geister der Indios geht.«

»Sie sagte, es wäre ein grausamer Geist«, fuhr Jacey fort, »und auch damit hatte sie Recht.«

»Du glaubst, was ich mit Nicolás durchziehe, sei grausam?«, fragte Felix. »Es hätte viel grausamer für ihn kommen können. Wie lange, glaubst du, hätte es im Gefängnis gedauert, bevor ihn jemand mit dem Messer ersticht? Ich habe ihm die Chance gegeben, woanders ein neues Leben zu beginnen.« Er griff nach ihren Händen und drückte sie. »Sage mir, dass dir Nicolás' Schicksal nicht nahe geht, Jacey.«

Jacey lächelte. »Ich empfinde nichts für Nicolás«, sagte sie und erwiderte den Druck seiner Hände. »Aber du bedeutest mir was, Felix.«

War es die Wahrheit? Später an diesem Abend, als sie neben Felix im Bett lag und der unablässigen Sinfonie der Geräusche des Regenwalds lauschte, fragte sich Jacey, was wohl geschehen wäre, wenn Felix es nicht geschafft hätte, Nicolás zu vernichten. Hätte sie die Affäre mit Nicolás fortgesetzt? Hätten sie irgendwann herausgefunden, dass sie mehr teilen konnten als nur Sex? Sie würde es nie erfahren. Wenn sie in Guachtal blieb, würde sie ihn nie wiedersehen.

Würde sie bleiben? Sie schaute zu Felix, der nach ihrem kurzen Liebesakt tief und zufrieden schlief. Er hatte ihr einen Orgasmus gegeben, hatte sie geküsst und gemurmelt, dass sie wunderbar war, ehe er eingeschlafen war. Aber sie empfand keine Erfüllung. Dabei ist dies der Mann, mit dem ich den Rest meines Lebens verbringen will.

Mache ich wieder einen Fehler?

Es dauerte sechs Monate, bis Jacey ihre Zweifel bestätigt erhielt. Es waren hektische sechs Monate. Sie erlebte, wie *La Primavera* ein offenes Krankenhaus für alle wurde; Dr. Rodriguez erhielt den Titel des Chefarztes, und Ingrid Gustaffsen wurde seine Assistentin. Dr. Sanchez wurde Chef der Aus- und Weiterbildung. Jacey war dabei, als profitable Verträge mit pharmazeutischen Firmen abgeschlossen wurden, und sie hörte enthusiastische Pläne für den Öko-Tourismus. Sie sah, wie die Indios in den Regenwald zurückkehrten und ihre Dörfer wieder aufbauten.

Und sie sah, wie Felix Connaught sich veränderte. Er war immer noch besorgt um die Ökologie und den Regenwald, aber er war jetzt die rechte Hand von Generalissimo Hernandez. Leichte, helle

Anzüge ersetzten die verwaschenen Jeans, seine Haare waren kurz geschnitten, und statt des metallenen Armbands trug er eine Uhr.

Jacey sah ihn immer seltener, und wenn sie sich trafen, war er oft zu müde für die Liebe. Sie begriff, dass ihn die Arbeit mehr interessierte als die Liebe. Ihre Affäre geriet zu einem Zusammenleben wie Bruder und Schwester.

Sie wusste, dass sie Guachtal verlassen musste. Sie hielt ihr Versprechen und sagte ihm, dass sie ging. Er bat sie um eine Telefonnummer, die er in die Tasche steckte, ehe er zu einer Konferenz mit Hernandez aufbrach.

Ingrid und Paulo begleiteten sie zum Flughafen. »Benimm dich gut«, sagte Ingrid zum Abschied. »Und vergiss uns nicht.«

»Ganz bestimmt nicht«, murmelte Jacey. »Wenn ich einen Job gefunden habe, spare ich eisern und besuche euch.«

»Benimm dich auch auf dem Flug«, mahnte Ingrid. »Oder willst du Mitglied des ›Über-den-Wolken-Clubs‹ werden?«

Jacey musste lachen. »Ich würde mir die Gelegenheit nicht entgehen lassen.«

Sie fand ihren Platz im Flugzeug und schaute zu den Sitzen auf der anderen Gangseite. Dort saß ein gut aussehender Mann, der in ein Buch vertieft war. Lange Beine, dachte Jacey. Und elegante feingliedrige Finger.

Er spürte, dass er beobachtet wurde, und bewegte die Hand, die das Buch hielt. Jetzt konnte Jacey den Titel lesen. ›Sex im einundzwanzigsten Jahrhundert‹ stand da. Er bewegte die Hand wieder, und jetzt wurde der Autorenname lesbar: Gregory Ballantine.

Eine Stewardess schritt den Gang entlang und

blieb in Höhe ihrer Sitzreihe stehen. Sie wandte sich an den Mann. »Es tut mir leid, dass wir Ihnen einen anderen Platz zuweisen mussten, Mr. Ballantine. Haben Sie es bequem hier?«

»Ja, alles bestens«, sagte er, und als die Stewardess weiter gegangen war, schaute er lächelnd zu Jacey. Sie lächelte zurück.

Das könnte ein interessanter Flug werden, dachte sie.

ENDE